畫廊主帶您進入藝術圈

鑑賞・從業・創作・收藏

（上）

Gallery owner take you into the art world

Appreciation · Practice · Creation · Collection

李宜洲─著

目錄

Part 2　　藝術從業篇

導讀：我所認知的藝術世界

　　隨著時代的進展，藝術受到人類文明與文化的發展而有著變異，有些是從根本的定義上開始變異，有些則是受到環境的影響，而在藝術的生產與接受上開始變異，材料、形式、主題的變異，讓我們對於新型態的藝術品有著審美上的進化；工具、技法的改變，讓我們製作藝術品的工序也產生了革命性的突破；美學、概念、表現的變異讓我們對於藝術的詮釋與欣賞產生了更多元的角度；展覽呈現、觀眾態度的變異讓我們思考藝術的參與也成為了作品的一部分。

　　藝術的發展從史前藝術（Prehistoric Art），一直到後現代藝術（Postmodern Art），隨著美術發展的遞嬗與演進，藝術追求的層次與廣度，也證明了人類生命的出眾，如今史學家為了研究目前正在發生的藝術，而將 1960 年代之後正在實踐中的藝術風格，暫時冠以當代藝術之名稱，我們將藝術範疇重新地整理，並期待著當代藝術會如何的改變我們的世界，儘管阿什比（Brian Ashbee）於 1999 年發表的《藝術胡說》（Art Bollocks）一文中，強烈批評裝置藝術、觀念藝術、攝影、錄像這些所謂後現代作法都太過於依賴口頭解釋，當代的藝術社會卻也同時因為這種觀念性強烈的作品趨向，而讓人著迷不已，無論是策展概念、作品內容、市場營銷、學術研究，皆因為這種趨向而重新思索並改變。

　　社會學家娜塔莉・海因里希（Nathalie Heinich, 1955-）認為：「現代藝術與當代藝術雖然在歷史上部分重疊，但卻是不同的範式（Paradigm），現代藝術挑戰的是表現的傳統，而當代藝術挑戰的則是藝術作品本身的概念。」藝術走到如今的當代後，有別於傳統藝術的脈絡式呈現，藝術的發展更接近跳躍式的進程，不僅在作品的表現形式上創新，也更強調觀念性並且與哲學融合，過去的範疇疆界無論是學門的分類抑或創作的類型，也同樣重新定義並產生整併的趨勢，根據我的觀察，現代人很多時候面對前衛的當代藝術作品，很容易有兩種特殊的謬誤現象，其一，是過度的排斥當代藝術，即是看到新型態的藝術，由於太過前

衛又無法理解，就抗拒接受並將之視為虛偽造作的偽藝術，常會遇到參觀民眾說出：「這樣也算藝術嗎？」或「這樣誰不會做？」的困惑疑問；其二，是過度的吹捧當代藝術，即是因為作品看似前衛創新，又好似觀念及理論性充足，雖然還不懂得如何欣賞，但是就直接認定此件為學術性極高的好作品，好似深怕他人以為自己沒內涵，沒有欣賞藝術作品的素養。

經營畫廊多年，身為商人又同時能浸淫在藝術的環境中，是相當幸福的，以往台灣的商業畫廊以商業的角度來經營藝術，也發展出畫廊觀看作品的視角與方式，早期台灣畫廊產業剛啟蒙的時候，藝術作品的發展相對單純，過去泛印象主義、鄉土寫實之類的作品也受到大眾青睞，但隨著近代藝術作品的內容越趨哲學、觀念化，畫廊除了商業經營外，也努力地提升藝術理論的內涵，許多期許能夠國際化的畫廊，也帶動了國內畫廊學術化的經營模式與國際化視野的增長；畫廊經營屬於商業行為，雖然帶有理想成分，但始終在責任上與負責的對象上還是以股東、簽約藝術家、藏家為主，商業畫廊與學術／教育單位的學術研究，及作育英才的義務程度也大相逕庭，因此我始終很感謝台灣的學術／教育單位向下扎根，沒有這些學術源頭就沒有這些傑出人才。

觀察過去市場上出版的藝術叢書，大部分皆為學者與研究單位出版的書籍，而近年來市場上有眾多國外藝術家出版的書籍，他們以藝術家的角度來進行作品及藝術的相關介紹，這些藝術家在談論作品時的用詞，有別於藝術理論家的言語，提出一種新的詮釋角度與文體，因此我開始思考能不能也有一種以畫廊產業的角度來探討的藝術世界，儘管藝術市場的現象流變不居，任何的觀點都有落伍的一天，但總希望能讓藝術世界被詮釋的方法可以更多元，並且是以年輕世代畫廊經營者的觀點，來帶大眾進入藝術圈，同時我也很期待未來台灣的藝術產業能夠透過不同人的觀點，推而廣之的有更多的產業見解，更普及地在結構化與專精化下，帶動整個「產業生態系統」（Industrial Ecosystem）的價值提升，讓視覺藝術產業的市場規模能夠與西方國家並駕齊驅。

　　多年來在外演講或談論藝術時，常遭遇一種曖昧不明又一言難盡的詮釋困境，且舉例時又常讓人發覺有眾多例外，似乎難以用一個完美無缺又歷久不衰的定義來說明，既然藝術的談論不是三言兩語的簡短敘述可以完成，我開始思考要怎麼找到一些著力點，來好好推廣藝術的種種，既想說明的清晰又不希望談論的過於淺白廉價，於是我開始整理曾經演講過的各類主題，並加以文字撰寫，父伯輩在藝術圈經營了四十年，克紹箕裘與家學淵源的關係下，至今我在畫廊界也從業十餘年，在這些年頭的產業觀察，我認為有四類人是熱衷於想深層進入藝術圈：藝術愛好者、藝術從業人員、藝術創作者與藝術收藏家，因此我將此書分成四個篇章：「藝術鑑賞篇」、「藝術從業篇」、「藝術創作篇」與「藝術收藏篇」，針對這四種與藝術圈關係最密切者想瞭解的部分，依章節進行闡述，並分為上下兩冊，希望以畫廊經營者的角度來帶大家進入藝術圈，並在撰寫文字時盡量以大眾能夠共鳴的方式來舉例，因此以一些新聞事件、電影情節、美術史知名作品等，來作為一種類比性的範例。

　　第一個篇章，我希望用幾個簡短的章節，先與各位讀者分享基礎的藝術理論與藝術品的欣賞方式，畢竟在各形各色的前衛藝術來臨的時代，如果不順著藝術發展的脈絡去進行理解，很多時候會有繞圈子的學習軌跡，甚至看了越多藝術作品反而越無法理解藝術究竟是何物，因此我認為要進入藝術圈子，有基本的藝術底子是必要的，而大眾比較感興趣的繪畫我分成寫實、抽象與介於兩者之間的三部分來說明，並針對雕塑的發展與特點來進行介紹；第二個篇章，我針對這些年在畫廊產業，與人交流及從事藝術經紀的心得，來介紹畫廊與經紀人的角色，近年來我觀察到藝術市場上有越來越多的獨立經紀人誕生，有別於過去藝術仲介只有營運二級市場，現今的獨立經紀人開始代理國內外藝術家，並以營運一級市場為主要工作，因此我除了介紹畫廊產業，也介紹藝術經紀的範疇，最後進行藝術傳遞的探討，撰寫內容針對產業面實作情況的經驗談，並佐以國際上較成功的藝術機構案例，以補足完整性；第三個篇章，是將許多年輕藝術家在創作時會遇到

的問題與瓶頸，透過舉例與寓言故事的方式來闡述我想談論的觀念，藝術創作的過程雖然個人且抽象，但面對創作時的心境卻是可以分享交流的，因此除了談談面對創作時的心境與應該理解的觀念，也列出幾個年輕藝術家時常會遇到的創作疑問，並且給予職業創作的藝術家們一些建議；第四個篇章，針對藝術市場的概況、拍賣市場介紹、收藏面的見解與藝術投資的模式，來簡略的分享，由於時代的演進，各行各業的環境轉變也非常快速，近幾年面對藝術生態與市場的轉變，有些觀念也許會老舊汰換，但基礎的概念卻是不變，希望透過我的梳理，也能讓想進入藝術圈的讀者們，有更進一步的瞭解。

最後希望這本著作能夠與讀者交流分享，過去台灣少有以畫廊角度撰寫的書籍，畫廊經營者以產業內實際的從業者自居，並同時成為產業演進與商業模式變化的觀察者，希望透過筆者的淺見，能夠讓一些對於藝術圈感興趣的朋友們，對於這個圈子有更進一步的瞭解，也期待台灣藝術圈在美術史文本的建立中，也不忘了健全台灣的產業機制與市場結構。

Part 1

藝術鑑賞篇

30分鐘藝術理論觀念補充

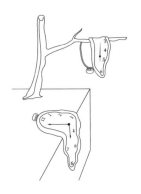

科學與藝術屬於整個世界,在它們面前,民族的障礙都消失了。

藝術家對於自然有著雙重關係,他既是自然的主宰,又是自然的奴隸,他是自然的奴隸,因為他必須用人世間的材料進行工作,才能使人理解;同時他又是自然的主宰,因為他使這種人世間的材料服從他的較高的意旨,並且為這較高的意旨服務。

—歌德(Johann Wolfgang von Goethe),文學家

　　初入藝術圈的朋友，參觀許多大小展覽及各種形式的作品，時常心中會有一些疑問，如：藝術家與工匠的差異在哪裡？藝術品與日常用品的差異性在哪裡？藝術品要如何欣賞？藝術的認定是誰說了算？為何大家對於藝術的本質探討會不一樣？為什麼過去的藝術跟現今的藝術差異這麼大？我要如何拓展自己的眼界理解不同的作品？其實隨著對藝術的認識越多，也會階段性的產生各種好奇，這其實也代表自身對於藝術的思考變得更深入。

　　台灣過去的美育訓練及國內美術館的展覽，時常有某種偏好，學校教育而言，較少提及後現代之後的前衛藝術或觀念性強烈的藝術作品，美術館的展覽過去也十分喜愛展出印象派風格的作品，久而久之，國人對於其他領域的藝術類型也缺乏共鳴，慣性地以某種角度（觀看的方式）來欣賞作品，更因為對於藝術發展的脈絡不甚瞭解，也不明白藝術是反映人類歷史與文化的改變，其實要瞭解藝術有時候還是透過系統性的學習，才最能夠奠定基礎功。

　　若想進入藝術的世界，首先必須針對藝術本身有個基礎的瞭解，在藝術圈時常會聽到一些名詞，在觀看展覽時也常會閱讀到一些介紹文案，這些文案舉凡：策展論述、藝術家的創作自述、藝術家採訪文案、學術藝評、作品賞析等，時常會提及一些藝術理論相關的專有名詞；由於藝術的領域有時候是很需要共同的語言界定，這些藝術語言的定義時常與我們學校的國文老師教授的定義有所不同，而藝術專有名詞的產生，就是為了解釋藝術的觀念，並且在這些觀念的基礎之上，去探討更深入又獨特的理論，因此我希望透過 30 分鐘的閱讀時間，來讓大家對於藝術有些基本的理解及藝術圈共通語言的界定。

一、藝術探討的三階段

　　基本上藝術是屬於人類總體文化下的產物，因此藝術是屬人的，也就是以人為本，藝術作品不僅是因人而誕生，也是透過人來欣賞，要瞭解藝術主要可以先將藝術分為三個不同的部分，即是：「藝術品創作之前」、「藝術品創作的階段」

與「藝術品產生之後」，這三個區塊分別組構了藝術誕生的前、中、後，並且成為了藝術內涵的基礎，分別介紹如下：

（一）第一部分，探討的主要是藝術的本體論

所謂的藝術本體論，是在藝術品創作之前應該先探討的，即是在說明藝術本身是什麼，以及藝術與人之間的互動關係，還有如何產生影響，其涵蓋的範圍有：藝術的本質意義、與社會生活的關係、藝術與人的關係、藝術在人類文化的位置與藝術的起源等。

（二）第二部分，主要研究的是藝術品本身

此階段是處於藝術品的創作階段，我們將「藝術」與「藝術品」，做出了一個區隔，深入地去探討什麼是藝術品以及創作的內涵，其中涵蓋了：藝術品的類別、構成藝術品的要素、藝術創作的規律、藝術創作的過程、藝術創作的思維與方法、各種流派等。

（三）第三部分，主要是探討藝術品產生之後我們如何去面對它

此階段探討的是藝術品被創作出來後，我們要怎麼去體驗與理解它，其中包含了：審美經驗、審美態度、藝術鑑賞的意義、藝術鑑賞的心理過程、鑑賞之規律與藝術批評等；透過藝術品的感受與探討，我們可以更接近藝術的真理，且透過鑑賞的實踐，我們能提高我們的審美品味。

以上這三大部分就是對於藝術研究的主要三大架構，其實有關藝術理論的各家學說，實在博大精深，照理來講應該要另行專著，但想快速進入藝術圈子的人們，又必須對於一些初淺的理論，有一些基本的瞭解，才不至於面對藝術的種種問題時不知所措，因此在後面的小節，容我簡略地挑選，並為各位介紹一些粗淺的藝術知識，以方便讀者在進入藝術圈子時，可以順利地瞭解藝術的種種面貌。

二、藝術的範疇

藝術作為一種人類文明與文化發展的指標，其發展越發活絡即表示人類發展

越成熟，藝術的種類越來越繁雜之後，學者為了方便研究，因此依照「創作者」與「欣賞者」的社會階級、教育程度以及使用目的，來將藝術分類，一般而言，藝術的範疇分為三類：精緻藝術（Fine Art）、民俗藝術（Folk Art）與大眾藝術（Popular Art），其中精緻藝術就是我們所稱的「純藝術」或「美術」，我們在美術館中看到的藝術作品就屬於這類，是屬於少數的美術菁英所創作的藝術，或由知識份子所認同欣賞的，其發展的歷史稱為「美術史」；民俗藝術則是社會中未經過美術訓練或教育的一般大眾所創作的，其目的也許是與宗教信仰或民間習俗有關，屬於民俗文化；大眾藝術，則是 19 世紀末（工業革命後）才開始出現的藝術，其是為了中產階級與資產階級而做，也時常透過機械化而大量生產。

（一）藝術的定義

約翰‧巴德薩利（John Baldessari, 1931-2020）曾說：「藝術就是藝術家做的東西」，其定義了藝術是透過藝術家而產出，而建築大師—查爾斯‧沃伊賽（C. F. A. Voysey, 1857-1941）認為：「藝術就在事物裡」（Art in Things），這些定義說明了藝術是某個人做的某樣東西／事物，而這東西／事物也包含了觀念，因此觀念藝術也合乎了以上的定義，但這樣子說明好似又太過廣泛，會容易誤導以為所有東西都可以是藝術，畢竟藝術家創作之餘，也會製作出許多非藝術品的事物。

廣義來說，有技術與思維所構成的活動及其產物，則稱為藝術；這種定義方式，把許多手工藝等技術性的活動（民俗藝術），也包括在內；狹義來說，必須符合「審美價值」與「審美原則」的活動及其活動的產物，並表現出創作者的「思想」、「情感」或「理念」，透過作品要能夠激起欣賞者的「美感經驗」，當然狹義的定義會是較為精準的，因為藝術品的體驗與欣賞也是作品的存在意義之一；而我們認為美的分類共有三種類別，分別為自然美、社會美與藝術美，藝術美有別於存在於自然或社會的美，是透過藝術家的藝術創作，讓藝術品在藝術的

世界中生成，而藝術美就是在探討藝術世界中的美，透過對於藝術之美的瞭解，可以讓我們的審美品味更進一階，因此認識藝術的同時也要認識美學。

（二）藝術品的四大組成

透過藝術家嘔心瀝血的創作，我們得以欣賞到藝術品，而欣賞之前我們首先要認識，藝術品是由四個部分所構成：主題、材料、形式、內容；首先，「主題」指的是一件藝術品要表達的中心、主旨、核心、標題，它也許是友誼、親情、工人階級、或者資本主義入侵等，而主題要能夠明確，就需要有足夠的材料來闡述這個主題，常常我們在看藝文展覽時，會去看作品介紹牌，其中就會介紹這件作品的名稱，也就是創作的主題；「材料」指的是兩方面，一個是物質性的媒材，以繪畫而言即是創作時所使用的畫布、打底劑、顏料、畫用油、凡尼斯……，另一個是視覺材料，也就是會安置入畫面的材料，就如同畫家利用老舊書桌、文具用品、信封……，藉由一些象徵性意義的材料，來傳達出父親在書房工作的痕跡，印象派畫家梵谷（Vincent Willem Van Gogh, 1853-1890）有名的作品《農夫的鞋》圖①，畫面中只有一雙溼冷又磨損嚴重的舊皮鞋，沒有鞋子的主人，而這雙鞋子似乎只是一種勞動時的工具，海德格（Martin Heidegger, 1889-1976）在《藝術作品的起源》中也談及這件作品：「鞋子凹陷之深暗內部，標記著繁重勞動的步履之疲乏……皮革殘留著土地之黏稠和潮濕。鞋底下，田野的孤獨小徑，消逝於黑夜裡。……皮鞋屬於土地，屬於農民世界。」梵谷巧妙地利用了舊鞋的物理特質，作為繪畫上的視覺材料，讓畫面中雖然沒有看到農夫的樣貌，卻能深刻地體會農夫辛勞工作的疲乏與環境的困苦，以足夠的材料來襯托出主題的深度；「形式」則是與材料相連結的，透過眾多的藝術材料來形成一個完整的象，這個完整的象就是形式，也就是作品外顯的表現；「內容」則有別於形式，它屬於內涵的，是非外顯的，因此很多作品的內容，可能是觀念、情感、想法、情節等。

圖①：《農夫的鞋》，梵谷

　　我們時常聽到人們談論的，某某藝術家的創作風格，其實風格指的就是後三者：材料、形式與內容的綜合評論，因此儘管是不同的藝術家探討著相同的主題，作品的風格卻是不相同的，因為每位藝術家對於創作上的路子或詮釋手法就是不一樣，也因為這種創作上的路線不同，造就了藝術審美上的趣味性，但若是一群藝術家聚在一起彼此抄襲模仿，則喪失了藝術創作的獨特性，不僅造成觀賞者的感官疲乏，也讓創作者畫地自限；明白了風格的定義後，我們似乎也可以理解，為何藝術家朋友們一同出外寫生，面對相同的風景主題，卻可以各自的表達出對於繪畫的詮釋，其實就是因為每一位藝術家的風格都迥異，因此作品之間的差異性也很容易比較出來。

三、各家學者對於美的定義

　　以西方世界而言，早在 2000 多年前，古希臘學者如：蘇格拉底（Socrates, 470-399 B.C.）、亞里斯多德（Aristotle, 384-322 B.C.）、柏拉圖（Plato, 429-347 B.C.）即對美有著不同的定義，而東方世界而言，早在中國春秋戰國時期，也有許多思想家如：老子、孔子、孟子等人，對美提出想法，東西方學者對於美的定義，同中有異、異中有同，在此，以較為代表的列舉如下：

（一）老子（570 B.C.- 不詳）

中國道家美學的開創者，也是中國最早的哲學家，其認為哲學與美學是合一的，其重要的論點有：滌除玄鑒、大象無形、道法自然、有無相生……，而其對於美學上的思想，大部分是從自然萬物中去體悟而來的，其最高的哲學與美學範疇皆為「道」，認為追求人與自然的和諧就是美的最高境界。

（二）孔子（551-479 B.C.）

孔子是中國儒家美學的基礎者，雖然對於美學的講述通常是隻字片語的分散式講述，但後世透過整理發現其美學立論，有一以貫之的核心觀點；其美學是以仁學為基礎構成的，並認為美學是為了追求人的價值，因此愛人、無私、奮鬥這些觀點也於其字裡行間流露出來，核心的思想是追求一種美與善的統一，因此他認為最理想的美其實是與倫理學的善結合，也就是特別讚賞人格的美也重視社會的美。

（三）康德（Immanuel Kant, 1724-1804）

康德是德國古典哲學創始人，其開啟了德國的唯心主義註①，其三大批判的著作：《純粹理性批判》、《實踐理性批判》和《判斷力批判》，分別闡述了知識學、倫理學與美學的種種思想，而其美學的講述主要集中於《判斷力批判》與《論優美感與崇高感》這兩本著作中；其認為審美是無利害感的，透過沒有拘束的審美會讓人感到自由，並且美是與人的主觀情感有關，也就是說他認為美是主觀的，但他同時也認為在審美上可以找到一些共通性，且透過這些共通點而歸納或分析出什麼是美。

（四）黑格爾（G. W. F. Hegel, 1770-1831）

德國的哲學與教育家，同時也是西方美學的集大成者，他的許多論點是屬於

註①：「唯心主義」（Idealism）屬於哲學的範疇，認為人類所感知的現實世界，都是以「心智」作為基礎，其分為兩大類型：「主觀唯心主義」與「客觀唯心主義」，前者認為物質是建立在人的意識上才存在，後者認為在人類的意識之前，就有一個客觀的意識存在，客觀的意識形成了人類的意識，或者獨立於人類意識。

唯心論的，也就是以內心作為出發，其在著作《美學講演錄》中提及：「美就是理念的感性顯現」，這句定義也說明了藝術家認為，對於藝術上的理念，透過感性的方式來呈現，就是所謂的美，因此他特別強調了理念是絕對的，而感性的顯現則是由於這個絕對的理念，外化而成的；黑格爾同時也強調理念是一個「絕對精神」，並且它不僅顯現在藝術上，同時也顯現在日常生活、社會制度、科學、哲學、宗教……，黑格爾透過辯證法註②的思維模式，以哲學的方式來闡述美學的觀點。

（五）海德格（Martin Heidegger, 1889-1976）

德國著名哲學家與存在主義哲學的創始人，透過其哲學的思想讓我們瞭解他對於美學的見解，由於其思想是較為哲學的，因此提供了人們較為特別的美學思考角度，也就是透過存在這個觀點來探討美學；海德格探究的是事物本身，也就是本體，其解釋藝術概念時，將「藝術家」、「作品」與「藝術」切分為三者，並認為藝術是真理在作品中的自行置入，而藝術家與作品彼此間相輔相成，並且都依賴藝術的存在，也就是藝術才是本源，不過藝術這個本源，它也必須要透過作品才能夠呈現，而作品中真理存在的顯現就是美。

四、藝術美的型態

在藝術的發展上，德國哲學家—鮑姆嘉通（Alexander Baumgarten, 1714-1762）於 18 世紀中葉首次提出「美學」（Aesthetics）這個術語，自此之後藝術的探討也被圍繞著與「美」有關，美學又稱為「感覺學」，主要是在研究美的本質以及美的意義；在過去，美學的探討較為傳統，是研究古典藝術之美的學門，直到 19 世紀，現代哲學發現美學的價值並不是簡單地去定義美與醜，而是美的

註②：「辯證法」（Dialectics）又稱為辯證術，是一種化解歧異與解決矛盾的哲學論證過程，緣起於古希臘的邏輯辯證，由柏拉圖與蘇格拉底的對話記載而廣為人知，其藉由對話、問答與思維建立起對於真理的認知，馬克思主義認為辯證法與形上學是種相對立的世界觀與方法論。

類型與本質，且美學主要是研究審美，因此無論是主觀或客觀的審美，都是經過人的感性與理性作用，才得到的結果。

　　若要論及藝術中的美，其實與我們過往所認知的美大部分時候是一致的，但有時卻不太一樣，我們常見到的美有著不同種的型態，傳統上來說，舉凡：優雅、柔美、淒美、孤絕、精緻、夢幻、純真、賞心悅目、數大是美、雄偉、悲壯、崇高、誇張、變形、扭曲、騷動、滑稽、荒誕、喜劇、悲劇等，這些都是藝術美的型態；但當代美學也是正在演變中的過程，因此也有著新的美學型態，舉凡：暴力美學、驚嚇美學、動漫美學、科技美、技術美、醜……，這些都是較新被探討的美學型態，而為何會有這麼多的新美學型態，主因是因為藝術也正在轉變，因此審美也有現代性的轉變，尤其在當代主題多元化下，如：身分、身體、政治、全球化和移民、技術與科技、當代社會和文化、性別主義、時間與記憶、制度和政治批判……，更多的新主題被探討，伴隨著新的媒材出現與新的社會環境改變，美術機構及大眾看待藝術的態度也將產生改變，要能夠欣賞各種型態的藝術，前提必須瞭解不同的藝術美型態，從古典之美進展到當代之美，皆須要我們去理解與感受。

五、藝術美的原則

　　在此所說的美學原則，主要是以藝術作品四大構成：主題、材料、形式與內容，之中的「形式」來舉例，也就是美感的形式原則，是專家學者以歸納的方式來搜集的，由於美學家發現許多好的作品，其形式中都有這些原則，因此統整出來，例如：漸層、反覆、對稱、均衡、調和、對比（矛盾的調和）、強調、比例、節奏、統一、單純、動勢……；而視覺藝術的視覺元素，如：色彩、線條、空間、形狀、形體、質感……，也都是影響人類視覺感官的基本因素。

　　視覺藝術憑藉著視覺的感官來感受圖像與影像，而上述所列舉之美的原則與視覺元素，都是人類本能上對於美的感受，所產生的愉悅反應，透過視覺上的形

式，而在心中產生情緒的反應，因此雖然是視覺感官上的刺激，但透過接收後產生的反應卻是內在的，也就是心智與靈魂上的反應。

六、藝術的分類

在歷史上有許多藝術理論家曾經探討過藝術是否應該分類，其中有些學者認為不應該分類，如：克羅齊（Benedetto Croce, 1866-1952）就認為藝術是直覺的表現，也是主觀創造的同一件事實，因此若是做美學上的分類是荒謬的；而有些學者卻認為應該分類，如：黑格爾把藝術分為象徵、古典及浪漫型，其根據不同的歷史發展時期，將藝術作品的特性加以劃分。

在遠古時代人類對於這個世界的認知還是相當的朦朧，因此對於世界的現象理解，都會帶有一種神祕性的感受，也因此「象徵型」的藝術通常都會以符號、圖騰或神祕性色彩來表達，並且帶有一種原始崇拜；「古典型」的藝術類型作品，如同希臘的雕塑般，在精神內容與物質形式上完美地契合，並表現出一種和諧靜謐的美感；「浪漫型」的藝術作品，偏向較為主觀的內在精神世界呈現，人類的精神衝突、內心的糾結與掙扎、罪惡、醜陋等，皆成為這類型作品喜愛探究的範圍；藝術的分類在不同的學說中有著不同的分類方法，分類的目的可以讓我們更深入地研究藝術的範疇，而大部分的分類有以下幾種：

（一）以八大藝術區分

八大藝術，即是：繪畫、雕塑、建築、音樂、文學、舞蹈、戲劇、電影。除了這八種比較普遍被大家認知為藝術的種類，也有諸多學者列出第九大藝術的探討，如：電玩設計、電視藝術、動漫等，皆有學者認為其為第九大藝術，但目前的階段可能還不是國際都認可，因此大家還是習慣的談八大藝術，但卻已經有國際級的美術館已經在典藏電玩遊戲，如：紐約現代美術館（MOMA）在 2012 年 11 月，於官網上發布正式消息，並決定購買與永久收藏 14 個電玩遊戲（Video Game）；其實除了八大藝術外，近年來也有許多前衛的藝術隨著時代的腳步相

應而生，如：數位藝術、裝置藝術、觀念藝術、行為藝術與生物藝術註③等。

　　有趣的一個現象，很多人時常會以為藝術就是畫作或雕塑，常會忘記藝術的門類還有其他夥伴，可能也是因為大部分的美術史教材，都是以繪畫（平面）與雕塑（立體）為探討方向，且很多藝術理論家也是特別鍾情於，使用繪畫來舉例他們的概念，因此導致很多人對於藝術的想像變得很狹隘；記得某次一位鄰居阿姨跟我探討起藝術，她說：「你看現在的這些當代藝術家，他們的作品很多都是從電影中來獲取靈感的，藝術怎麼比得上電影！」這位阿姨殊不知其實電影就是所謂的第八藝術，雖然很多繪畫類的當代藝術家有受到電影的影響，但是其實很多電影也是受到繪畫、裝置……的影響，就如同文學會影響音樂，音樂也會影響文學一般，且任何種類的藝術都會彼此互相影響，因為任何的事物都可以是創作的養分。

（二）以四類藝術區分

　　藝術的種類其實可以區分為四類：第一類藝術、第二類藝術、第三類藝術與第四類藝術；第一類藝術又稱為「空間藝術」，必須藉由空間感才得以呈現的藝術，主要依賴於視覺與觸覺，舉凡：二度空間的繪畫、三度空間的雕塑；第二類藝術又稱為「時間藝術」，主要必須要有時間的流逝才能夠展現出藝術，且它不需要依賴於空間感，舉凡：文學與音樂皆是必須透過時間的進程，才得以詮釋藝術，當然這邊把這兩者放在同一類別，並不是要說明文學與音樂一樣需要依靠聽覺，其實文學有時甚至是不需要依靠視覺的，因為文學是可以依靠想像的；第三類藝術又稱為「綜合藝術」或「時空藝術」，此類藝術即是透過時間與空間的共同交織才得以呈現藝術，舉凡：舞蹈、戲劇、電影與建築，其中建築是最常被人拿來探討的，雖然建築與雕塑都是三度空間，但建築主要是為人類活動提供空

註③：「生物藝術」（Biological Art）是人類藉由細菌、組織、活體與生命過程結合的藝術創作實踐，透過基因工程、組織培養與克隆技術等科學實驗，來產生藝術作品，其創作範疇大部分圍繞在「生命形式」之議題，因此也引發科技、社會、倫理、環境與未來想像等相關的討論。

間，也就是它的欣賞過程是透過人的進入，而產生了參與，這種參與的過程會隨著時間而改變看到的面貌，由於移步換景的觀賞方式，因此建築不僅需要依附於空間，也需要憑依於時間；第四類藝術，則是較第三類藝術更超前且更進一步的，需要更多的感官與超脫時空的憑依，以目前較為新穎的科技藝術或沉浸式體驗的 VR 裝置，所呈現出的藝術作品，就是屬於此類，因為它的體驗是處於虛擬的世界，因此時間與空間的概念已經被重新定義，此類藝術會令人有種類似靈魂出體，或心電感應之類的感受。

（三）以三類藝術區分

　　還有一種區分藝術的方式，將藝術區分為三種：抒情、敘事與造型藝術；「抒情」藝術，如：詩歌、音樂、舞蹈等；「敘事」藝術如：小說、戲劇、電影等；「造型」藝術如：繪畫、雕塑、書法、篆刻、建築、工藝美術等。

　　若在藝術的理解中沒有好的架構分類，則易生混淆，也由於現代藝術進入到後現代後，又有現成物的藝術品誕生，因此許多剛進入藝術圈的朋友，常會認為藝術很難理解，好似什麼都可以成為藝術，認為藝術好似沒有普遍的標準，導致懷疑論者註④會認為藝術的內涵很虛假且空泛，而認定當代藝術皆為炒作；我認為內涵虛假、空泛與藝術品炒作，自古而今皆有，但也不能一竿子打翻一船人，總認為藝術沒有定論且無法取得共識，或只有主觀性而沒有客觀性；因此在後面的章節，我會介紹一些欣賞藝術的方法，也希望能互相交流。

七、藝術的起源論

　　藝術的創造使人類有別於其他動物，而藝術的起源也是人類所好奇的，過去許多學者整理出人類為何會創造藝術的原因，與藝術的發生條件，還有成立的根據；理解了藝術的起源，對於藝術的學習也是具有幫助的，在此將藝術的起源整

註④：「懷疑論者」即是「懷疑主義」（Skepticism）的主張者，係普遍的對於知識、資訊、事件、意見與信仰等提出懷疑主張，其要求充分的理據來支持論點與資訊，不輕易地針對事物加以斷言，並講究證據支持。

理如下：

（一）模仿衝動說

　　人類自嬰兒時期即擁有模仿的天性，人們藉由模仿來學習，同時我們也模仿外物，尤其是模仿自然，因此繪畫、雕塑等造型藝術，自古而來就有許多題材是描繪自然景象，西方的自然主義、寫實主義……也都是自然的模仿，甚至中國文字也是由自然的模仿演化而來。

（二）遊戲衝動說

　　人類本能就喜歡娛樂，因此誕生許多遊戲的活動，遊戲是需要想像力的，就如同藝術創作一樣，而康德（Immanuel Kant, 1724-1804）、席勒（Egon Schiele, 1890-1918）、斯賓賽（Herbert Spencer, 1820-1903）等人認為人類的精力過剩，而有遊戲的衝動，因此有藝術作品的產生。

（三）自我表現衝動說

　　渴望表現自我情感，是所有人類的共通本性，俄國大文豪—托爾斯泰（Leo Tolstoy, 1828-1910）認為：「藝術的起源，是由於人類為了要將自己所體驗到的感情傳達給別人，於是在自己心中重新喚起這種感情，並以某種外在的方式表達出來」，其中所稱的外在的方式，即是指藝術的創作，好比說南宋詩人—文天祥在獄中即將面對死亡前，寫出的《正氣歌》即是一種慷慨赴義，置生死於度外的浩然胸懷；而中國詩學所稱的「詩言志」、「詩緣情」與中國的「心生說」，這種以詩來詠志並作為情感抒發的管道，創作起源於內心的說法，都是類似的概念。

（四）裝飾說

　　史前文化以來，人類對於裝飾就已經產生需求，無論是服飾、紋面、身體裝飾與建築等，裝飾不但是群居社會的地位象徵，也可以用來吸引異性達到傳宗接代的功能，因此實用與審美是史前人類很早就已經產生的藝術功能。

（五）勞動說

為求生存的人類漸漸發展出勞動習慣，而在勞動的過程中，人類也製作手工藝（產生創作），而狩獵等練習也發展出舞蹈藝術，並且在勞動的過程中必須記錄勞動的成果，而漸漸發展出繪畫、雕刻等造型藝術，在農業社會中大家齊心合力的農耕採收，藉由互相呼聲、喊話或歌吟來降低勞動的辛苦，因此也發展出詩歌、音樂等藝術。

（六）宗教說

最早發現的繪畫是史前時代原始人以燒過的木頭、骨骼、血液等隨處可得的材料繪製於洞穴內的岩壁上，其中有許多的題材是人類群體獵殺動物的畫面，研究發現，史前人類相信藉由描繪這些獵殺猛獸的畫面，可以保佑獵殺的順利與平安，這如同一種宗教儀式，因此也稱巫學說，這些圖像除了可以安定人心外，也可以提醒宗族內的人獵殺時要注意安全。

八、成為藝術品的條件

藝術家作為一個社會類別的職業或稱謂，大概是從 18 世紀末期才開始出現的概念，而在此時的藝術家泛指的是畫家或雕塑家，在此之前他們通常被稱為工匠，他們存在的功能主要是服務教會、教堂、皇室及貴族，因此題材大部分也侷限於神話、宗教、肖像，而 19 世紀後藝術家的指稱，也開始擴展至音樂家與劇場表演者，20 世紀後更擴展至電影及相關的創作者；隨著社會的進步，藝術家的稱謂也開始有了一種正面的價值判斷，稱呼別人為藝術家，好像是一種稱讚、恭維或欣賞的稱謂，而現代化的社會對於藝術家的認定，好似是一種天職、文化傳承、才華洋溢、獨特超群……的認定，藝術家的主要使命即為創作藝術品；其實純藝術（Fine Art）作品的認定，並非是以媒材、創作形式、作品種類、是否上拍場、是否高價或是否熱銷來認定，而是因為作品具備了一些條件，成為藝術品的條件，也是藝術愛好者喜歡討論的重點之一；其實成為藝術品主要需符合三項條件，在這裡也分述如下：

（一）藝術家的創作意圖

　　成為藝術品的首要條件，即是藝術家的「意圖」，它是一種創作的目的，也就是說藝術家在創作時，是有意圖要使他創作之物成為藝術品，若是藝術家在進行一件創造時，並沒有意圖去創造藝術品，則產出的就不會是藝術品，儘管他投入了大量的精神並運用了高度的技巧，產出物也不會是藝術品。

　　分析美學大師—比爾茲利（Monroe Curtis Beardsley, 1915-1985）也認為：「藝術品是由那些有創作自覺的藝術家所創造出來的」，簡單來說，日常生活中藝術家時常都在創造物品，如：料理時，藝術家也是聚精會神地在烹飪，這同樣需要有高度的技巧，但可能不需要有很多藝術性的創作內容在其中，雖然料理完成時與藝術品完成時都是嘔心瀝血的成果，雖然產出物同樣都是可以用來品味，也同樣會讓人們感到美好，但終究製作的意圖是不相同的，所要達到的目的也是不相同的，也就是說藝術品本身，必須要有人意圖使它成為藝術品，它才會成為藝術品，不過我所指稱的藝術品，並非就一定是很傑出的藝術品，有時候也包括品質不良或失敗的藝術品，因為即使有意圖要來創作藝術品，也並非就一定會成功。

　　但容易誤會的部分常是，創作意圖是針對要將藝術品誕生於世的先決意識，而並非是指創作就一定要事先擬好稿，或者一定要有創作的步驟規劃；畢竟許多的創作是不一定有預先的準確想法，是透過創作的過程中產生交互作用，而逐步完成的，如同一位即興創作的舞者，他隨著環境與自身的情感即興的肢體展現，又如同一位抒情抽象的畫家，他雖然沒有準確的構圖，但透過創作過程中與半成品的作品交流，並投入自身的情感，抽象繪畫就在一個難以言說的情境中誕生了；這兩者的創作都沒有事先規劃，但都是有要使創作之物成為藝術品的意圖，因此創作的心血結晶才會成為藝術品。

（二）藝術界中專業領域的認同

　　藝術的追求是一種創造性的突破，因此它雖有一些架構性與原則性，但也並

非就是牢不可破的格局，且藝術之所以有別於一般事物，其可變動性與價值的追尋，也導致其並非有一概而論的統一觀點，而產生了藝術的超群與獨特；因為藝術有著不同的詮釋觀點，且不可能存在一位大巨頭，而使得這位巨頭有著判讀一切、評定一切、信服於一切的權威性產生，任何的藝術大師也永遠無法使所有的藝術專家同意其所有觀點，並且定義出一個永世不得超越的藝術論點。

　　即使是藝術的定義也有可能被打破，因此藝術也並非如同宗教一般，有著單一的領袖與難以質疑的經典，藝術的追求像是真理的追求，可以越來越接近但卻永遠無法到達；藝術並非是以一種普羅大眾的共通思維，或標準作業的規格認證，因此藝術家無法像醫師、會計師、律師、地政士、金融分析師等專業領域般，有一種國際公約性的專門認證制度，藝術只可以透過不同的專業機構與重要人士，以一種累積漸進的方式，來取得藝術圈的認同，被藝術世界所接受。

　　藝術的認同並非是公民投票或少數服從多數，因為莫衷一是的結果並不能帶領我們走向更高的審美知覺，因此必須透過藝術界中專家的「認同」，也就是透過在這個領域有權威性的人們，如：專家、學者、美術館機構、藝術創作者、評論家、產業人士、收藏家與專業媒體等來認同，在藝術的世界（Art world）中，這些有份量並具有指標性的人們，會對藝術家與其作品產生評論，並決定其是否可稱為藝術家，及其創作之物是否可以稱為藝術品，這也就是有名的「機構藝術論 / 藝術體制理論」（Institutional Theory of Art），藝術的專業機構存在於藝術圈 / 界內，如果創作面屬於藝術作品的「內部環境」，那麼藝術圈 / 界就屬於藝術作品的「外部環境」，內 / 外部的環境構築了藝術生涯的雙軌，藝術家終其一生皆要經營這雙軌運行的列車，而這個外部環境所形成的氛圍，會決定藝術的價值認同，因為透過越多專業人士或機構的認同，就越能夠證明藝術品的價值，其實就類似一種第三方的認證，只是這種認證有著不同公信力的問題；總體來說，藝術還是屬於「接受論」的，即是孤芳自賞的創作方式，是難以取得成就的，尤其是在全球化資訊傳播快速的時代，找不到認同感的藝術家，是很容易消逝在歷

史的洪流中，因此，唯有在藝術世界各方面皆取得認同的藝術家，其作品才容易被建立文本，進而被藝術大眾研究而保存下來。

　　近年來有許多人覺得未來的藝術趨勢，會逐漸轉變為大眾取向，尤其是透過現代的網路行銷及社群明星藝術家註⑤（Insta-artist）的崛起，藝術的價值會以大眾眼光來衡量，而不再是以專家評論；針對這點我想提出的是，很多人對於藝術的價值與價格容易產生混淆，基本上藝術家將作品完成後，它的藝術價值已經確立了，並且它始終是同一件作品了，但同一件作品卻會因為市場因素而造成價格波動，同一件作品它的藝術價值是固定的，便宜的時候沒有人買，但等到價格翻了許多倍後市場產生追高走勢，大家爭相搶購並產生市場競爭，結果變成貴的時候卻人人想買且一作難求，當然有些作品的價值意義是會透過環境與文本的累積而增加，如果一件作品的代表性一直被研究與提及，它的歷史代表意義當然會不斷上升，但作品本身的藝術造詣卻是固定的，由於藝術價值是固定而市場價格卻是變動，因此價值不等同於價格，而「價格」可以因為眾人造成的市場熱度而上升，但「價值」卻永遠是由專家與品味超群者來認定，而以作品的藝術造詣來評估時，不管市場的價格是走高或跌價，藝術的價值都是固定且獨立的。

（三）藝術本質的追求

　　藝術創作要滿足藝術的本質，而這裡所謂的藝術本質，意思即是藝術品必須具備這些要素才稱得上是藝術品，因此本質是成為藝術品的基礎，若沒有這些基礎，我們就會很難的去區分什麼是藝術品？什麼又不是藝術品？

　　有些人可能認為，藝術要符合某些美學上的性質，並且這種美學上的性質，能夠賦予藝術品一種獨特性，使藝術品與其他物品是不相同的，但隨著藝術定義的演進，有些本質上的定義探討可能使其成為藝術品的充分條件，而非必要條件；

註⑤：「社群明星藝術家」（Insta-artist）全名為 Instagram-artist，是近年來崛起的流行用詞，意指在 Instagram 等網路社群媒體上知名度高，並擁有全球廣大粉絲數量的藝術創作者，在商業上除了具有「意見領袖」（Key Opinion Leader）與「網紅經濟」（Internet Celebrity Economy）的能力，也容易將網路流量轉為現金流量。

關於藝術的本質，在過去的眾多學者中有非常多人提出藝術本質的探討，這些學者都是基於自身對於藝術研究中感興趣的範圍，而提出的本質探討；各家學者對於藝術本質的探討，列舉幾個較著名的整理如下：

（1）模仿論－柏拉圖

在柏拉圖（Plato, 429-347 B.C.）的時代，大部分的人認為藝術即是在模仿自然，但柏拉圖是最早將我們認識這個世界的方法，做最有理論系統的建構，其在著作《理想國》中舉例床有三種：神造的（真實的）、木匠製的（現實的）、畫家畫的（摹本），在我們的現實世界外，還有一個源頭的世界即是理型世界，現實世界中的木匠只是依照神的理型來製作床，而畫家畫的床又更是摹本的摹本，因此認為藝術家所創造的藝術世界，只是模仿現實的世界，離真實又距離更遠了，因此對於藝術家的評價也不是很高，當然這是屬於較早期的藝術觀念，在當時的時空背景下，唯有哲學家才是真正對社會有貢獻的。

（2）品味的對象－休謨

對於藝術的關注，休謨（David Hume, 1711-1776）在乎的不是藝術的定義，而是探討藝術作品是否存在優劣高下的客觀判斷準則，其實休謨在比較一些大師之作與普通作品中，發現人們對於優劣是可以分辨的，並且相信有一些標準判斷，唯獨人們對於作品的審美判斷，會因為品味的階段性不同，導致關注面向與個人喜好而有所不同，因此又矛盾地覺得雖然可以針對作品探討，但卻會因人而異，且休謨提出：「人的口味生而平等」，判斷作品的優劣，應該視為個體對於此獨一無二作品的反應，因此每個人對於作品的好惡反應，其實是受到每個人過去的經驗導致，所以藝術雖然有一些標準判斷，但卻會存在個體上的美學判斷差異。

（3）可溝通的愉悅－康德

康德（Immanuel Kant, 1724-1804）是人類史上重要的哲學家，其三大批判理論深深影響著後世，而其中第三本《判斷力批判》內有諸多對於藝術的討論，

其認為藝術是可以溝通的，同時也強調人類知、情、意的合一，並且認為美學是聯繫知性與理性的中介橋樑，透過感知我們瞭解藝術，當我們對於一件藝術品在進行審美時，有分為感知特別契合與感知不是特別契合的情況發生，這取決於個人，而藝術品的形式會使人產生想像或認識，也就是透過作品的形式而產生感受（心智）與思考（概念），當審美中人們感受到心靈上的和諧與一致性時，我們就會油然而生一種愉悅的感受，而這種感受也是我們在進行審美時所追求的。

（4）藝術是情感交流－托爾斯泰

俄國大文豪－托爾斯泰（Leo Tolstoy, 1828-1910）認為語言可以作為思想及經驗的傳遞與溝通介質，並且連結了人與人，同樣的藝術也具有相同的特點，但特別地是藝術可以傳遞情感，藝術作品透過文字、線條、色彩、動作、光線與聲音等要素來感染他人，而透過情感的傳遞，人們不再感到孤單，這種藝術家與觀賞者情感的交融，就是藝術具有魅力又偉大之處。

（5）作品內含氣韻－班雅明

德國哲學家－班雅明（Walter Benjamin, 1892-1940）於 1935 年問世的文章《機械複製時代的藝術作品》，是對於當代藝術理論影響很深的大作，班雅明歷經了攝影術發明的年代，因此對「古典主義的藝術作品」與「可透過機械複製的藝術作品」進行比較，發現古典主義的藝術作品中有著「靈光」（Aura），也就是一件作品本真的意義內容，因為有靈光我們才會被藝術作品給感動，口語上來說，靈光就類似於藝術作品的靈魂一般，而靈光的特徵則是：此時此地性、獨一無二性、真跡性與不可逼近性，也就是說透過手工的臨摹或是攝影器材的複製，都無法複製出作品的靈光，這樣的觀點就好似一場親臨現場的音樂會，與透過唱片而欣賞的音樂會，感受是不相同的，且現場音樂會的評價始終是高於唱片。

（6）其他較著名的理論家探討

其實至 18 世紀之前，藝術理論家比較多是以「美學」的角度來探討藝術的

問題，這時所使用及談論的藝術觀念較為單純，而至 19 世紀後，又分離出了「藝術哲學」，並成為一門獨立的學問，因此隨後的 20 世紀，產生了許多有關藝術哲學的探討，而藝術理論中學者眾多，其中有許多都是在探討藝術本質的，前述列舉幾位較常被引用的理論學者觀點，下表則整理出古今知名的理論家提出之觀點，有興趣的讀者可以另行研究：

表：著名的藝術理論學者及藝術見解

認知	亞里斯多德 Aristotle	經驗	杜威 Dewey	解構	德希達 Derrida
再現自然	阿伯提 Alberti	戀物	派柏 Piper	女性主義	漢恩 Hein
啟示	叔本華 Schopenhauer	自由	阿多諾 Adorno	脈絡	傑吉德 Dele Jegede
探討意義	狄爾泰 Dilthey	真理	海德格 Heidegger	後殖民	艾皮亞 Appiah
救贖	尼采 Nietzsche	理論	丹托 Danto	美學產物	比爾斯里 Beardsley
症狀	佛洛伊德 Freud	機構	迪奇 Dickie	無定義	魏茲 Weitz
有意涵的形式	貝爾 Bell	虛擬	戴維思 Davis	非科學，是直覺	摩爾 Moore
表達	科林伍德 Collingwood	文本	巴特 Barthes	不可言說	維特根斯坦 Wittgenstein

九、畫家、畫師與畫工的不同

　　透過前述介紹過的三種藝術範疇：「精緻藝術」、「民俗藝術」、「大眾藝術」，我們瞭解到藝術涉入人類文明與文化的範圍非常廣泛，但每一種藝術範疇所追求的藝術精神卻有層次上的高低，就好比藝術家創作的藝術品，其追求的是藝術上的價值，而工匠所製作的物品，卻是追求實用性，兩者在於藝術精神上的追求畢竟是不相同的。

　　以繪畫的方式來創作的藝術家稱為「畫家」，其創作的追求在於藝術性上的

提升也就是純藝術（Fine Art）的領域，因此也追求前述小節所談論的藝術本質，這樣的藝術家追求的是「精緻藝術」的範疇，所以會畫畫的人並非就可稱為畫家，畫家不但要能夠掌握成熟的繪畫技巧，且對於藝術的知識結構必須充足，無論這些知識結構是美學的、構圖的、用色的、材料的、技法的、表現的⋯⋯，畫家都必須有這些涵養，才能夠創作出動人的作品，好的畫家對於作品的呈現形式總是能夠創新不守舊，其對於自我的要求也不僅限於技術的精進，他們也冀望作品有鮮明獨特的風格，並且在作品的內涵中承載著意義深遠或情感強烈的內容，畫家面對創作時的態度是基於創作的渴望，而非基於功利目的，因此作品更為自由也更有生命力；「畫師」則像是一個繪畫技法高端的職人，其把繪畫作為一種職業（維持經濟的工作），他們不探討藝術的理論，只重視繪畫的技巧，並非是以自由創作為出發，而是以一些章法套路來進行生產（甚至有時候會量產），作品的思想僵化且匠氣十足，他們不追求嘔心瀝血的靈感創新，著重在模仿與生產效率，有時也接受訂製生產或客製化調整畫面的內容，市面上常出現的風水畫或油畫村之類的人們，通常都是畫師，其實真正的純藝術並非是手工藝，師徒間的衣缽傳承無論是技術性的學習、形式的模仿、創作符號的延續⋯⋯，這些都是屬於表象的風格學習，但終究不是突破性與創新性的創作，許多人以一種手工藝的方式來學習繪畫，以這種方式來教授與學習，離真正的創作還是差距挺大，因為以此種方式來學習，勢必讓作品流於表象的模仿，卻無法於作品的內容與精神上再提升，文化雖然是要薪火相傳，但只流於技法與形式模仿的作品，比較算是種「學習之作」無法稱為「創造之作」，創作者若是只有風格的沿襲，而沒有范寬（約950-1032）「師古人不如師造化，師造化不如師心源」的體認，也欠缺追求本心的創作精神，終究只能停留於畫師的境界；「畫工」則是文化涵養最低，他們就像是畫師旁邊的學徒，有時只是做些繪畫外包的工作，且他們難以獨立完成具有高難度與完整性的繪畫，技術層面不夠全面，對於技術上的學習並非徹底瞭解，而是慣性地模仿畫師的表象，知其所以而不知其所以然。

十、審美距離

　　我們在欣賞藝術品時，會在欣賞的同時於心中生成一個意象世界，而這意象世界即稱為審美意象，透過審美意象，我們會對於作品有更深一步的瞭解，而這種體驗作品的過程，讓我們瞭解到藝術家所要傳達的意蘊與情感，進而覺得我們的精神可以進入作品當中，在藝術的世界中徜徉，因此藝術作品可視（繪畫）、可聽（音樂）、可觸（雕塑）、可居（建築）、可遊（徜徉在作品的世界中），面對藝術品的多重欣賞，我們不僅透過感官，也透過我們的心智與靈魂，藝術的溝通有不同的方式與層次，因此藝術家透過不同種類、媒材與形式的作品，來與觀賞者交流互動，而觀賞者也透過不同的方式來品味、感知、揣摩、對話與思考作品之表達。

　　觀賞者作為審美過程的主導者，因此我們也稱觀賞者為審美的「主體」，畢竟美是讓（透過）人來欣賞的，因此人在欣賞自然美、社會美與藝術美的同時，必須保持著適當的距離，才能欣賞到美感，而這種距離有四種型態：時間距離、空間距離、心理距離、情感距離；「時間距離」指的是在欣賞作品時審美時間的早晚、長短、快慢與遠近，以古代的作品審美為例，透過時間的隔離我們可能更珍惜遙遠的美感，產生一種思古之幽情，但相反地也有可能無法抓到當時的美學品味；「空間距離」指的是觀賞者與作品的距離遠近關係，但也同時可能是指稱地域與文化上的差距；「心理距離」係指是否有適當的心理狀態來接受作品，並且產生審美行為，這也受到個人的背景影響，而使審美體驗受限；「情感距離」是指因為觀賞者的內心情感，而產生對於作品喜好的差異性，作品的審美會因不同的因素而影響到觀者對於作品喜好的反應。

十一、什麼是作品的靈魂

　　在藝術的領域中時常聽人談論要與作品對話，並且要感受到作品的靈魂，到底什麼是藝術作品的靈魂？常聽人說起好的作品是靈肉合一，且藝術是一種與靈

魂相遇的歷程，這些形容好似讓人感覺作品如同一個生命體一般，似乎有點難以理解；許多人常言要與作品對話並且感受作品的靈魂，其實不僅是觀眾在審美上是如此，創作者在創作時，也是透過靈魂來驅動身體勞動以進行作品生產，因為沒有靈魂就沒有意識，沒有意識就不會驅動身體創作，藉由意識的產生，我們在作品中注入了藝術理念的精神，而富足且餵養了作品的靈魂；在進行藝術創作與藝術審美時，我們得以沉浸在一個有別於庸俗之物的環境中，體驗到一種放鬆、抽離，甚至是超脫的身體與精神狀態，而這就是一種我們與內心及靈魂相處的過程，我們平日遺忘的靈魂在藝術活動中，又得以強烈地感受到其存在。

以哲學家柏拉圖（Plato, 429-347 B.C.）之「理型論」的觀點來闡述，其實人原本的世界我們稱它為理型世界，在那個世界中我們只有一個大的集體靈魂，之後我們散落的局部靈魂降臨於肉體，同時誕生於這個地球上的物理世界；而我們每個人的靈魂就是精神的集合體，精神也賦予了靈魂能量，因此當藝術家進行創作時，同時也是正在進行高質量的靈魂與精神活動，但若是一個從事創作的人內心麻木抑或創作不真誠，則無法創作出具備感染力的作品，反之創作者若是有強烈的感知，並在情感豐沛的情況下創作，在創作活動中將靈魂與精神注入了作品，作品則被賦予了生命，並閃耀出非視覺性的光芒，深深吸引著我們，當我們用靈魂來與作品對話或以心眼來感受作品時，這種超越語言與感官的精神互動，就是我們認為最純粹的對話。

因此我們透過眼球進行的審美，是身體活動同時也是精神活動，藝術的表達最害怕的不是負面感受而是無感，負面感受至少讓人有感覺，甚至發現有靈魂存在於作品之中，但沒有靈魂的作品是無感的，對於人類靈魂的提升也是沒有幫助的，哲學家們也相信人在這個世界上的修為，就是要進行高質量與高強度的精神活動，以到達某種可嫁接原本集體靈魂的程度，如此一來我們就可以回歸到原本的理型世界，並融合 / 回歸於同一個靈魂體；其實無論是否相信理型論，人們在接觸藝術的過程，就能與自己的內心深度相處，透過感悟能力的訓練不僅能夠淨

化心靈，同時也有一種滿足的感受。

　　近年來隨著科技的發展，有些人擔憂未來的世界高度科技化，是否所有產業都可以透過機械來生產，藝術作品也同樣如此嗎？透過高端的電腦程式演化與極精密的機械工業，就可以超越人類之創作嗎？其實不然，因為人工智慧（AI）與機械手臂，只能夠透過學習而模仿創作的手段與形式，技法掌握與精準度的體現只存在於作品淺層的表現，但神來一筆的偶發性與人性本質的小缺失，才是創作最無可取代的溫度，甚至可以說人類有時候的進步或創作上的突破，有時就是透過實驗的失敗，而開創出新的局面，況且藝術的創作是由靈魂驅動，將情感透過創作上的表達而注入於作品內，沒有情感的機械或程式碼，是無法與情感充沛的人類比擬的，所以機械與人工智能，是無法創造出突破性並帶有靈魂的精彩作品。

十二、神話、哲學、宗教、科學與藝術的關係

　　隨著人類文明與文化的演進，歷史上漸漸發展出更深層的思想與認知，文明是透過「發明」而誕生的，文化則是透過「創造」而誕生的，人類的世界透過了發明與創造，使我們進步並有別於其他物種，人活著總是會經歷「我們如何認識我們所處的世界，並解釋這個世界」，於是我們慢慢的產生了「世界觀」，這種世界觀是透過思考、實驗與感受的方式，慢慢地拼湊出來，因此每個人的世界觀都是不相同的，而擁有著不同世界觀的人，其所認知與投射的世界就會不相同，因此在處事與思想上就產生了差異，在不同地區的人們也就產生了相異的文化。

　　人類發展世界觀的同時我們透過邏輯思維、實驗實證與意識感受，逐步地發展了結構性完整的各個領域；「邏輯思維」即是透過概念、判斷與推理的思維模式，來進行理性上的判斷；「實驗實證」則是透過研究的態度，調查、分析、驗證我們經驗的事物，並得出結論；「意識感受」係指人對於自我與外在環境的認知，透過覺察的方式產生了概念上的理解；從原始時代開始，人類對於自然現象

與自身意義雖然還不甚瞭解，但望著山川河岳與日月星辰，卻由衷感嘆上帝造物的雄偉，而藉由感受四季變換與生老病死，也發現宇宙萬物都有自然規律，人類對於周遭的一切產生了疑問，同時也產生了想像，因此從原始人開始到如今的現代，人類產生了神話、哲學、宗教、科學、藝術等不同的門類，這些領域彼此交錯發展，同時也互相補充、彼此影響推動著，對於這些領域我們缺一不可，因為這些領域都是人類對於「有形和無形」的思考、「物質和心靈」的探索、「理性和感性」的運用，這些門類的概念都是具有時代意義的，並且隨著時代之更迭，歷史概念也有了轉變。

在希臘時代，宗教、哲學、科學三者是合一的，並沒有明確的區分，而至中世紀（5-15th century）時，神學凌駕於一切，所有的哲學、科學都附屬於宗教之下，儘管是當時的煉金術等「類科學」，也是附屬於宗教之下；一直到 14 至 16 世紀文藝復興時期、16 至 17 世紀宗教改革、17 世紀科學革命，科學與理性的崛起，開始主導人類看待事物的方式，17 至 18 世紀啟蒙運動的發生，人類對於知識的渴望度達到一個新的高峰，並且認為唯有知識才可以實際的改善人類的生活，於此同時哲學也高度的發展；英國哲學與歷史學家—科林伍德（Robin George Collingwood, 1889-1943）認為藝術、宗教、科學、歷史和哲學，是滿足人類的精神活動，並從這五種經驗形式中，從低到高的獲得了真理，人類文明與文化的累積中，產生了精神活動與門類的不同劃分，以下也特別逐一介紹：

（一）神話

係屬於民俗中以故事的方式，來講述世界與人類變遷的歷程，由於原始社會中知識的程度還不高，人類對於自然現象無從解釋，因此非以實驗實證的方式，而是透過想像與推理進行合理化說明；而神話通常都會有地域性與文化性，透過神話故事人類得以將歷史流傳，並進行民族上意識形態的傳播；許多的神話故事發展後來都被宗教給吸收，成為宗教的一部分。

（二）哲學

　　以系統化、批判或論證的方式，來進行一些基礎或普遍的問題探討，時常探討的問題有：存在、心靈、知識、理智、價值、語言等領域，從古希臘哲學家提出的問題，將哲學問題分為三大類，並形成了三大基礎學科：形上學、倫理學、知識論，加上後期發展的邏輯學和美學，也成為了哲學的主要支幹。

　　西方哲學發展主要分成幾個重要的時期，如：古典哲學、中世紀哲學、近代哲學；東方的哲學發展，則是不同地區、不同時期所累積組織的，某些東方哲學也類似於一種集體創作的概念，例如：中國的「易經」就是長時間的積累，並逐步擴充成書的過程，最早的周文王寫的「周易」，後期孔子的註解「十翼」及往後一些作者的編寫，也被編列為易經的其中一部分；透過東西方對於哲學發展的不同，也可以發現東西方在思想體系的差異。

（三）宗教

　　宗教、神話和哲學相輔相成，通常是作為聯繫人與超自然或神祇的社會意識形態，宗教主要關聯的是人的精神與心靈層面，與科學關注於外在世界的方向是不同的，且宗教與科學雖然都是透過「實驗實證」來確定，但宗教更重視「意識感受」，科學則重視「邏輯思維」。

　　古代埃及人與巴比倫人認為，天體運作中的星球代表的是不同神明，屬於神話式的答案；希臘時代柏拉圖（Plato, 429-347 B.C.）等哲學家，則認為天體運作是非常完美的，而完美的形狀則是圓形，因此以圓形與圓周運動來解釋天體的運行，屬於哲學式的答案；伽利略（Galileo Galilei, 1564-1642）運用望遠鏡觀察天體、牛頓（Isaac Newton, 1643-1727）運用了萬有引力，解釋了一切力學，也影響了後續天理運作的規則，這些則是屬於科學的答案；基督教認為神主宰著萬物一切，因此沒有神的力量介入，天體是無法運作的，這則是屬於宗教上的答案。

（四）科學

　　屬於系統性的知識體系，其有別於哲學，較為具體性與可證偽性，雖然哲學

與科學都重視「邏輯思維」，但哲學講究「意識感受」，科學則講究「實驗實證」，科學的前身始於希臘的自然哲學，並於 17 世紀的科學革命時，成為西方的主流價值，當時西方的科學革命，即是在西方的科學家、哲學家與匠人（技術人員）進行統合，使思想與勞動結合才能夠順暢的發展科學，唯意志論主義的開創者─叔本華（Arthur Schopenhauer, 1788-1860）也認為我們所認知的世界有不同的版本，藉由科學來呈現的世界，也只是我們所經驗到的世界的一個較抽象、較有系統的世界版本。

（五）藝術

　　屬於文化產物，並融合了神話、宗教、哲學與科學，且可以做為情感與意識的交流媒介，欣賞藝術的同時能夠感受到創作者的情感與觀念，而藝術創作者透過技巧、經驗、思想、情感……，來創作藝術品，在開明的社會背景下，藝術創作是自由的且免受責難的，具有可以喚醒社會的功能，並且記錄歷史；早期的藝術等同於美術，但隨著藝術定義的演變，藝術的涵蓋範圍大於美術，而當代藝術的發展中，藝術的種類不斷推陳出新，且逐漸地往哲學靠攏。

　　德國猶太裔藝術史學家─潘諾夫斯基（Erwin Panofsky, 1892-1968）除了是圖像學的權威，其也曾經提出文化宇宙（Cosmos of Culture）的概念，其概念內涵囊括了神話、宗教、哲學、科學、文學、藝術與其他門類，潘諾夫斯基透過一種人文主義的價值觀來呈現此種概念，也就是上述這些門類都屬於文化宇宙的涵蓋範圍，因此在不同的時代背景、社會概況、文化特徵與政治環境，這些門類都會有不同的文化意涵；認識藝術的過程中，如果對於人類發展的其他文明、文化與門類也都能有概念上的認知，就能夠理解這些門類之間的互相影響，是如何共同譜出人類發展的歷史，這對於藝術涵養的奠基將會是更有幫助的。

如何欣賞藝術品

每一種藝術都有自己的語言、自己的媒介，所以每種藝術都是自我完成的東西，每種藝術都是一個自體的生命，他有自己的國度。

—康丁斯基（Wassily Kandinsky），理論家兼藝術家

透過藝術的創作與欣賞，我們將意志所生的欲望世界提升到忘我的精神境界中，這時我們可暫時忘卻人世的不幸與痛苦。

—叔本華（Arthur Schopenhauer），哲學家

　　自嬰兒時期開始，我們透過感知，開始接觸這個世界；在生命最開始時，我們只是一個小小的胚胎，從心臟開始我們慢慢的滋長我們的器官與肢體，隨著這個身體的成熟，我們漸漸有聽覺、觸覺與其他感知，我們開始會做夢、幻想與思考；脫離母體的那一刻，我們終於跟其他人類一樣開始感受這個世界，成為人類後我們擁有功能、接收刺激，起初時合理與不合理的一切，我們是分辨不出來的，因為我們還沒透過經驗這個世界，找出符合規則與慣性的一切，在物理世界中我們慢慢地學習，瞭解到光線、溫度、空氣、物質、形體、重量、距離、比例、生命⋯⋯；英國「唯美主義」註⑥的倡導者—王爾德（Oscar Wilde, 1854-1900）曾言：「老年人相信一切，中年人懷疑一切，青年人什麼都懂」，年輕人學習了知識，開始自以為什麼都懂，但到了老年時才發現這個宇宙有那麼的廣大。

　　我們活得越久認為自己越瞭解這個世界，擁有了知識越能夠解釋這個宇宙運行的規則，接觸科學後我們開始相信眼見為憑，認為摸得到、看得到的才是真實的存在，活得越久我們與自身靈魂的距離越遙遠，活得越久我們對於存在的定義越狹隘，我們忘記了情感、心智、靈魂、意念、可感的事物、事態、體制、社會⋯⋯，也如同物理世界的一切同樣的存在與真實，所有形而上與形而下的事物，都有它的「實在性」註⑦，就連我們在觀賞與收藏藝術品時，在乎的也只是這些物質性材料，組合起來的效果形式，丟失了藝術最原初的價值所在，也感受不到作品的靈魂；生活中的事物顯現與不顯現，並非是以嚐到、摸到、看到、聽到和聞到來決定，而是在於有沒有一顆關懷的心，搭配上願意感受的心眼，這些存有的一切，皆存在於生活中，若我們能打開我們的身體、大腦、心智與靈魂去感受這存有的一切，我們就會發現生活即是藝術，藝術即是生活。

註⑥：「唯美主義」（Aestheticism）是 19 世紀後期出現在英國藝術與文學領域的反社會運動，其主張藝術哲學應該要獨立於哲學之外，因為藝術僅可透過自己的評斷標準來判斷。

註⑦：「實在性」即是所有事物最本質、定義與存在的特性，屬於實在論（Realism）探討的範圍，與唯心主義（Idealism）不同，實在論不認為現實是源自於意識。

　　從事藝術產業多年，時常會遇到許多朋友想瞭解藝術，但對於藝術總有著摸不著也猜不透的感覺，甚至有時候會對於藝術有種誤解，進而產生一種想瞭解卻又排斥的矛盾心態，很多人認為藝術是沒有定論也無從測量的，且無法產生快速又有效的學習方法，總是到處觀看與學習，交流的對象也總有不同的觀點，因此沒有一定的火侯，好似很難融會貫通，遇到了藝術上的疑問，也無人得以解答，其實藝術雖有主觀的成分，但也是有一些原則與方向性，也時常會有一種高手所見略同的情況，只是很多人一開始接觸藝術作品時，不知道怎麼去分辨眼前的這件藝術品是什麼類別，因此用了錯誤的方式去欣賞作品。

　　其實藝術的體驗很自然，只是有時需要一些基礎知識，舉例來說：你是否曾經親臨你喜愛的歌手所舉辦的演唱會，在會場中你與周圍的觀眾一起隨著音樂搖擺，盡情享受這視聽效果帶給你的快感，在此時你感受到音樂的力量進入你的身體，周遭的陌生人不再是單一的個體，所有現場的觀眾宛如一體，共同陶醉在此時此刻，如同進入一種「高峰體驗」註⑧，即是打從內心產生一種非常愉悅的感受，由於你對於喜愛的歌手非常熟悉，而他的作品也是你反覆品嚐的，因此在音樂會中，我們往往是特別容易迷醉在現場氛圍，但當你今天走進美術館中觀賞一位藝術家的個展，你卻無法進入眼前所見的作品，並感到對於眼前的藝術家一無所知，也從未真正好好地欣賞過他的作品，你根本不知道此件藝術品想要表達的是什麼，同時你也覺得距離藝術好遙遠，或許這正是因為你還找不到一個，可以投放自身的入口，讓自己暢遊在純藝術的殿堂，因此這個章節我想與讀者分享一下我自己欣賞藝術品的方法。

註⑧：「高峰體驗」（Peak Experience）又稱為高峰經驗，屬於一種高度境界與愉悅的精神狀態，此概念最早由美國心理學家－馬斯洛（Abraham Harold Maslow, 1908-1970）提出，是需求層次理論中最高端的體驗，在藝術、科技、體育與宗教等活動中，感受到超越自我、特殊存在認知、無我狀態、與宇宙化為一體或生命感悟之深刻經驗。

一、明白藝術是有分類

（一）西方藝術發展的類別

　　美術史的發展，最早是從洞穴岩畫而來，有名的洞穴岩畫有西元前 25000 年的索爾謬（Sormiou）洞穴岩畫，其於南法卡西斯（Cassis）附近的海底隧道中被發現，12000 年前西班牙阿爾塔米拉洞（Cueva de Altamira）洞穴岩畫，12000 年前的比莫貝卡特石窟（Rock Shelters of Bhimbetka）等洞穴岩畫都是最早的人類創作紀錄，這些洞穴岩畫的題材，不外乎是動物圖、狩獵圖、舞蹈圖、生殖崇拜圖、祭祀圖等，雖然在當時的藝術創作題材還是與生活型態及生存有關，並且以石刻、獸骨、礦石、泥土等平日會接觸的物品為媒材，但這卻是人類開始創作的最早起源，史前時代人類與動物的區別，除了會使用火以外，就是會進行美術的創作，因此人類層次高於其他物種的劃分方式也與創作有關。

　　一直到 14 世紀末期，文藝復興（Renaissance）來臨之前，藝術的發展較為緩慢，被稱為暗黑時期，這段時期的西方藝術發展主要還是以服務宗教為主，因此藝術的題材與類型發展較為侷限，且封建割據的社會也較缺乏藝術的發展，直至文藝復興時期才重新鼎盛，發源於義大利的文藝復興提倡研究希臘、羅馬的古典藝術，強調科學與人文的並重，並歸納發展出透視法、解剖學、明暗法等科學化的創作方法，首次將畫家的地位從工匠提升到藝術家，其有別於過往以藝術服務教會的觀念，取而代之是以合理的科學世界觀，其隨後影響到整個歐洲，並對後世的美術史影響極大；文藝復興之後歷經許多藝術流派，巴洛克、洛可可、新古典主義、浪漫主義與寫實主義，雖然走向不同但皆屬於寫實再現的成分居多，直至 1839 年照相機發明後，直接影響了繪畫的發展，使得繪畫邁向更寬廣的道路，且突破視覺表象的探索，因此印象派、表現主義、野獸派、未來主義與立體主義等現代藝術，多元紛呈地刺激著時代下的人們，而至第一次世界大戰時，達達主義主張反戰，甚至反藝術，企圖摧毀舊有的中產階級價值觀，爾後全世界的戰火摧殘下，人的內心開始逃離現實，心理學發展的同時，超現實主義也開始創

作出人們心中的夢境與圖像，隨後抽象表現主義、普普藝術、極簡主義、歐普藝術與觀念藝術的誕生，與早期的藝術作品相較，現代主義後更重視作品中的觀念性且更為多元與多重；認識美術史除了對於藝術的流變更有瞭解外，也能夠探索不同文化及拓寬視野，且針對不同時代性與地域性，人類文明、文化與藝術的互動關係有更廣闊的思考。

（二）藝術表達的類別

　　其實不同時代的藝術家其對於作品的追求，無論是形式的創新表達、創作材料的轉換、內容意趣的差異或主題選擇的不同，這都是導因於時代環境的轉變，因為藝術家的創作就是在回應周遭的環境，而時代與社會轉變，藝術家就會在創作的直覺與策略上進行調整，近年來，藝術的樣貌多元發展且變革週期越來越短，藝術的突破越來越密集，但雖然藝術不斷地改變，藝術的內容終究還是可以分為兩大類，第一類就是「抒情」，也就是感情的抒發或是以情感面來與觀賞者／讀者對話，繪畫中的抒情抽象就是屬於此類，它藉由直覺式的表現，來觸動觀賞者的情感；第二類就是「敘事」，指的就是以故事性、社交性、議論性等方式來將內容詮釋的方法，文學上的論說文、記敘文、應用文皆是這類的範疇，它也講究循序漸進與內容交代，而當代繪畫中其實也有許多帶有故事性內容的作品，也是屬於這一類。

　　除了抒情與敘事之外，有時藝術也在追求一種真實，但這種真實也分為兩種，其一，為「物理」上的真實，就好比一件極度寫實的風景畫，畫家完整的再現了眼前的風貌，並且對於畫面的質地、光影、透視之描繪交代的鉅細靡遺，將風景上的物理性完整的真實呈現；其二，為「心理」上的真實，就好比一件表現主義的人物畫，也許對於人物的結構、體感、用色並不準確，但透過顫抖的筆觸線條與畫面氛圍的情感營造，卻能夠反映出人物的內心狀態，畫出了心理上的真實。

　　人類的發展自古而今，也有所謂普世的精神價值，而我們所追求的精神價值：

真、善、美，當然也是藝術所追求的，前述所說的物理與心理上的真實，即是屬於「真」的部分，好似科學一般使人類有追求真理的求知慾；「善」的部分就如同倫理學般，涵蓋的有利他、善行、純潔、良知等意涵，可以誘發出良好又正向的能量；至於「美」的部分則如同美學般，雖是透過感官去接收，但必須要在內心引發出美感，也即是透過感知來接收，而反映出情感，因此真正不美的不是醜，而是誘發不出美感的，也就是無感。

（三）主流與非主流的類別

　　理解藝術有不同種類後，我們還需要一種尊重不同文化價值的思維，並且將強勢的價值觀與帝國主義思想擺於一旁，畢竟每一種民族都有其各自的藝術發展，而人們總習以為常地容易有文化上的本位主義，或因為接觸較多東／西方的某些美術史及藝術理論發展，而將其囊括範圍內的藝術就稱為藝術，而囊括範圍外的藝術就不接受，認為其不是真正的藝術，以「原生藝術」註⑨（Art Brut）為例，這些藝術家可能是與世隔絕的創作者、脫離主流文化者、純粹的原始創造者或原住民創作者，雖然未經過傳統的學院派訓練，但無拘無束又理想的創作狀態，不僅超越名利，且作品具有一種強烈又直覺的生命力，這種創作也曾經是畢卡索（Pablo Ruiz Picasso, 1881-1973）或尚・杜布菲（Jean Dubuffet, 1901-1985）等人嚮往的真正創作；亞瑟・丹托（Arthur C. Danto, 1924-2013）曾經提出一個歷史藩籬的概念，其提出的概念就如同一個草原上有著圈養牛隻的藩籬，這些被人類所飼養的牛隻被稱為牛，但難道在藩籬外的牛隻就不被稱為牛嗎？在歷史上被主流價值所歸類的藝術稱為藝術，在藝術的世界中有著眾多的群眾認同並研究著，但難道在主流價值的藩籬之外的藝術，就不被稱為藝術了嗎？因此在欣賞、理解藝術的時候，若是能尊重各種文化與藝術形式，當觀賞到非主流藝術

註⑨：「原生藝術」（Art Brut），係指非主流且未經加工、自然流露、不循舊規或基於萬物有靈論的原始思維而創作的作品，由尚・杜布菲（Jean Dubuffet, 1901-1985）所提倡，包含：素描、彩畫、刺繡、手塑品、小雕像等，將精神病患者的藝術表現、通靈者的繪畫及邊緣傾向的自學者創作皆納入範圍。

時，也才能夠以更客觀的心，去體會藝術中的美好與純粹。

（四）藝術演進越演愈烈

其實藝術史的發展與人類其他的文明發展很類似，人類文明的發展被歸類成直線狀、波浪狀、環狀、螺旋上升等，大部分的人類文明或歷史走向，無論其演進之形為何，人類文明的各部分卻是彼此牽動，且演進速度越來越快，近年來有個熱門的「奇點理論」註⑩（Singularity Theory）即是在說明這個觀點，本來奇點這個名詞是天文學中用來解釋黑洞中的時空失效的物理現象，但這個名詞的意義也被跨大為解釋人類文明進化的一個重要大跳點，只是隨著時代的越前進這個重大跳點的週期性也越來越短，因此人類的文明演化也越來越加劇，以致於人類感受到時代的腳步是越來越快，以人類的科技來說，近代的科技大幅的進步，運算機發明以來到現今，人類已經在追求量子電腦的時代了，而人類的藝術演進也如同科技的演進般，在近年來有巨幅的發展，如：工業革命（1760 年代始）、照相機發明（1839 年）、第一次世界大戰（1914 年始）、心理學、哲學、社會學的各種發展，及全球化與網路化的現象，加上近年來社會上的重大事件，人類明顯的感受到世界正在改變，而這種改變也影響了文化的各個層面，人類歷史近200 多年來，不僅全球文化交融，藝術的流派、種類、媒材、型態與理論的發展皆是大大的超越過往上百上千年。

二、東西方文化與藝術的不同

藝術屬於人類總體文化下的一環，因此藝術並未脫離文化，也並未脫離人之議題，而東西方藝術受到文化上的基本性質不同，因此在藝術的追求與認定上也有所不同，早期的人類世界，西方較偏向理性與科學發展，東方則較偏好感性與

註⑩：「奇點理論」（Singularity Theory）又稱為奇異點理論，是根據科技發展史總結的觀點，認為人類發展的重大跳躍點越來越密集／頻繁，這個重大跳躍點可能是某些事件點，而自此後的事件發展是無法預測的，就如同宇宙中黑洞的歧異點是無法得知的。

形而上學發展，而介於東西之間的中東與印度一代，則以宗教之發展為主。

（一）東西方的藝術家特質不同

　　以東方的中國藝術而言，強調人本身才是最重要的文化承載，因為有人的品味涵養，才有精彩的作品誕生，所以人比藝術品更為重要，且中國的哲學觀點，強調內外兼修、畫如其人、修身養性、師法自然、天人合一等，講究作品與人同調的關係，並且人要與自然融合，因此東方的創作者也喜歡與自然為伍，嚮往將工作室隱居於山林，且喜好談論形而上學，喜歡在有限的文字中表達出廣闊的意涵，或在有限的畫面中有著無限深遠的意境；而西方藝術的觀念，認為人與作品不見得要同調，有時可以是一種反差或是一種補償，甚至作品與人的調性是不相干的，因此作品與人品之間可以是獨立的，西方的思想探討重視概念上的清晰性與論證上的邏輯性，且西方人重視人文的特性，也讓創作者喜歡居於都市中，尤其前衛性的當代創作者皆特別喜愛居於喧囂熱鬧的城市，認為透過城市的能量可以得到創作的靈感。

（二）傳統社會造成的文化差異

　　過去的傳統社會中，東方的「農業社會」與西方的「畜牧社會」，讓東西方的文化間產生了核心價值觀的不同，東方民族的農業社會整治水利需要集權的管理方式，因此產生了中央集權政府，而農業的合作也讓東方人產生了分工並蓄且重視倫理的精神，居住模式以社區及宗族為伍的環境下，習慣的以眾人的利益為出發點，並且重視和平相處及飲水思源；西方民族的畜牧業需要隨著季節氣候遷徙，常常因為領土問題產生紛爭，因此重視競爭與年輕創新，也因為歷史上領土分裂的問題相對嚴重，所以難以在藝術創作上有一個大一統的風格走向，雖然如此，但西方創作的多元與豐富性卻極度發達，且身材高大威猛的西方人時常與猛禽與家畜搏鬥或角力，因此部落中也時常產生英雄主義的文化，而這種英雄主義強調的是個人的觀點且具有優越性，因此西方的思想上所謂的辯證論或進步論的觀點，也可在其美術史的脈絡發展中看見，西方美術史上的藝術流派基本上都是

基於前一個流派，而有著反動或變革，且在流派的演進中帶有著進步或超越的觀點，基本上東方與西方的文化與思想，各有其系統，若是要研究東/西方的文化與思想發展，尚須依其背景來研究。

（三）東西方藝術在創作上的追求

　　中國藝術本來書畫就同源，自宋代之後的文人畫，將詩、書、畫、印完美結合，也與中國文化兼容並蓄的特點有關，而禪宗的哲學思想對於文人畫的意境，也造成了巨大的影響，使得畫作不僅是畫作還要與哲學結合，與音樂及詩詞有關，因此東方文人畫發展了千年來，認為中國繪畫不僅是平面藝術，在於審美的追求上也超越了視覺層次，且創作形式上的追求較講究先傳承爾後再突破，而透過長久的傳承式的發展中逐步的演變，每一個微小又緩慢的演變，成為了一種力量，且使得東方的文人畫有別於其他國家的繪畫，具有一種獨樹一格又統一的形式特點，而中國繪畫早期發展強調「取神不取形」，在意的是更為內在的神韻而非外在的形體準確，這點與早期文藝復興以來的西方繪畫重視透視、明暗法、形體外貌的追尋方向也大相逕庭，中國繪畫講究文化體系，在屬性上有著許多的傳承，但這種傳承其實也並非是不思突破，而是需要多年且長期的內涵奠基，中國的藝術創作就好比中國的傳統武術般，要思考東方的哲學，同時也講究天人合一，不僅要有外功也要有內功，不僅有武技同樣也講究武德，這與中國藝術畫如其人的同調狀態很類似，且中國傳統繪畫講究的扎根奠基，使得藝術家前半輩子的歲月都花在藝術涵養與功力的磨練上，重視體悟的教學方式不僅講究師承也講究心領神會，傳統上的東方藝術家對於修為過程的提升是不急躁的，也反對創作造成的焦慮感，因此過去東方藝術家要在創作上趨於成熟，往往也年過半百；西方的文化與藝術起源於希臘，在這個海洋國度中重視商業甚於農業，有別於東方的崇尚自然，希臘時期的藝術較偏好人文，重視法、理、邏輯、思辨、權益、尊嚴，而西方繪畫自文藝復興時期以來，講究科學化的創作態度，因此與東方重視精神不在意外貌形體的概念截然不同，以傳統上的東西方藝術發展來看，東方講

究的是傳承與累積，而西方講究的是突破與改革。

（四）海洋時代開啟後中西開始交融

　　東方的遠洋航海發展早於西方國家，早期歷史上最具規模的當屬中國明朝的「鄭和下西洋」，其於 1405 ～ 1433 年間 7 次的遠航，跨越了東亞、印度、阿拉伯半島及東非各地，240 多艘的海船共計 27,400 名的船員，拜訪了 30 餘個國家及地區，其遠航的時代比哥倫布發現新大陸早了 80 年，明朝遠洋航行的動機雖然是因為國內的政治因素（尋找建文帝）及對外的國力展示，但透過 7 次的遠航也使得航海圖的紀錄更加完善，對後世的海上探險幫助極大；而歐洲則於大航海時代（Age of Discovery, 15-17th century）開始探索海洋，並於航海學、地圖學、造船術與天文學進步下，加速了遠洋探險的熱潮，航海家們企圖在發現新大陸的同時，也發展新的貿易路線與夥伴；東西方進入了海洋大探險時代後，由於新技術、新知識與商業利益的驅使，在隨後的幾個世紀內，全球商業貿易崛起、宗教殖民與競爭，不僅導致了軍事交戰，同時也影響了文化的交流。

　　由於東西方國家經歷了幾個世紀的海洋探索，19 世紀開始，全球正進行著經濟與文化上的交流，而船堅炮利的西方國家將矛頭指向中國，並且透過軍事力量強行地將歐洲的價值觀與文化輸入，此時的日本與西方國家開始交往頻繁，特別是法國也興起了一股日本主義（Japonisme）的風潮，在這股熱潮下無論是工藝品、穿搭、茶品與繪畫，都深深地吸引著歐洲，因此導致了日本浮世繪影響了歐洲印象派繪畫；其實文化交流後各種區域及領域的藝術創作開始互相影響，舉例來說：蘇拉吉（Pierre Soulages, 1919-）、托比（Mark Tobey, 1890-1976）、托姆林（Bradley Walker Tomlin, 1899-1953）等人的作品都是受到中國書法的影響，而企圖在作品中追求一種東方價值的創作表達，又或者在 19 世紀末期，受到西方寫實藝術影響的中國「海派」畫家、至日本留學歸國的畫家們，將實景帶入水墨畫中的「嶺南畫派」、日本明治維新後，結合寫實、裝飾與浪漫風格的「新日本畫」運動等，皆是受到海外藝術風氣影響，而重新詮釋藝術創作

的例子。

（五）全球化來臨藝術不分東西方

　　20 世紀中葉後，由於交通、科技、媒體、網路的發展，全球化（Globalization）與普世主義（Universalism）影響全世界，因此全世界持續地進行著文化交融，交融後的文化發展有著延續性和變化性，此階段的藝術發展現況，我們期望著藝術家的創作有著國際視野與國際語彙，但也同時保有自身文化的主體性，由於此階段還是持續地在進行著全球化的過程，不斷地比較文化上的差異，因此許多的當代議題也成為藝術創作的主題，如：全球化與反全球化、移民與勞工問題、身分認同與多元文化、生活態度與文化生產、普世主義與種族主義、經濟發展與貧富差距、技術科學的發展與氾濫等，皆成為這個世代下普遍會被探討的重大主題，時至今日，東西方的藝術創作已非壁壘分明的創作走向，也不再以媒材去認定為東方或西方屬性，而是以東西方藝術的精神性或創作內涵來劃分，甚至在當代的環境下，藝術的東西方屬性已經不再是人們在乎的重點，在此時代下，人們更關注未來藝術的發展走向。

三、藝術分析工具—六面向二分法

　　這些年我在各處演講，總感到許多人希望能透過一個快速又有系統的方式，去瞭解藝術品，因此我發展出了一個分析工具，叫做「六面向二分法」，它是一種去分析藝術家創作走向的方法；在介紹之前，我必須先釐清兩件事情，首先，世上的藝術品實際上是無法以二分法來界定，通常都會是在兩個極端之間，就好比作品中的「動」與「靜」，也許是部分動部分靜，也可能是靜中帶動或動中帶靜，因此兩個極端可能是二者兼備又或是比例上的不同，因此只能是個別程度上的劃分，並非二擇一的分類，因此雖然名稱上是二分法，但僅是作為較好判斷的權宜命名；其次，對於一件作品的主題、內容、材料、形式與創作脈絡上，皆可以此六面向去加以理解，現將六面向二分法介紹如下：

（一）較理性 vs. 較感性

　　面對一件藝術品好比說是一幅畫的形式表現，我們可以透過色彩、構圖、線條、形象與空間等，來加以區分它是比較靠近理性，還是比較感性，以造型而言，大部分的幾何造型總是給人一種相對嚴謹並且是思考過後的審慎決定，因此感官上較為理性，而隨性又隨機的非幾何造型，就給人一種較為感性，且自然的直覺表達。

（二）宏觀 vs. 微觀

　　觀察不同藝術家的作品，我們也可以發現，有的藝術家創作題材喜歡以宏觀的大議題，來進行探討，例如：生命的源頭與終結、生命的意義、宇宙的奧祕、全球化的影響、史詩般的歷史詮釋等；有些藝術家則關注身邊的微小線索，又或是小清新的題材，以進行較微觀的探討，例如：一顆窗邊熟落的果實、微小又確切的事件等，也正所謂一沙一世界、一花一天堂，喜歡微觀探討作品的藝術家，也往往能得到一個小世界的樂趣，在有限中發現無限。

（三）關注外在 vs. 關注內在

　　榮格（Carl Gustav Jung, 1875-1961）曾言：「往外張望的人在作夢，向內審視的人才是清醒的」，他不愧是分析心理學創始者，傾向於關注人的內在審視，其實人從出生以來關注的事物就大致可以區分為內在與外在。

　　以藝術家創作的習性來分類，有些藝術家猶如一個觀察者，他會透過環境的觀察又或是社會議題的關注，來作為創作上的養分，這類藝術家通常會有著向外探尋的特質，並且時常讓自己處於與外在環境相通的狀態；有些藝術家則喜歡往內探尋，他們喜歡沉浸在與自我獨處的時光，雖然不表示他們就一定疏遠於人群，但他們總是喜愛回憶過往的歲月，並熱衷於自我追尋、愛好自我表達，也時常在作品中藏著個人隱晦的密語，並把抽象的內在世界化為可見的視覺符碼；受到心理學影響的「意識流繪畫」註⑪，描繪的內容是人類內心的意識活動，這種主觀又內在的思想，即是藝術創作者關注於內在，爾後產生的作品風格。

　　總之藝術隨著不同人各自的創作偏好，有些關注於內在，其屬於內在性的表達，而關注於外在（自身以外），則屬於外在性的表達，而在這兩者間並非就是一種絕對的分類，也許一位畫家所描繪的是自然中的外貌風景，屬於外在表現，但同時他也透過富含生命力的筆觸，來借喻個人內心深層的情感，因此面對創作的分析，也應該以不同的角度去探討。

（四）重技術 vs. 重觀念

　　作品製作的時候，創作者時常思考的是，我要以一個高度的技術表現，無論是寫實、寫意又或抽象，並強烈地以高度技術的表達性來闡述作品；還是應該讓作品的外在表達性減弱，更純粹地以作品內容所蘊含的觀念性，來支撐整個作品。文藝復興時期義大利畫家—喬爾喬・瓦薩里（Giorgio Vasari, 1511-1574）就認為繪畫的基礎—素描是一種視覺的表達與觀念的宣告，並認為其雙重意義就在於內在的「觀念」與外在的「技術」，由此可知西洋繪畫自古而來，即是在技術表現與觀念傳達中兩相奔走，並且精益求精。

　　美國於 1960 年代開始發展觀念藝術，他們強調作品內容的意念比起作品中的物質性更為重要，甚至也比傳統美學更為重要，因此作品的概念最為至上，有形的表現並不重要，因此許多的觀念藝術家捨棄了傳統，著重手感表達的作品形式，改採用現成物、新媒體、文件、程式語言等創新媒材來呈現作品。

（五）偏再現 vs. 偏表現

　　論及繪畫流派的走向，美術史曾經因為照相術的發明，讓寫實繪畫不再盛行；寫實繪畫即是高度的圖像性再現，而此所謂的再現即是現實的物理世界中已有之物，我們高度的模仿它，並呈現於藝術的世界，也就是表象的形體模仿，求的是真也就是科學；但由於照相術發明之後繪畫開始追尋內在的探尋（有別於表象），因此更朝向於追尋內在無形上的真實，例如：內心的情感真實、生命的真諦探討、

註⑪：「意識流繪畫」係指透過「意識流動／意識流」（Stream of Consciousness）特性而創作的繪畫，意識流是由美國心理學家—威廉·詹姆斯（William James, 1842-1910）所提出，表達的是意識流動的特性，且意識是處於動態且隨時轉變的，往後也影響到「意識流文學」、「意識流電影」與「意識流繪畫」。

人性殘酷的真實……，因此為了把內心情感的真實面詮釋得更好，則有了表現手法，藝術家把更重要的內心情感，透過筆觸、線條、肌理、變形、大膽用色等，以追求肉眼之後的真實為訴求，並進行表達，當然其實在藝術的表達類別中，再現與表現兩者之間，也是有兩者兼具或其他類別的表達型態，例如：中國寫意山水畫，則是兩者兼具，以形式上的表達來論，中國寫意繪畫是較為表現性的，雖然具象但似乎不是絕對的寫實，而這種外在物象上的表現，實際上是為了更追求意境與傳神，也就是內在心境或精神上的再現，因此屬於內容上再現、形式上表現。

　　以表象上來看，其實再現藝術的追求，就是一個「求真」的過程，接近的是外在事物或自然，而表現藝術的追求，則是一個「求美」的過程，接近的是事物的內在或人的內心，當然作品的內層／內容來看，再現或表現都會有求真及求美的觸及；而到了如今的當代藝術，再現或表現皆只是一種手段，藝術家擅長使用的方法無論是哪一種，只要能切中主題，與作品其他部分沒有違和感，且相輔相成地襯托彼此，就是好的表達。

（六）多元化 vs. 單元化

　　創作脈絡是一個觀察藝術家走向的線索，多元化指的是特性不同的對象組合，而單元化指的則是與多元化恰恰相反的結果，一個創作脈絡多元化的藝術家，可能體現在他使用的媒材多樣性，又或是創作種類的跨領域，但也可能是題材與內容的探討上有著多元又廣域的發展，時常我們也會誇獎一個創作才子技術多元，各種材料到他的手裡，都能靈活運用、操控自如，在這裡指的則是技法的多元化。

　　當然創作脈絡的多元化，是能夠為自己的創作脈絡鋪墊更多的可能性，對於未來創作靈感疲乏時，能更好地去轉換跑道，發展不同的子系列，但藝術史上其實也有一些藝術大師，終其一生只為了某個領域的探索，而付出所有生命，旅法的韓國藝術家—金昌烈（Kim Tschang-yeul, 1929-2021），在 70 到 90 年代畫

了一系列的水滴畫圖②、圖③，並且在水滴這個單純的題材上，進行了眾多的變化，從早期非常單純的描寫，到後來水滴單獨的存在，再到遍布於畫面上的水滴群或與漢字結合，可謂在繪畫上進行了全面性的創作包圍，90 年代後又在木板及不同的媒材上進行水滴描繪，而在平面繪畫上進行了完整的詮釋後，他又結合了鐵、石塊與青銅為基底的雕塑與玻璃材質的水滴，來進行裝置創作，這名水滴藝術家，雖然題材走得非常單元化，卻在詮釋手法上非常多元化。

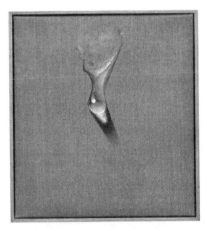

圖②：《水珠》，金昌烈

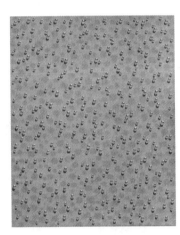

圖③：《水珠》，金昌烈

四、分層進入的審美體驗

自古而今眾多美學與藝術理論家，將藝術品進行結構化的探討，在過去的探討中有許多人認為作品，是一種二元論的結構，即是「形式」與「內容」的二分法，這種二分法在過去一直為眾人所接受，並對於其二者的相對性有眾多的探討，黑格爾（G. W. F. Hegel, 1770-1831）認為：「美是理念的感性顯現」，由於黑格爾是唯心主義的理論大師，他認為物質依賴於精神而存在，因此黑格爾認為美是存在於內在（內心）的，他透過感性的方式顯現於外在，其中他所談論到的「理念」其實就是「內容」、「概念」、「情感」或「意蘊」，而這些內在的東

西透過感性的方式顯現於外在就是美，藝術品的感性顯現就是「形式」，透過形式我們得以感受到美，形式是內容的「實在化」，也就是內容的「現象」。

藝術品基本上是渾然一體的，各個層次面向其實是很難以切割的，若是將其分層分類的架構化區分，有時會有矛盾或主從關係混淆的情況發生，甚至有時候會造成不同層次之間彼此的對立，舉例來說：過去的學習經驗告訴我們，作品內容的重要性勝過形式的重要性，這觀點就容易讓我們覺得形式的重要性非常不如內容，我們常常聽到某些人批評別人的作品只是在炫技，作品沒有內容相當空洞，我們也常常聽到別人談論技術不重要，觀念才是最至上的，上述這兩個例子都會讓我們經驗到，內容是絕對的勝過形式；過去我也曾經認為內容是絕對的凌駕在形式之上，但後來發現形式也並非就是如此的不重要，舉例來說：立體派是美術史上最知名的流派之一，它的形式感非常強烈，甚至可以說它們的內容就是建立在形式感之上，因此立體派的作品形式重要性就不亞於內容，且幾乎就可以說立體派的形式與內容是同一的，藝術作品見聞越廣後，我們發現藝術的各個層面的主導性並非就是唯一。

關於藝術作品的結構也有不同學者提出不同的分法，有些學者分為五個層次，有些學者分為三個層次，法國現象學家—杜夫海納（Mikel Dufrenne, 1910-1995）於其著作《審美經驗現象學》中將藝術作品的結構分為：材料層、主題層與表現層；而桑塔亞那（George Santayana, 1863-1952）則將藝術結構分為：材料、形式與表現；至於葉朗教授於《美學原理》一書中則提出藝術作品有三層結構：材料層、形式層與意蘊層，在此我也將其敘述如下：

（一）材料層

藝術作品透過材料來呈現藝術，而材料作為藝術呈現的介質，也就是藝術作品透過材料才得以呈現藝術的理念，但材料並非是藝術的本質，而是作為中介者的角色；以油畫來說，材料層主要分成兩種方向來探討：其一，為「物質材料」也就是創作的媒材，繪畫製作過程中所需使用的相關材料，舉凡：畫布、畫布內

框、打底劑、顏料、畫用油、凡尼斯等，皆屬於其範圍；其二，為「視覺材料」也就是視覺上的材料，指的是藝術家於創作中置入的素材、圖像或符號等；以印象派的繪畫來說，「主題」通常為風景畫，而視覺的「材料」可能是樹、草原、陽光……，而這些視覺材料中的眾多元素，能夠傳達出印象派想表達的「內容」，即是光線與色彩；但隨著時代的進步，藝術的樣貌也不斷推陳出新，並非所有的藝術都需要高度的物質材料，以觀念藝術而言，它就並非需要依附在高度的物質材料上，它有別於傳統手作的藝術，也許是直接以「現成物」取代。

　　義大利觀念藝術家—卡特蘭（Maurizio Cattelan, 1960-）於美國邁阿密 Art Basel 2019 Miami Beach 藝術展，展出件轟動的作品《喜劇演員》，這件作品是一根被灰色封箱膠帶貼在牆上的香蕉，展出期間造成相當的轟動，除了媒體廣為報導外，在展場也是擠到水泄不通，展出的貝浩登畫廊雖然聘僱保全人員來維護展場安全，但實在太轟動，因此最後還是將這件作品撤展，這件觀念藝術的作品定價 12 ～ 15 萬美元（約台幣 365 ～ 457 萬），這個天價的藝術品在藝博展出期間共售出了 2 件，其中一件還被一位行為藝術家給當場吃掉，但是貝浩登畫廊（Galerie Perrotin）表示藝術家是藉由香蕉來暗示全球貿易，買家購買的是作品背後的內在觀念，以及藝術家認可的防偽保證書及安全說明，未來作品如果腐壞了，可以至商店或五金行購買香蕉及膠帶自行更換，即使香蕉被吃掉了，觀念卻是不會消失的，因此畫廊也並未向行為藝術家追究賠償。

　　觀念藝術就是如此，它不一定要依賴於手作這道程序，時常大量的使用現成物或文字來作為觀念的傳達，因此當代藝術並不強調創作的「物質材料」，而是強調作品的「內容」。

（二）形式層

　　形式層與材料層是相互關聯的，若以繪畫而言，媒材的選擇會影響到畫作形式的表達，如：水性媒材則更容易使用暈染的技法，而油性媒材則更適合堆疊與塑造立體的肌理效果，這些都會影響到作品的形式感，因此桑塔亞那（George

Santayana, 1863-1952）曾說：「材料效果是形式效果之基礎，它把形式效果的力量提的更高了，給予事物的美以某種強烈性、徹底性、無限性，否則它就缺乏這些效果。假如雅典娜的神殿巴特農不是大理石築成，王冠不是黃金製造，星星沒有火光，它們將是平淡無力的東西」，因此媒材不僅僅會影響到我們在欣賞藝術品時所產生的審美意象，媒材更是形式表達的基礎，所以優秀的藝術家總是能夠選擇不同的媒材，進行適合的表現，且讓不同的媒材間彼此合作，將作品的表達，詮釋得更為完美。

以空間藝術的平面繪畫而言，繪畫中的視覺材料，比如：線條、色彩、形狀、構圖……，彼此互相的交織，以局部的個別效果在畫面中進行整體的反應，達成一個完整的「象」，此所謂的完整的象，就是所謂的「形式」，再以時間藝術的音樂而言，音樂中的聽覺材料，比如：音符、旋律、節奏、音色……，隨著時間的演進，慢慢的交織，譜出動人的樂章，就是音樂的「形式」，因此我們可以認為，藝術家帶給我們一種形式上的美感，在我們欣賞「形式美」的時候，我們會在心中生成一種意象世界，此種藝術之美有別於自然之美與社會之美，且這種形式美是具有獨立性的，因為它不僅幫助生成意向世界，形式感本身也是具有意味的，就好像畫家如何去畫一個線條，如何去佈局一個配色，也是有原因的（具有意味），而這具有意味的形式感，本身就是一個可以作為審美的對象，它不僅可幫助生成意象，本身又可單獨作為審美。

（三）意蘊層

前述的材料與形式，在藝術創作的結構中，是較為表象的部分，而意蘊則是內隱的部分，在過去我們將意蘊與內容劃上等號，認為它們其實是差不多的，但有些學者認為比起諸多的領域，內容較像是種邏輯、概念、故事、情感等的涵括，但作為藝術品的審美是很難以言說的，畢竟面對藝術作品這個特別之物，不像其他的領域，可以清楚的表達，許多感受無論它是一種：直覺、夢、幻覺、感覺、想像、類比……，其箇中意境及韻味，是極其豐美、極其廣泛、又帶有多種指涉

性，讓人又不確定但又同時感到無限性，畢竟藝術品可與觀賞者對話，而觀賞者的審美距離不同，其各種特性也相應的被發現，並且透過發現而存在著。

藝術品（藝術美）有別於自然的巧奪天工之美感（自然美），並有別於社會中（社會美）歷史條件與關係的生活實踐之美，不只是因為藝術是屬人的，而且是個人的，就算是集體創作還是很著重個別的表現部分，並透過藝術家的表現，而被人們發現藝術存在其中，並且感受藝術帶給我們的歡愉快感；常聽聞人說作品是有生命的，我想這不僅僅是在形容一件作品非常傑出，更是在形容作品就像人一樣是透過相處，可以更深入的瞭解。

柳宗元於《永州園林記》中曾論：「美不自美，因人而彰」，即是在形容觀賞者對於藝術品的閱讀感受是一種生成，透過不斷的體驗，可以更深刻地瞭解作品的個性，因此我們不難體會，為什麼很多收藏家，平時在家倒杯紅酒駐足於畫作前，可以欣賞好大段時間，而且可以每天看而百看不厭，就是因為藏家在跟作品交朋友，透過每一次與作品的對話，又能夠對於作品有種新的感受理解，這感受理解不僅是種發現，有時又好像是一種再次的創造，因此透過深度的品味藝術作品，我們發現原來欣賞就是再一次的藝術創造。

五、藝術的高度統合

前面的章節曾經介紹過組成藝術品的四個要件：主題、材料、形式與內容，如同標題一樣，所謂的高度統合即是針對前面這四個要件，特別是藝術作品的形式與內容的高度統合，即會產生一種類似於共振的效果，讓人覺得作品非常精彩，這種作品本身產生的共振效果，威力十分強大，它並不是真正的像聲波一樣震動，而是被我們感知到作品誕生時，是天衣無縫又巧妙地兼顧作品的各部分層次，因此產生審美上的震撼。

藝術家的思想畢竟要透過轉換與實踐，並透過材料與形式才能夠變成藝術語言，藝術的表現作為一種視覺語言，有別於透過平面的文字與聲音的語言，藝術

語言是不會因為國籍的不同而需要翻譯，而是透過一種人類皆可感知的視覺要件，來作為溝通的媒介，而這個溝通的過程需要觀賞者與作品互動（或稱為對話），也就是深層的思考並感受作品，因而產生與作品的交流，當前述的作品高度統合所產生的共振反應越強，則觀賞者被作品感動的衝擊力道也越大，這就說明了藝術語言的傳達是成功的，當然也就代表藝術家的創作是成功的。

　　其實好的作品就必須在作品的各部分間要產生「內在關聯」，這種各部分的關聯性越強，則作品可品味的意蘊就越深遠，亦即是說作品不僅可欣賞創作者的技術層面與材料發揮，也可欣賞作者在詮釋作品時的形式表達，甚至可意會作品內容的情感與觀念；以東方的水墨畫來說，一件好的水墨作品其構圖、氣韻、精神、運筆、用墨與款書等，全部都必須有一種內在的關聯才能夠互相影響、互為彰顯，而欣賞這些不同部分互相地依附、共進、推動與陪襯的過程中，我們還可以進一步地讚嘆藝術家創作時的靈感，且理解作品內在關聯的共生性，從而得到更深一層的審美意趣，而當一個獨特的藝術語言誕生時，藝術家的作品也就擁有被注意、被欣賞、被研究、被推廣與被收藏的高度價值，簡單來說，好的藝術語言同樣端看藝術作品中，是否各部分有掌握高度統合的能力就可證明。

六、整體效益大於局部效益的加總

　　藝術的呈現越是多元也就有越多面向可供欣賞，藝術的創作除了需要高度的統合，來引發觀賞者高度的共鳴，也需要在整體的作品上給予觀賞者一種深刻的感動，但這種深刻的感動度，是透過作品的整體效益帶來的影響，而這種整體效益，並非就等於組成作品不同部分的加總，簡單來說作品組成的元素，以繪畫上來說，無論是材料層面、形式層面或意蘊層面中的各個要素，都會有其傑出之處，但好的作品看重的更應該是這些不同層面的各個要素，所組構起來的整體效益，舉例來說：「非洲雕刻」雖然技術拙劣且粗糙，但整體作品傳達出的生命力與原生風格卻非常鮮明，因此組構後的作品整體效益是高的，而非學院派的「原住民

畫家」筆法樸拙且構圖單調，在用色上又過於簡單直接，但配合著作品傳達出的精神卻恰到好處，總體的藝術價值是高的，因此好作品不僅要達到各部分的高度統合，還要達成整體效益大於局部效益加總的「綜效」。

我們評估藝術家的創作，時常會透過其過往的得獎資歷來評斷其優秀程度，過去的藝術獎項往往會有一種風格傾向，以繪畫而言，有的標榜以古典技法作為獎項評判的標準，有的則以印象派技法作為評判的標準，無論是何種的獎項類別，這些獎項通常會設定一個評分架構，例如：技法表現、創作意涵、題材發揮、媒材運用……，都會是獎項的評判標準，這些評分的架構分別佔總分的部分百分比，而每個評審在不同佔比的分數，會進行加總並得出總分，而總分越高者就會是獎項的獲勝者，因此在每一項評分標準中都盡量得到高分，就是這個獎項獲勝的方法；但隨著藝術世界迎接多元的當代藝術來臨之際，許多國際上重要的獎項，已經打破了媒材、形式與類別的創作，也許藝術獎項的評斷不再受限於創作的分類，而是以藝術所達到的造詣來評斷，因此有的獎項會有西畫、水墨、雕塑、裝置、錄像、攝影、觀念與文件等，不同藝術類別混合評鑑的方式，而他們評斷的方式可能是透過評審討論來整合意見，參考不同主客觀的意見，或透過觀察、提名的方式，最終選出一個最能代表當屆評審共識的藝術家；許多人可能會好奇，不同媒材或不同類別的創作，怎麼能夠共同的參與評分？但由於當代的走向已多元又強調觀念性，時代的進程下藝術作品已經打破了媒材與分類的架構，較為當代走向的獎項認為開放的心態，即是不糾結於作品的分類，而強調作品的造詣精深度，因此如果設想藝術呈現的各個部分與面貌，能夠有一個整體的總和，姑且稱呼它為「藝術質」，則透過這個總和的藝術質，就可以做為評分的標準；如今的藝術創作在多元面貌的走向下，探究的是個別作品的造詣，不同的創作有的也許用色非常單純、也沒有特別的構圖，但也許傳達出的精神性，卻是不亞於畫面豐富的其他繪畫，因此在當代藝術的環境下去欣賞不同的藝術作品，透過適切地欣賞角度去觀賞作品，也成為審美專精的不二法門。

七、培養藝術內功的幾個習慣

藝術的鑑賞是非常愉悅的，而透過鑑賞的活動，能更加深我們對於藝術的理解，而對於藝術的理解越多，我們也得到更多的成就感，並且在進行鑑賞活動時，又能夠比別人進入更深一層的藝術世界，從而得到絕大的滿足感；因此藝術之路只要踏入了，就會令人著迷不已，除了與作品對話外，也能夠藉由藝術的啟發來與自我深度對話；除此之外，在與他人交流藝術的過程中，也參與了彼此的藝術生活，藝術世界的這一切，是在無限的正向循環中，不僅豐富了自己，也豐富了他人；想要多認識藝術，就得增加自身的藝術內功，在此也說明如下：

（一）建立大腦圖像庫—多看多聞

透過書報雜誌、網路及實體，來觀看藝術作品時，皆會有不同的觀賞趣味，透過書報雜誌的觀看，也許可以順便理解藝術家及作品的介紹，尤其是閱讀藝術家的專業作品集時，可以透過出版者對於內容的編輯安排，體驗到較好的閱讀節奏，且能夠完整有系統地理解藝術家的創作脈絡，而閱讀重要聯展的畫冊時，可以理解不同主題的策展論述，藉由觀看不同藝術家作品的同時，會有多方位的觀賞角度，來感受不同觀點的詮釋與作品表現；而透過網路觀看，則沒有時間與空間的限制，且現代的行動裝置非常方便，觀看的同時可以順手把喜愛的藝術家及作品儲存下來，目前也有許多手機應用程式（APP），可以在觀賞藝術作品的同時，又可以閱讀文章或聆聽導覽，且內建不同語言版本可供選擇，除此之外，也可以建立自己的喜好名單，同時透過大數據分析找到更多相同類型的作品，並且分類分層的管理閱讀清單，甚至還有一些小遊戲可以玩；而實際的觀看作品或參觀展覽，是最直接也最沒誤差的方式，觀看作品的原作與透過其他介質（螢幕、投影、紙本）來感受觀賞是非常不同的，只有在好的光線、空間距離、場地、展覽呈現下，才能真實的完整呈現作品，畢竟作品的閱讀有所謂的場域理論，而在實際的展覽參觀時，可以同時感受藝術家創作時的思想情感，與策展單位的策展構思。

　　藝術的鑑賞與品味的養成，實際上是一種資料庫的累積，不僅要累積足夠的視覺圖像庫，還要盡量的多看好的作品，藉由不停地觀看優秀作品，能夠在這些視覺圖像中找到一些優秀作品的「共通性」，而在大腦中也能夠漸漸地有分類分層的架構出現，明白作品的哪些部分可以與過去的藝術史結合，哪些部分能夠有創新的思維與獨樹一格的形式表達；其實欣賞藝術會有著境界上的造詣累積，當你看過 1,000 件作品、10,000 件作品、100,000 件作品時，你在藝術上的理解是不相同的，在廣度上的累積及自身喜好類別的精深度，都要去接觸和鑽研，漸漸的品味累積了，藝術上的造詣也就高了。

（二）藝術與生活結合—用心品味生活不同面向

　　近年來國人對於生活美學的意識逐漸提升，越來越重視品味的素養，而生活中何者可稱為品味呢？其實穿衣吃飯是品味、運動遊樂是品味、社交談天是品味、藝術文學是品味、飲茶品酒是品味，生活中的各種面向全都是品味的經營，而品味的感知則是透過感官，具體而言人的感官有部分是與生俱來的，但有些部分卻是後期開發的，如同佛家所言之八識（感官五種：眼識、耳識、鼻識、舌識、身識、第六意識、第七末那識、第八阿賴耶識），有些感官能力或稱為感知能力，是超越我們一般所認知的五感，這些種種的感官，有些我們使用的多，有些使用的少，但我們平日的生活卻都仰賴這些感知的能力，而唯有透過這些感知的能力，我們才能夠細膩地品味生活中的每一刻，並且打破過往經驗帶來的成見，例如：飲用咖啡時，細心地品味乾濕香氣、風味、餘韻、酸質、醇厚度、平衡度、飲用溫度、視覺美感等，這些感受都可以類比為其他生活面向的感知，不僅是透過一種共感（聯覺）的方式，更是各種「感覺統合」的能力。

　　回想我們當初還是嬰孩的時期，周遭的一切都是這麼新鮮又神奇，我們漸漸地透過生活來開啟了我們的感知，這些感知被應用在生活的各種面向上，我們透過經驗論的方式來理解這個世界並且品味它，但久了卻忘了各種生活上的面向是互為連結的，因為現代人的日常忙碌讓我們的身心都俱疲不已，因此我們的感官

困頓，對於慣常不變的城市生活，由敏銳的體悟變成了無感的漠視，這種現象就是導致我們對於藝術或美學生活不感興趣的原因，因此我們唯有騰出日常超載的身心，才有辦法藉由掏空而挪出空間，讓自己內心的房間空出位子，來體悟藝術且品味生活。

（三）保持開放心態－避免遭遇學習撞牆期

在藝術的喜好分眾，有些人只能接受經典或傳統的作品，認為這樣的作品才是真正有深度又富美學的藝術品，有些人只能接受當代或新潮的作品，認為這樣的作品才有前衛性與獨特性，這樣的差異性就好像人們與某些作品的緣分未到一般，因為無緣分而進入不了作品，人們都期望藝術家創作出驚為天人，又具原創性的作品，但卻排斥藝術家的定義轉變；同樣都是創新突破，但後者卻會使人感到已經建立好的邏輯架構（藝術見解）受到動搖，或對於新的觀看（審美）方式還沒建立而感到害怕，因此有時候會對於當下無法瞭解的作品，直接的排斥或感到生氣，認為這不算是一件好的藝術作品，或甚至不算是真正的藝術品，若你也有此種情形發生，不妨暫時跳脫當下的心情，因為世上無法保證所有作品都是可以被任何人進入的，想像我們身在一座藝術的殿堂（建築物）內，這些不同的作品就好似殿堂內不同的房間，而進入這些不同房間的鑰匙，可能是：文化、品味、知識結構、性格、回憶、心境、際遇……，若你真正的進入這些房間，你就可自由地享受這件作品，你會陶醉其中並憶起了曾經進入過的房間，就像在藝術的文本與文本間產生了比較與對話，並找到了解讀作品的獨特觀點，當你能進入的房間越來越多，你會發現你的品味範圍變廣了，能理解的作品也變多了，而你的人生也將被這些作品帶給你的體驗所豐富，我們時常保持開放心態，試著先進入藝術的房門，如此一來，我們就可以擴大、豐富我們的人生體驗。

藝術之所以吸引人並令人心生嚮往，其中還有一個理由，即是藝術是自由自在又不受到拘束的，藝術就彷彿是一個「自由區」，在這個自由區內不會受到社會責難，也沒有道德包袱，針對任何的題材都可以自由的創作，由於藝術的世界

百無禁忌，因此才會引人入勝又無法忘懷，在藝術的領域中我們可以探討特殊族群的怪僻，也可以探討宗教的意義，探討的幅廣可以從外太空探討到小細胞，因為高度的自由也才能不斷地有創新的作品誕世，藝術呈現多元文化的面貌，並且對於文化差異有著高度包容，尤其是如今的當代藝術，更在實驗性與研究性，都比以往的藝術創作更為追求、更為解放，面對更開放的藝術環境與作品，我們保持開放心態，就更能夠在藝海中自在的遊歷。

（四）瞭解不同文化與時空環境－藝術的形成有其背景

　　藝術的形成是有其環境背景與發展條件，以印象派而言，是受到攝影的刺激，與軟管顏料發明而誕生的，每個大流派的誕生都會有先決條件，由於攝影發明後大幅縮短了再現周遭景色的時間，而使藝術家重新思索單純的再現寫實之意義性，且由於光學的發展讓印象派重新的去進行光線與色彩的研究，軟管顏料的發明使畫家出外寫生時便於攜帶，更方便藝術家走出戶外捕捉光線；超現實主義圖④則是受到兩次世界大戰與心理學的影響，由於兩次世界大戰讓人類見識到殘酷的景象，許多人對於過往的信條與價值觀產生否定，並且逃往內心的幻想世界，而心理學的發展也解釋了人類大腦與心理作用，在兩者的相互影響下，產生了許多逃離現實、虛幻景觀、拼貼嫁接、誇張變形、神祕詭譎、違反物理、物質轉換等手法的藝術作品。

　　時空與文化的不同，會造就不同的藝術形態之塑形，因此不同的時空環境與文化環境，藝術的主流會不相同，不同的藝術流派有不同的原理，我們要理解它的背景環境，才能有正確的閱讀方式來理解作品，藝術史上有所謂的「文本訊息」，即是藝術之背景環境與作品內涵介紹的訊息，我們在觀看展覽或閱讀藝術家作品介紹文時，可以透過這些文本的內容，在心中建立一種比較，即是透過文本與文本之間的比較，瞭解其中的異同，也理解大時代的風格；其實現代主義之前的藝術等同於美術，其作品的表達皆圍繞在美的周圍，而現代主義來到之後，藝術漸漸地就並非一定是美術，尤其是後現代之後許多現成物的作品產生，閱讀

上的理解方式也不相同，甚至有些時候觀賞者在展場（場域）中欣賞作品的同時，也成為作品的一部分，觀眾同時是體驗者又同時是作品意義的建構者，藝術體驗不再如同傳統上的意義，因此現代美術館中，架上藝術的展出比重也逐漸被前衛藝術所取代，在藝術流派迅速地發展下，理解藝術的形成背景，才能夠在欣賞藝術時感到有趣並得到滿足。

圖④：《記憶的永恆》，達利

　　其實在不同地區的文化發展下，也造成了不同地區對於藝術見解的不同，由於每個地區、國家、文化的差異也導致藝術上的認知與判定產生歧見，有著藝術至上思想的人，認為藝術不該淪為政治、宗教、經濟上的操控工具，但在許多文化上，藝術卻是跨界合作的，例如：不丹的唐卡藝術，則是宗教藝術的經典代表。

　　以日本的精緻文化本質來說，影響到他們對於職人精神與工匠技藝有著著迷的部分，不僅是以鬼斧神工的技術折服人心，日本人民也特別看重追求極致的創作態度，但也因為這種精神，導致門戶之見及創作者自尊性過強，因此大部分的傳統藝術皆嚴守師祖之訓，學習的過程中如果轉換門派或三心二意，也會是大忌，而由於日本大部分的人口集中於靠海的大城市，居住空間狹隘的背景下，他們也較喜愛收藏袖珍型、精緻感、技術感、文化感特別強烈的作品，且市場上對

於藝術的口味也特別偏愛傳統、精緻、工藝的作品。

以韓國來說，其美學背景受到中國與日本兩國的影響，傳統上的藝術作品具有自然主義的特徵，當代藝術作品則常出現各種創新媒材的觀念性作品，而韓國另外一個代表性極強的藝術區塊—「單色繪畫」，其創作的手法表現，則是希望除去藝術家個人的特徵，並強調媒材特質與創作上反覆的慣性動作，這其實與中國及日本傳統禪宗的修行是有關聯性的，這些藝術家希望藉由畫面的空間，提供一種冥想上的場域，這些概念其實是屬於東方思維，但單色繪畫的形式表達卻是以西方的抽象繪畫為體，因此呈現的也是一種東西方文化衝突下的時代背景；無論是日本抑或韓國的藝術創作，其實都是與其自身與受到外來文化的影響有關，因此藝術的形成不僅與時空有關，也與文化環境有關。

如何欣賞一件繪畫

雖然藝術是大自然所創造的，但從人們相信藝術本身是最高目的那一瞬間開始，

便開始頹廢了。人們不去思索某藝術家把視線投注在無限之物上，卻把該藝術家

作為自己的範本和目的。

—尚·弗朗迪克·米勒（Jean-Francois Millet），巴比松派畫家

藝術的目的不是要去表現事物的外貌，而是要去表現事物的內在意義。

—亞里斯多德（Aristotle），古希臘哲學家

　　自古而今繪畫的演進，伴隨著人類文明與文化的發展，它作為一種歷史紀錄、一種交流互動、一種社會反應、一種文化傳承、一種政治教化、一種審美功能、一種心靈洗滌、一種美化裝飾、一種商品交易、一種身分證明……，繪畫的發展面向多元又美好，因此自古而今的人們對於繪畫著迷不已；繪畫屬於八大藝術之一，無論它扮演著上述的何種功能性，它都起著一個溝通的作用，就如同「語言」一般，而歷史中被保存下來的畫作，也有著溝通的途徑發展與保存的作用，在此它就如同「文字」一般，視覺語言的傳達成功與否，有賴作品的精準度掌控，作品精準度的掌控效果好，藝術的溝通得到效果，作品才是成功。

　　康丁斯基（Wassily Kandinsky, 1866-1944）認為繪畫創作的兩大極端，一為大寫實（Great Realism）、一為大抽象（Great Abstraction），所謂的寫實繪畫即是一種求真的體現，特別是指形象上的求真，而形象又可分為外在的「物象」與內在的「心象」，這兩種形象上的真實，分別代表著「物理性」的真實與「心理性」的真實，舉例來說：一位青年白淨的外貌與正直的性格，是很清新的形象，此中的形象則包含外在與內在；因此寫實繪畫所指的是兩方面，其一，是謂將我們生活的物理世界中存有之物（物象），畫家「再現」於藝術的繪畫世界中，意即以科學的方法，真實的再現客觀的實體，特別著墨於強調形象的「表徵系統」，時常聽到人們說繪畫的技法真好，好似照片一樣，就是在形容此類別的寫實繪畫；其二，並非是視覺上的寫實，而是藝術表達的敘述或抒情手法很寫實，就如同現實／寫實主義（Realism）般強調刻畫社會中的現實面（心象），就如同關注自然的巴比松畫派代表畫家—米勒圖⑤（Jean-Francois Millet, 1814-1875），其將自然風貌與勤奮耕耘的農家生活，透過畫筆描繪得活靈活現，讓觀眾雖然沒有親眼目睹，但卻有著如臨現場的感受，也如同關注社會的法國寫實主義代表藝術家—庫爾貝（Gustave Courbet, 1819-1877）所說的：「從本質上來說，繪畫是具體的藝術，它只能描繪真實的、存在著的事物」，現實主義藝術家入畫的題材是反映現實的實在性，不矯揉造作也不歌功頌德，認為繪畫不應該是

虛偽地畫些沒發生的事實,又或淪為一種服務位高權重者的工具,庫爾貝也曾說:
「我不會畫天使,因為我從來沒有看過祂」,有別於過去藝術服務宗教的觀點,
庫爾貝認為藝術應該反映實際面,並且更為自由地關注在藝術家內心渴望創作的
題材,就如同他想反映社會現況一般。

圖⑤:《拾穗》,米勒

抽象繪畫則是具象寫實的相對概念,它排除了再現性、象徵性、描寫性、說
明性的方式來創作,取而代之的是更為直覺性、想像性與偶發性的方式來創作,
畫面中不是以具象的形物來表現,而是將線條、造型與色彩等繪畫的基本構成元
素來做創作,抽象繪畫是從 20 世紀以來循序轉變的過程,最早是想脫離「模仿
自然」的創作方式,後來持續演進,並開拓了更多的繪畫視野,其中最重要的觀
念即是康丁斯基(Wassily Kandinsky, 1866-1944)的著作《藝術的精神性》中
所提出的繪畫與音樂的共通性之觀點,以一種人類感官的共通性(共感/聯覺),
來闡述以音樂的方式來欣賞抽象繪畫。

其實寫實繪畫與抽象繪畫,就類似音樂中有著「標題音樂」與「絕對音樂」
兩種不同的類別,標題音樂像是在描述一種特定的敘事、主題、文學、場景、形
象等,這類音樂的樂器演奏時,時常會像在模仿自然界的各種聲音,如:貝多芬
第六交響曲「田園」,就是在演奏中以管弦樂器去模仿雷鳴、閃電、鳥叫的聲音,
而絕對音樂是純粹以聲音的組合,以曲式、曲調、和聲等,來表現音樂的美與精

神性，如：莫札特奏鳴曲。

　　繪畫的兩大極端：寫實繪畫與抽象繪畫，各有喜好的觀眾，也正如同上述的兩種音樂類別般，並沒有優劣之分，而是在於自己可以在什麼樣類別的作品中，找到藝術的理想價值，杜象（Marcel Duchamp, 1887-1968）曾說：「觀看者造就了畫作」，也就是說繪畫的觀賞者也具備了畫作的詮釋角度，並且根據自我的喜好方式來理解作品，同時因為有了觀看者，所以作品有了存在的價值，這種由觀看者與作品之間的認定關係，不僅是種審美，同時也是一種藝術世界的社會界定，即是藝術家與作品的認同。

一、寫實繪畫的類別

　　雖然寫實的追求在 1839 年照相機發明後，有著諸多的討論與變革，法國學院派畫家—保羅‧德拉荷許（Paul Delaroche, 1797-1859）於 1839 年達蓋爾銀版攝影術（Daguerreotype）出現時提出：「從今以後，繪畫已死」，在當時追求古典繪畫的學院派藝術家，發現攝影術可以取代傳統的古典繪畫，平面藝術的寫實與再現，往後不再只有繪畫可以執行，而就是因為這項科技的發明，讓之後的藝術家更深層地去思考繪畫追求的可能性，因此也影響到往後現代藝術的各門流派，並加劇藝術發展範疇的擴展，而在西方漫長的寫實繪畫歷史中，寫實繪畫依據題材共分為五類：歷史畫、風景畫、風俗畫、肖像畫、靜物畫，分別介紹如下：

（一）歷史畫

　　以歷史上所發生的事件或故事為題材的繪畫，如同文學中的「史詩」，除了描繪歷史上的真實事件，也描繪一些神話或寓言故事，阿伯提（Leon Battista Alberti, 1404-1472）的著作《論繪畫》將歷史畫評為最高級的繪畫；法國新古典主義畫家—路易‧大衛（Jacques-Louis David, 1748-1825）繪畫作品《荷拉斯兄弟之約》講述羅馬與阿爾巴隆加的戰爭期間，三個兄弟向其父親宣示作戰決心的畫面，強調城邦的榮譽和利益，高於家族與個人的利益，是新古典主義最為典

型的主題與理念，歷史畫透過極致的繪畫追求將歷史重現，並藉由畫中人物與歷史事蹟的連結而觸動觀者。

（二）風景畫

即是以風景為畫面上的主角而進行的繪畫創作，風景畫自文藝復興後，逐漸擺脫配角的地位，從原本只是人物畫的背景地位，變成畫面中主角的地位，但在新古典主義中，風景畫還是遵從理想的形式，構圖嚴謹、平衡、純潔、崇高並帶有詩意，並非完全地再現，一直到 1830 至 1840 年於法國南部楓丹白露森林（Fontainebleau forest）旁的巴比松村聚集的「巴比松畫派」（Barbizon school），才開始強調科學風景畫法，有別於過往套用公式的畫法，巴比松畫派更強調自然、清新、真實的作畫方式，這些畫家走出畫室迎向陽光，逃離都市的喧囂，也逃離國家的戰爭與疾病，他們把這片自然的森林視為理想淨土，描繪了此處美麗的自然景色與風土人情，因此也誕生了許多著名的畫家，如：米勒（Jean-Francois Millet, 1814-1875）、柯洛（Jean-Baptiste Camille Corot, 1796-1875）、盧梭（Jean-Jacques Rousseau, 1812-1867）、雅克（Charles-Emile Jacque, 1813-1894）、迪普雷（Jules Dupre, 1811-1889）、特羅雍（Troyon Constant, 1810-1865）、迪亞（Narcisse-Virgilio Diaz, 1807-1876）、多比尼（Charles-Francois Daubigny, 1817-1878）等，由於這些遠離巴黎市區的畫家創作出有別於學院沙龍展般的作品，並追求光線與氣氛的極致表現，因此也影響到後來印象派的誕生。

開啟了現代主義的印象派（Impressionism），受到了巴比松派的影響，強調走出戶外並捕捉光源，而更強調戶外光線與色彩的研究，有別於描寫式的寫實主義，更提倡總體的印象與情調表現，不似前者著重形體的再現，但卻更專注於個人的筆觸表現，代表畫家如：莫內（Oscar-Claude Monet, 1840-1926）、馬內（Edouard Manet, 1832-1883）、竇加（Edgar Degas, 1834-1917）、雷諾瓦（Pierre-Auguste Renoir, 1841-1919）等，其中塞尚（Paul Cezanne, 1839-

1906）開創了「後印象派」。

（三）風俗畫

　　其有別於歷史畫描繪重要的歷史事件或神話的記載，風俗畫（Genre Painting）將日常生活、民間習俗與社會風情等題材納入繪畫，因為創作題材環繞在社會生活，因此作品中常有人類入畫，舉凡圍繞著人類的：生產活動、歲時節令、醫藥病理、風土民情、平凡百姓的歷史、閨房情趣及休閒娛樂等，皆雅俗共存的納入創作主題，有別於史詩般的創作，風俗畫更為平易近人，且貼近當下的人類社會，透過風俗畫的內容，我們可以得知過去時代的百姓生活。

　　風俗畫於 18 世紀崛起，其實反映的是新興中產階級的收藏行為提升，在當時商業活動興盛的背景下，藝術不再只為權貴或宗教服務，民權的提倡與階級的崩潰，使得藝術的關注與話語權開始轉向，原本僅是藝術學院用來歸類其他畫種的創作，在文化總體環境改變後，開始受到重視與嚴格定義。

（四）肖像畫

　　表現人物形象為題材的繪畫，通常對於人物表情及五官會進行較細緻的刻畫，從文藝復興時期開始到攝影技術發明前，人類透過肖像畫（Portrait）來作為紀念及欣賞之用途，大部分的肖像畫，都是全身或半身像，並且畫面中人物的動作通常不是站立就是坐姿，正襟危坐的人物也不會有太誇張的表情，除了一般百姓作為紀錄而繪製肖像畫，在宗教、政治、名人等，也會繪製肖像畫，因此肖像畫除了可供作信仰崇拜、國家統治象徵外，也作為明星崇拜。

　　有些肖像畫藝術家，有時也會發展較為自由創作的肖像，如：荷蘭黃金時代最偉大的藝術家—維梅爾（Jan Vermeer, 1632-1675）的代表作《戴珍珠耳環的少女》圖⑥，畫面有別於傳統中單純記錄畫中主角的創作方式，使用黑色背景並藉由戴著頭巾與珍珠耳環，把傳統的個人特徵降低，從而傳達出更多象徵意義與普世性，此種繪畫類型稱為「Tronie」，荷蘭文意思是介於肖像畫與歷史畫之間，這種肖像畫出現之後，畫家也開始把主觀情感置入畫中人物的表達。

圖⑥：《戴珍珠耳環的少女》，維梅爾

（五）靜物畫

　　係以靜止的物體作為創作題材的繪畫，原本的西洋繪畫中靜物只是作為配角，常出現在宗教及肖像題材之畫面的背景或一角，並不會特別地加以凸顯，直到16世紀才成為獨立的畫種，常在畫面中出現的，多為器皿、食材、花卉、蔬果、書籍、餐具、樂器、用具與裝飾品等。

　　在歷史上最為代表的靜物畫，莫過於17世紀的荷蘭靜物畫，荷蘭屬於北方的國家，他們對於寫實的展露主要在於光線、色彩與物體質地，與南方義大利以數學、透視、空間、解剖學，著重的方向不同，因此北方的荷蘭畫派對於物體材質的表現特別突出，荷蘭靜物畫家—威廉‧卡夫（Willem Kalf, 1622-1693）即是最偉大的代表藝術家，其作品不僅有宣揚物質主義，但也具有警示生命短暫的意涵，作品《有牛角杯的靜物》在高級器皿伴隨著美食與美酒，似乎是場美好饗宴，透過光線與物件的安排，在一切美好的狀態中，卻暗示著時光流逝的無情與短暫。

二、從構成寫實作品的幾個面向來看

　　從前古希臘有兩位傑出的畫家，宙克西斯（Zeuxis）和帕拉西奧（Parrhasios），他們都是寫實繪畫的絕頂高手，有次他們相約來較量各自的繪畫能力，宙克西斯揭露出的繪畫中，描繪了逼真活現的葡萄藤，畫面中的葡萄栩栩如生，導致一旁樹上的小鳥紛紛飛下，到畫面上啄食葡萄，成功地騙到了這些小鳥，眾人無不讚歎這名傑出的畫家，寫實的功力真假難辨，而後來看到帕拉西奧遲遲不將布幔從畫布上卸下，宙克西斯最終抵擋不住想看畫作的衝動，進而伸手想拉扯布幔，而就在他伸手拉扯布幔的當下，他隨即瞭解到原來帕拉西奧畫的就是布幔，眾人及小鳥都被宙克西斯的寫實能力給欺騙了，但宙克西斯卻被帕拉西奧給征服了，連寫實藝術家都能欺騙的畫家，原來才是最高竿的畫家，過去這些有趣生動的希臘故事，伴隨著人們對於再現實景的渴望，也說明了自古以來人們喜好模仿外在之物，並藉由技術的高超者，體驗到了人類超群的能力。

　　中國南齊的藝術家—謝赫在其著作《古畫品錄》指出好的繪畫有六種評定方法：氣韻生動、骨法用筆、應物象形、隨類賦彩、經營位置、傳移摹寫，這即是有名的謝赫六法；西方繪畫而言，好的畫家就如同好的音樂指揮家，他能讓畫面上的各個元素彼此和諧的交織在一起，而構成寫實繪畫的幾個面向，我們大部分從「構圖」、「內容」、「形狀」、「色彩」、「光線」、「筆觸」與「質感」等面向來觀賞，以下也分別說明：

（一）構圖

　　談到繪畫中的構圖，主要的重點有：「視覺運動」、「視點」、「分割」及「對稱與均衡」；首先，構圖是影響觀者對一件作品觀看時「視覺運動」的最先要素，因為人類的眼球是很靈活的，觀看時與照相機不同，會針對比較在意的部分看得較仔細，如：畫面中畫得較細緻的重點處、畫面中故事情節的焦點、畫面中色彩強烈處、色彩與明暗高對比度的地方等，而視線的焦點在畫面上的移動往往是因為心理因素的影響，因此好的構圖能夠影響觀者的心理，進而掌握觀賞者

觀看畫面的順序與方向；再者「視點」，是影響觀賞者身歷其境的構圖因素，藉由視點而暗示站位與視角的不同；第三，則是「分割」，西方的構圖方式，類似於數學中的幾何學，常見的幾何構圖有：圓弧、三角形、偏角、多邊形、平行四邊形、菱形、對角、螺旋、二分、三分、井字型構圖⋯⋯，透過數學上的比例產生美感，並以幾何的方式來切割畫面，使畫面中有不同部分的情境，來塑造躍動、韻律、柔美、穩定、對稱、規則、神祕感⋯⋯，構圖上的分割，不僅能讓畫面有主賓之分，也同時能讓畫面節奏更豐富；最後，則是構圖上的「均衡與對稱」，均衡與對稱有著些許的不同，對稱通常指的是形狀與位置有相對應或類似，例如：軸對稱即是一個中心軸的左右或上下相對位置的對應，中心對稱則是環繞著畫面主角為中心，以同心圓的相對應位置有對稱，旋轉對稱則是透過一個主體支點，有規律性的旋轉角度來對稱。

　　台灣當代藝術家—詹喻帆的作品《無聲之島》圖⑦，即是透過幾何學的方式作為構圖，畫面中是一虛幻的災難現場，受難的六名女子代表不同的社會角色：領導者、給予者、被給予者／沉睡者、自私自利者、求助者、落寞者；「求助者」的目光望向「給予者」與「領導者」，而三者的眼睛可連成一條直線，但給予者的目光停留在被給予者／沉睡者，而領導者高瞻遠矚的目光始終遙望遠方，三者的眼睛連線與後方海面上的夕陽餘暉交叉成兩條對角線；畫面中重要的圖像符號—燈火，象徵方向的指引與救贖，此燈火照明了周圍的三名女子，同時也聚焦了無私奉獻的「給予者」；除了「領導者」以外的五個女子，面向不同角度，處境也截然不同，五名女子的頭部連線可形成一個往前傾的五角星；後方失事的飛機與前方的彈簧床墊，形成了此作品中最大的「三角構圖」，在搖晃的海象中為畫面增加了穩定感，而在失事飛機的左側天空，有個渺小的降落傘，與「給予者」及「落寞者」的頭部連線，恰好形成與右側三角形，完全平行的小三角形，而降落傘（死裡逃生）、落寞者（瀕臨死亡）、給予者（救世主）則形成畫面中強烈之對比。

圖⑦：《無聲之島》，詹喻帆

（二）內容

　　此小節所概述的七個理解繪畫的面向，只有內容這個部分是非視覺上的，內容即是作品的內涵、意蘊、觀念、情感、精神……，因此我們時常提及作品要有內容，言下之意是說缺乏內容的作品，是空洞且乏味的；通常內容是透過視覺來表現，但所隱含的卻是在畫面之後的，寫實繪畫作為一種再現，其再現有兩種，即為「圖像性再現」與「象徵性再現」，前者所指的即是將圖像的形體透過模擬的方式，視覺性的手工複製在畫面上，是種「物象」上的再現，而若是把圖像之物作為一種符號，給予它某種意義的象徵，則是後者所稱的象徵性再現，也就是「心象」上的再現，是以一種寓意的表現手法，將概念透過符號傳達出來，若是更多人使用這種象徵，則可能形成一種約定俗成的符號指稱，例如：十字架、五角星、月亮……，都是常出現的符號象徵；寫實畫家透過上述的兩種再現，將情感表現、觀念、內涵、意象等，傳達出來，作品也因此有深度且豐富，因此內容就像是作品的靈魂。

（三）形狀

　　一般而言，形狀指的是平面或二度空間的，而在形成一個形狀之最早的源頭，是一個「點」，在此時小點是沒有長度、沒有面積、沒有體積的；而無限多的點連在一起則成為一條「線」，至此開始有了長度；藉由不同的線去並排，則會產生「面」，也就是產生了形狀，至此開始有了面積；而不同的形狀在三度空

間中的連結則產生了「體」，最終產生了體積，這也就是我們在繪畫上常說的點、線、面、體，而平面繪畫的立體感就是藉由透視、光影、體感、對位……，在二維平面上去模擬出三維空間。

形狀分為兩種，分別是「幾何形狀」（Geometric Shapes）與「有機形狀」（Organic Shapes），幾何形狀就是我們時常看到有人用製圖儀器繪製的形狀，如：三角形、正方形、多邊形、圓形……，通常這種形狀會有某種的規則，或比例及角度上的對稱；有機形狀則通常是指，輪廓弧線呈現較自由與隨性的方式，就像是畫家徒手繪製出的形狀，如：阿米巴變形蟲的形狀。

（四）色彩

前面我們介紹完了形狀，這段我們來介紹色彩，論及色彩通常我們探討的是：色相、彩度、明度及色彩心理學，外在的物理世界將光線投射或折射，進入我們的瞳孔並在視網膜上投影，因此我們的大腦接受到光線所產生的電流訊號，從而我們產生了色彩的認知；這認知理應客觀，但其實主觀，畢竟受到我們過去的視覺經驗影響，也與我們過去對於色彩所受的訓練有關，這並非是在談論色盲這件事，而是人類對於顏色的感覺是受到周圍環境的顏色與光線所影響，且每個人對於不同顏色的敏感度不同，因此即使兩個視覺正常的人，他們所實際看到的色彩，也是不太一樣，而不同的色彩在不同的人心理上產生的影響也不同。

其實在繪畫的構成中，形狀與色彩通常是關係緊密不可分割的，現代繪畫之父—塞尚（Paul Cezanne, 1839-1906）曾說：「色彩豐富到一定程度，形也就成了」，意即透過色彩來達成造型，其被稱為現代繪畫之父，主要是因為他對於繪畫的看法，讓往後的繪畫流派發展更為自由，也有了更多表現自我的空間，他雖不是物象細膩再現的寫實藝術家，但對於造型與色彩的研究卻是非常頂尖，他認為繪畫是在創造一種形與色構成的韻律，並在畫面的各種關係中去找到和諧的方式，也由於他追求這種和諧，因此他不在意畫面中各種物體的質感與造型的精確性，物體個別性不是他所追求的，物體與物體之間的整體性才是他所追求的；塞

尚同時還認為：「線是不存在的，明暗也不存在，只存在色彩之間的對比。物象的體積是從色調準確的相互關係中表現出來」，其特殊的色彩理論，將色彩的地位推升至最高，認為繪畫中唯有色彩，才能夠呈現出線條、明暗與體積。

（五）光線

　　光線是我們產生視覺的首要條件，而繪畫中的光線運用，在繪畫史的發展歷程中，是會隨著不同的繪畫發展流派，有著不同的繪畫特徵，因為不同的繪畫流派其繪畫觀念是不同的，因此對於光線的應用也不相同，光線與各種繪畫的因素，如：形狀、色彩、構圖、主題、內容……，都會有不同的作用，並且是相互協調的；光線也是影響人類對於圖像判斷的重要因素，人類科學上著名的「棋盤陰影錯覺」註⑫，即是人類視覺系統的補償技巧而產生的錯覺，由於大腦接收到光線、色彩、棋格的暗示訊息，透過周圍區塊之比較而產生判斷，由此可知光線深深地影響著我們的大腦判斷。

　　光線明亮或高反差的地方通常會形成視覺的焦點，因此畫家時常會使用光線來突出畫面的主題，且光與色彩通常是不可分割的，色彩雖然會與環境的顏色相互影響，但主因還是透過光線的反射而產生，因此色溫還是會影響到色彩的變化；而至於立體感則是透過光線的明暗，才得以模擬出真實物象的體感，且構圖高手有時不僅使用實際的物體來應用，有時也使用光線來使畫面的構圖更加豐富，寫實畫家運用光線來表達客觀的物象傳遞，但同時也藉由光線來作為創作上的主觀手法呈現。

（六）筆觸

　　筆觸指的是畫筆接觸畫面所產生的效果，也就是透過筆法而產生的效果，除此之外，畫家也時常透過筆觸來表達個人的風格，至於創作中運筆於畫面上時，

註⑫：「棋盤陰影錯覺」（Checker shadow illusion），是由愛德華·霍華德·阿德爾森（Edward H. Adelson, 1952-）於 1995 年所發表，解釋了人類的視覺與大腦認知的互相作用，並且視覺系統主要目的是將光線訊號轉化成有意義的組件，因此與實際的測光儀檢測結果是不同的。

顏料產生的厚薄痕跡則稱為「肌理」，是繪畫中一種可供審美的要素，透過肌理的厚薄、走向與形狀，也可以讓我們見識到畫家的筆法。

以技法選擇來說，畫家進行繪畫時筆觸是做為繪畫行為的一種表徵，因為繪畫行為中的主體是畫家，因此畫家在表現不同物象時也會使用不同的筆觸，且依據畫家對於畫中題材的情感及創作當下的情緒，甚至不同時間點的創作，都會有不同的筆觸表現，若談及繪畫技法時，筆觸是絕大多數人的重點所在。

（七）質感

「質感」即是物體所具有的特殊性質，尤其是物體的表面質地，例如：粗糙還是光滑、柔軟還是堅硬、乾燥還是潮濕、冰冷還是溫暖……，如果在繪畫中將物體的質感描繪的細膩且真實，我們就會有種可以觸摸得到的感覺，因此畫中所選擇物件的置入，也會影響我們對於一個作品的直接感覺，例如：一個室內空間中的金屬手術台，就會讓人有種冰冷又孤寂的感覺。

提到了「質感」就必須提到「體感」與「量感」，體感則是前面所說，透過光線的明暗表現出的立體效果，而量感它並非如同物體表面的質地感，而是一個物體整體之重量感，會讓人聯想到物體的整個結構，例如：輕的還是重的、厚的還是薄的、實心還是空心……，這種感覺其實跟我們過去的量感經驗有關，就像我們認為薄紗是輕柔的、鐵塊是厚重的，若是在繪畫中將質感與量感表現的真實，就能夠給予觀者更身歷其境的感受。

三、寫實繪畫的必要性為何

許多人認為自從照相術發明之後，寫實繪畫就失去了意義，因為在物象上的再現，好像可以被照相機取代，也有人認為在繪畫史上人類的技術，於文藝復興時期就已經達到了高峰，所以之後的藝術追求不應該再專注於寫實。

其實所有的藝術形式都是作為一種表達，就是我前述所說的藝術語言傳達，因此寫實繪畫只是一種溝通上的手段，既然是手段也就沒有所謂好壞，真正影響

作品好壞的，是藝術家表達時是否精準、是否反映出時代性、是否傳遞出普世價值、在畫面上投入的精神、形式與內容是否有高度統合等，相關因素，而溝通上的手段有時也是希望能影響到不同的受眾，畢竟每個人產生情感共鳴的條件不同，就如同文學中，有些人喜歡讀詩，認為更有意境也更有韻味，而有些人則喜歡閱讀散文，認為少了詩的形式羈絆，更能瞭解來龍去脈；我認為寫實繪畫的必要性，主要基於以下幾點：

（一）更容易被大眾接受─喚起審美與生活情感

　　人類在尚未有文字發明之前，傳遞文明的方式即是透過圖像的紀錄，雖然史前時代的圖像非常簡化，也還沒發展出較為科學的繪畫系統，但在當時卻已經是讓人可以一目了然，並且為大眾所接受；時至今日寫實繪畫的科學系統已經非常完善，過去透過眼球的直接觀察，到現今透過數位科技的放大檢視，對於細微質感的觀察可更加的輕鬆，也因為數位器材的輔助，解決了繪畫對象物之物質狀態不易保存的問題，因此繪畫的題材也更為寬廣。

　　作為精緻藝術（Fine Art）中的繪畫，自古自今，皆負有一種傳遞的功能，而這種傳遞的功能，透過寫實繪畫的真實性、雅俗共賞、熟悉感，更能讓大眾理解與想像，同時也符合不同人對於審美的需求；有別於抽象繪畫，寫實繪畫對於畫面的傳達較為限縮而有目標，能更準確地被大眾理解，因此簡單明瞭的欣賞特點，在過去也曾為君王、宗教、權貴等，用以傳達價值與植入觀念的工具，而這些功能性也是因為寫實繪畫普遍的被大眾接受，因此也可以傳遞的更深更持久。

　　除了傳遞的功能外，寫實繪畫企圖喚起審美情感與生活情感，「審美情感」是透過藝術家的作品詮釋，使觀者在無形中激發出的情感現象，是由審美而引發的，而「生活情感」則是藝術家精妙的構思，以人事、物件、場景與氛圍，來帶動人生回憶的共鳴，是由生活而引發的，而這兩者的情感召喚是否具備，則說明了寫實藝術家的成功與否。

（二）適合透過借喻或隱喻來表現

　　有別於抽象繪畫中沒有再現的物象，寫實繪畫對於形體掌握精確且真實，透過可辨識的物體能讓觀賞者更快速地識別畫面的內容，不僅讓大眾更容易接受，也可讓觀賞者對於繪畫的理解方向限縮到一個範圍內，而有更多的注意力可以欣賞畫面上的美感、精神、物象含義、故事情節、氛圍情調……，人誕生於世，自幼開始融入家庭與社會，我們經驗的這個世界與我們所接收到的知識型態，主要為三種樣態：「實物」、「影像」及「語言文字」，這三者之間會互相影響，也讓彼此之間的聯想性更為豐富，透過繪畫中的影像及物件，我們可以聯想到我們只是形態中所暗示對應的概念，例如：看到飛進屋內的白色鴿子，暗示了和平的到來、頭戴桂冠則象徵榮耀與優勝、水果則象徵肉慾快感……。

　　其實東西方文化中對於符號的隱喻，也有著不同的感受，以蘋果為例，西方人基於聖經中的伊甸園的故事，亞當與夏娃偷嚐禁果後導致了嚴重的後果，因此在西方人的觀念會把蘋果與原罪產生某種連結性，而今天的藝術觀賞者如果是理工科的背景，也許他想到的會是掉在牛頓頭上的蘋果，所引發的萬有引力的發現，而如果是蘋果電腦的愛好者，他可能想到的是 3C 產品的品牌與文化的象徵意義，而反觀東方人今天如果看到一個蘋果的圖像，他可能就沒有這麼多的隱喻感受，也許會覺得蘋果的甜美與高級感（舶來品），很適合拿來送禮，因此時代不同、背景不同，大家對於符號的意義聯想也會不同；古代的圖象學（Iconology）字根原意始於希臘文，具有圖像、影像、肖像等意義，古時候的藝術家甚至會整理出具有象徵寓意的圖像，以備創作時作為素材使用，因此他們對於圖像與特定題材，都會有很深入的研究，而這樣的一個創作模式，也讓我們對於古典繪畫的故事與內容上，可以有更多的探討空間，並得知創作時空背景下的歷史。

　　因此寫實繪畫擁有，比起抽象繪畫更適合進行借喻或隱喻的表現手法；以凡·艾克（Jan Van Eyck, 1385-1441）的《阿諾芬尼婚禮》圖⑧為例，除了透過家居飾品得以發現新婚夫妻的宗教信仰，透過畫面中兩人的手勢宣示著要成為婚姻的忠誠伴侶，燈上的一支蠟燭象徵在上帝的見證下結婚，以及在一旁的小狗則是象

徵忠貞與繁榮，左方地面脫下的木屐則隱含此室是婚姻的聖地，畫面中種種的物件其實也都與婚姻及祝賀有關，寫實繪畫藉由物件、肢體動作、場景或儀式，透過借喻或隱喻的手法，來傳達更多象徵性的概念。

圖⑧：《阿諾芬尼婚禮》，凡・艾克

　　寫實繪畫適合敘述與借喻，並且富有其他藝術種類的詩性、文學性、音樂性、動態性等，唯獨我們擔心因為寫實繪畫精準地表達「外部性」，卻失去了實體內容表達的「內在性」，就像我們習以為常的把焦點放在畫得像與不像上，畫的是何處、何事、何人上，而忽略了寫實繪畫中美感營造的抽象情緒，也忽略了藝術家更深層的精神內涵，因此除了寫實繪畫中的「圖像性再現」與「象徵性再現」以外，我們也應該要重視寫實繪畫中更為「內在且抽象的精神性」，透過外在、中層、內在的三層關注，透徹的體驗寫實繪畫，才能在藝術創作與審美的造詣上，有更深一層的領悟。

（三）能記錄當下時代性並呈現史觀

　　英國藝術史學者—里德（Herbert Read, 1893-1968）於其著作《現代繪畫簡史》提及：「整個藝術史是一部關於視覺方式的歷史，關於人類觀看世界所採用

的各種不同方法的歷史」，也就是說藝術是可以作為一種紀錄，不僅作為當下時代性的紀錄，同時也呈現出歷史觀與藝術史觀，而繪畫有其獨特的敘事性功能，因此特別的適合於記錄歷史，其實在過去寫實繪畫曾經作為一種工具或是紀錄，不僅可以作為統治者在政治宣達上的工具，也可以記錄下當時不同社會階層的生活，從古人之作我們可以發現到過去的人對於觀看世界的方式與今日之人是極為不同的。

　　寫實繪畫是基於觀察而進行的描繪，它並非是以認知中固有的物體概念來進行創作，因此其作為一種客觀性觀察的創作，具有一種永恆的紀念性，即是藉由藝術作品以當下的時空背景來轉剎那為永恆，時代會流變但是成為藝術作品之後卻會原汁原味地保留在畫面上，當然有些人認為抽象繪畫中，也是可以把當下的心境記錄下來讓瞬間成為永恆，但其中卻存在著一些差異性，因為寫實繪畫是以外在的物象再現，抽象繪畫卻是以內在的心象來再現，而外在的物象再現就是一種客觀上的紀錄，這讓不同時空背景下的人能夠以客觀的方式，來理解過去的歷史，並藉由不同年代的歷史繪畫，瞭解當時的社會發展，且在目不暇給的經典之作中可以透過研究的方式，理解藝術家當時代所具有的歷史觀點。

（四）無可取代的特殊質地與縝密的創作過程

　　談到寫實繪畫最常被拿來與攝影照片比較，其實繪畫與攝影在藝術的領域而言，根本上就是不同的表達方式，他們存在著平行而又獨立的關係，寫實繪畫為何不能直接以照相機取代，部分人認為畢竟材質還是不一樣，況且照片的輸出材質與油畫、水彩、膠彩、粉彩等，顏料的質地畢竟也是不相同的，但我想這只是一小部分的原因，因為隨著時代的演進，寫實繪畫也誕生了許多輔助的工具，而這些工具都會改變寫實繪畫的創作流程。

　　在繪畫史上，其實從 15 世紀開始就有藝術家透過稜鏡、凹面鏡、透鏡、暗室、燈箱等光學儀器來輔助構圖，只是光學投影時很多物體的形體會是上下或左右相反的，這也說明了 15 世紀為何有很多畫中的人物都是左撇子的原因，而且

由於過去玻璃的品質不好，也造成畫面中許多邊緣的部分是模糊的，而群像創作時人物都是個別投影，再重新合併描繪於畫面上，由於每次的投影焦距不同，因此會覺得人物之間的比例失衡。

寫實繪畫的工具不斷演進，一直到現代許多寫實藝術家使用投影機進行描稿，甚至有畫家使用印表機將圖像輸出於畫布上，再重新上顏料將其底圖覆蓋，未來也許3D列印機也同樣可以做出所有媒材的列印，也許不只是油畫顏料的列印，甚至是複合媒材也都能列印，若科技已經發展到材質完全一樣時，前述所說的材質性不同的原因也將消失不再；但是儘管材質是相同的，製作的過程卻是不相同的，畢竟藝術品有別於其他物體，藝術不僅存在於完成時，也存在於創作的過程中，寫實繪畫往往是透過微妙的繪畫元素，來進行一種追求，這個追求的過程中還是具有核心的精神與創作上的思想，畢竟寫實繪畫雖然模仿，但同時也是選擇性地再現，即使是先透過攝影而再進行繪畫創作的藝術家，其對於攝影畫面上的安排，就已經算是繪畫構圖上的前置了，這也是滿足某種精神與思想性。

其實大部分的寫實藝術家，即使在面對實景或照片上的描繪時，還是有主觀的、微乎其微的、刻意的去進行畫面上的美感調整，藉由這種細微的調整，以滿足且貼近他所追求的目標；以台灣80後的一位傑出寫實藝術家—林浩白為例，其早期繪畫題材圍繞著靜物花卉圖⑨，後來演變為城市街景圖⑩，無論是其早期或是後來的作品，畫面都圍繞著一種溫暖又潔白透亮的質地，有時是一種寧靜、有時是一種禪意、有時是一種崇高、有時是一種溫暖，在其作品中透過清晨的光線，或是窗邊的景色，傳達出一種「以物詠情」或「以景寫詩」註⑬的感受，這些繪畫上的安排與刻意地凸顯，也與攝影師的拍攝與後製技巧有關，攝影與繪畫畢竟有著不同的味道，透過特殊的繪畫過程與媒材質地，才能呈現出繪畫藝術的獨特性與超然性，這些都是寫實繪畫無法被其他創作類別取代的原因。

註⑬：「以物詠情」或「以景寫詩」是指如同詩詞般的寄寓手法，前者是指以物件來讚美、貶斥、寄託或感興，以摹寫與觸動情感，後者是指以景色來呈現詩意，並象徵性的呈現觀念或情感。

圖⑨：《夢蝶》，林浩白

圖⑩：《邊際2》，林浩白

（五）藝術家精神與靈光的投入

　　多元豐富的當代藝術時代下，極度寫實的作品，在時代的價值觀下被誤認為傳統而又限制藝術的發展，似乎藝術家透過多年的身體訓練，而達到的高度熟練，變成了只是傳統技藝或者只是一種身體的勞動，而對於美學掌握與畫面安排，也少有欣賞者可以深度理解，因此藝術家也只能孤芳自賞，面對迅速且瞥視的篩選藝術法則，越來越少人願意靜下心來仔細地凝視寫實繪畫，仔細地思考藝術家巧妙的構圖與視覺上的安排，古典畫作中人物群像的構圖模式，在今日的繪畫中被使用的精妙程度，竟還遠遠不及電影的場景安排。

　　觀念與內容至上的時代下，形式或繪畫本身可追尋、可欣賞的還有哪些？寫實繪畫發展上千年，同時也是藝術創作最大宗的領域，難道真會被時代給拋棄嗎？而觀念又是如何定義？畢竟寫實繪畫者，平日創作時也是不斷的在思考畫面，而安排進畫中的意涵，難道就不叫觀念？上述的這些問題，是許多寫實繪畫創作者時常在思索的，時代的腳步越前進、生活的步調越快速，人們的內心越匱乏，機器手臂與人工智慧能做的事情越多，我們越珍惜過往的生活習性，因此這

幾年日本的職人精神被喚起了，古法製作的老工廠也復活了，緩慢的力量變成了大眾課題，手作的溫度也更被人們所重視，人類除了重視結果也重視過程。

以佛教的觀點而論，人體好似臭皮囊，充其量也只是靈魂的載體，而人類的一生透過體驗人生、修行自我才能取得智慧，佛學觀點其實也並未否定人的一生是無意義，而是透過身體與精神的訓練我們可以達到更高的層次，並且人是透過學習的過程同時產生價值，不僅結果重要，過程也重要，其實寫實繪畫就如同這種感覺，深度著迷於寫實創作的人，在他們專心致力於眼手互助的創作時，他們會感覺到身體與精神達到了一種平衡，並且於創作中注入了一種靈光，這種靈光在機械手臂畫出的寫實素描與複製畫中是感受不到的。

寫實繪畫者是擁有高度的身體掌控度，因為要能夠精準的控制畫筆，必須是要經過多年的磨練與探索，才能夠練就一身好本領，我們作為人類就更能夠欣賞這種追求極致的成就，這種成就有別於機械的成果；機械能夠模仿許多人類的技能，但我們不會去讚賞機器的表現有多優越，我們頂多會敬佩發明機器的人有多麼的聰明，就好像我們喜看一群人打棒球，會去欣賞每一位球員彼此的球路風格有多麼不同，但我們卻不一定喜歡看一群機器人在打棒球，即使機器人的力量、速度、精準度遠勝過人類，但卻少了人類的突發奇想、靈機一動、偶爾出錯，甚至將錯就錯，曾經有哲學家講述，如果人類沒有出錯，就沒有發明、更沒有突破，因此如果沒有人類天性的成分，藝術也不再生動有趣。

（六）豐富細膩的情感表達

所謂的寫實繪畫即是追求真實，而真實指的有三方面：細節與整體上的真實、現象與本質上的真實、理想與現實上的真實，因此寫實繪畫不僅是客觀再現了物象上的真實，還探討了現象與本質的真實，並在理想與現實的真實上，進行了調和；蘇珊‧朗格（Susanne K. Langer, 1895-1982）曾說：「藝術即人類情感符號的創造。藝術符號具有表現情感的功能，表現性是一切藝術的共同特徵」，寫實繪畫中，時常也有藝術的符號出現，也許是透過物件或圖騰式的呈現，藉由這

些可辨識的符號，完整地呈現出藝術家的觀念與情感。

　　許多人認為極度寫實的繪畫就是在進行人工的照相，卻忽略了每位寫實藝術家畫出的作品，其實都帶有個別性的特徵，儘管這特徵是非常隱晦又微乎其微的，但畢竟任何藝術都不可能是純客觀的，總是會體現出藝術家的觀點傾向，而這些主觀性，就是藝術家投注在藝術品上的精神性；以另外一個角度來看，在極致且精準的再現中，又能夠表現出個人手法，這種藝術天才更是令人刮目相看。

　　丹納（Hippolyte Adolphe Taine, 1828-1893）在其著作《藝術哲學》中認為藝術是環境的產物，藝術品並非是孤立的存在，它從屬於總體環境，而環境是藝術的最後解釋，並且涵蓋三種因素—「種族因素」、「環境因素」與「時代因素」可以解釋總體環境，也正是說個人的審美品味源自於這個人身處的歷史、環境與時代，不僅審美品味是如此，在創作上也是如此，每個藝術基於自身的總體環境，而呈現出豐富細膩的情感表達，也造就了偉大的寫實繪畫。

（七）如同修行般的透過身體實踐來創作

　　雖然藝術並非如同手工藝，但寫實繪畫卻有很大一部分的細膩手工表現，在2020 年青雲畫廊推出的主題展《再現・靈光—台灣具象繪畫的當代思考》圖⑪開幕講座中，藝術家侯忠穎有一段談論寫實繪畫的看法：「常有學生問我一個問題，即是照相術發明之後，寫實繪畫的意義在哪裡？我反問他一個問題，你會因為有車就不跑步嗎？你會因為有了工具，所以就不使用身體嗎？寫實對我而言，是一種表現的方式，如同冥想一般！我們很虔誠地在觀察這個世界，以很靜默、很謙卑、很低調的方式，去做一些很細微的身體勞動……當你真正在畫寫實，畫到很投入的時候，你連呼吸都會忘記，旁人看你創作時，好似一種靜止狀態，我甚至連吞口水都會忘記，常常在想如今人工智慧（AI）與機器人等科技高度發展的現代，什麼東西都可以透過數位、機械去模擬創造出來的時代，人類到底還剩下些什麼？其實剩下的部分是非常渺小，但是卻非常偉大的，寫實就是一種非常虔誠、謙虛地觀察這個世界的方式，用最簡單、最純粹的方式去做描繪，寫實藝術

家的企圖，即是希望透過這種方式，讓所有的觀看者能理解，並重新思考這世界之於我們的意義」。

圖⑪：《再現·靈光—台灣具象繪畫的當代思考》展場

　　透過侯忠穎這段的談話，我們可以得知其對於寫實繪畫的幾個概念：首先，寫實繪畫的實踐，對於藝術家而言就如同修行或冥想一般，需要先對於自身的心靈狀態保持謙卑並且靜默的細緻觀察，才有辦法畫出寫實的繪畫，因為心靈狀態的調整，對於觀察與實踐的部分，是有助益的；其次，寫實繪畫是很緩慢的實踐過程，時常投入大量的時間，而產出卻是非常緩慢又渺小的，但是透過這種如同靜止般的創作過程，能夠讓藝術家進入一種非常專注的創作狀態，並且這種創作狀態也是會讓藝術家上癮的；第三，隨著人類的科技不斷進步，許多人早已宣稱寫實繪畫已死，但事實上藝術發展的歷程卻不是如此，反而因為科技越進步，越能夠凸顯出這種人工緩慢的細微身體勞動，這種精微細膩的身體控制能力，產生了一種極高的價值，而這種價值是非常偉大並且具有人類存在的意義；最後，寫實藝術家再現的過程，其實也提供了一種意義的思考，希望觀看的人可以透過藝術家的創作，重新思考生命與世界對於人類本身的意義。

　　藝術最後的呈現，如果只論形式，那麼看到的就只是藝術的表象，要是覺得表象相同，本質就相同，這就如同認為攝影可以取代寫實繪畫的觀點一般，無法深入探尋藝術的實相，這樣的欣賞方式確實有點可惜，其實瞭解藝術越深入，對

於藝術的見解就更不會偏頗，在多元當代的創作環境中，有時候甚至會覺得前衛藝術與寫實繪畫，許多時候在本質上是一樣的，並沒有優劣與次第之分，而寫實繪畫這種擁有長遠歷史的表達方式，似乎也不會受到科技發展的影響，甚至在高度發達的科技環境下，反而是一種人類自身存在價值的證明。

（八）透過人工的合成來述說概念

　　時代演進至今日，許多的電腦繪圖（CG）與人工智慧（AI）創作，已經不再是新鮮事，而寫實繪畫若是可以透過電腦或機械來協助，那麼寫實的價值又何在？除了前面講述的精神性、細膩情感與身體勞動的技術追求觀點，有時候透過人工來取代電腦或機械，也是一件很有趣的創作行為；以台灣的當代寫實藝術家—朱書麒創作圖⑫為例，除了在其創作物種：動物、昆蟲與植物的食物鏈概念外，他同時在詮釋一種後真相時代，即是反映出我們存在的世界中，許多的真相都是經過媒體與工具改編的，也由於資訊暴漲的年代，我們無力去一一證實每筆資訊來源的正確性，而透過超級寫實的畫面，與看似不可能存在的組合，我們產生與過去視覺經驗的衝突感，而寫實繪畫有別於電腦合成，更是讓我們的大腦傾向於認為是真的，相信畫家是有實體的對象物，透過手作的傳統繪畫方式，達成觀賞者的大腦觸發，也成為了貫徹藝術理念最好的方式，在此，原來傳統的手繪，效果更勝於電腦合成與機械手臂。

圖⑫：《黑幕上的彩虹橋》，朱書麒

四、抽象繪畫的發展過程

抽象畫起源於 20 世紀初期，特別於 1910 年前後產生，其受到多種藝術流派與藝術運動，直接或間接的影響，屬於一種循序漸變的發展，並非是由單獨一位藝術大師所開創，而在抽象繪畫發展之前歐洲已經發展了超過 500 年的寫實繪畫，由於「野獸派」對於色彩使用上的大膽與突破，「立體派」圖⑬對於造型之視覺規律與空間概念上的掙脫，「表現主義」力求在創作中彰顯藝術家的內在情感與主觀精神，這些藝術發展上的突破，都醞釀了抽象繪畫的誕生；而許多藝術大師對於創作上的追求，也為抽象繪畫貢獻許多，如：康丁斯基（Wassily Kandinsky, 1866-1944）、蒙德里安圖⑭（Piet Cornelies Mondrian, 1872-1944）、馬列維奇（Kazimir Malevich, 1879-1935）、羅斯科（Mark Rothko, 1903-1970）等，除了藝術家對於抽象繪畫發展具有貢獻，許多時候藝術家也是藉由抽象繪畫，來傳達他們所想表述的內容，如：極簡主義、至上主義都有藉由抽象繪畫的形式來表達他們的觀念。

圖⑬：《紅色扶手椅》，畢卡索

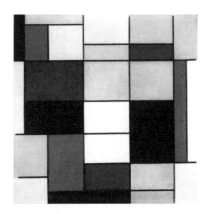

圖⑭：《構成 A》，蒙德里安

抽象繪畫的前身是以歐洲後期印象派及表現主義而來，但此時對於創作本質上卻是與後來美國的抽象表現主義不同，這與後期的抽象完全性定義尚有不同，

當時歐洲某些藝術家的繪畫，其實還是憑藉著具象來進行創作，舉例來說英國浪漫主義畫家—透納（William Turner, 1775-1851）的《雨、蒸氣與速度 - 西部大鐵路》圖⑮，畫面中雖然將動靜對比，並且把速度、火車轟鳴感、濕度等無形的感覺，表現得淋漓盡致，但始終還是根源於具象來進行創作，雖然藝術家將無形的感覺化為可感的視覺，但還是必須依靠物體外在的形象來傳達，簡單來說《雨、蒸氣與速度 - 西部大鐵路》還是以「再現」物理世界，並加上個人的表現手法來創作，這與美國抽象表現主義從一開始到結束都沒有具象，且從頭到尾都不再現的創作本質是迥異的，而透納後來影響到印象派的發展，也讓藝術家轉而探尋非表象或內在的事物本質。

圖⑮：《雨、蒸氣與速度 - 西部大鐵路》，威廉·透納

早期歐洲的抽象繪畫確實有許多演變的過程是將具體的形象解構，如：尼古拉·德·斯塔埃爾（Nicolas de Stael, 1914-1955）就認為抽象繪畫不需要拋棄物體自然的形態，因此在他的畫中我們時常會看到，好似一種風景畫被簡化成不同形狀的色塊，似乎藝術家是使用色塊來架構出一個畫面的美感，雖然用色主觀但配色卻十分吸引人，雖然畫面有些抽象，但又同時感受到景深與透視，且在光線、色彩與空間的表現上，又有別於寫實繪畫的意象。

抽象藝術的先驅—康丁斯基（Wassily Kandinsky, 1866-1944）於 1909 年，

成為慕尼黑藝術家協會第一任會長，致力於抽象藝術的探索，但卻受到保守派協會成員的議論，因此於 1911 年與藝術同好馬蒂斯（Henri Matisse, 1869-1954）與克利（Paul Klee, 1879-1940）等人，創立表現主義團體—「藍騎士」（Blue Rider），隨後兼具藝術創作者與理論家的康丁斯基，在《藍騎士年鑑》發表了藝術理論文章，並撰寫《論藝術的精神》論文與《點、線、面》等藝術著作，這些文章的問世，對於抽象藝術的探索起了強烈的助力，至少建立了理論基礎，也護衛了一些對於抽象藝術的攻擊聲浪；而就在康丁斯基將抽象理論逐步建立的同時，他體會到藝術創作的純粹性，使繪畫可依最基本的元素，如：色彩、線條、造型、構圖……，來進行創作，不僅能體會出一種如同音樂般的感受，面對創作與觀賞之間，更是一種心靈（創作者）與心靈（觀賞者）上的交流，抽象繪畫透過物質形式，來表達創造的精神，類似一種通往心中道路的藝術表達方式，而且抽象藝術家相信，抽象繪畫能夠直接地引發心靈上的觸動，並且發掘出一種抽象藝術獨有的精神價值，不僅是以肉眼所見的物質形式，還能透過心靈之眼來感受到藝術的精神。

　　一直到世界大戰後的美國紐約，時代背景下蓄積的巨大能量，與歐洲遷入的多元種族豐富性刺激下，引發的崛起，至此階段，抽象繪畫真正的「完全體」誕生了；第二次世界大戰（1939 ～ 1945 年）後，美國抽象表現主義（Abstract Expressionism）迅速崛起，由於二戰對於歐洲的政治與經濟情勢重新大洗牌，因此美國紐約從 1950 年後，正式成為全球藝術新興的中心，其實在第一次世界大戰時，工業革命以來所帶來的美好時代就已經結束，而第二次世界大戰時，受到大規模戰爭陰影籠罩，歐洲自羅馬帝國以來的優美藝術也徹底遭到摧毀，歷史走到這個時間點，也造就了美國這個短暫歷史國家的崛起，有別於悠久文化歷史包袱的歐洲，美國的藝術更為自由與獨立，戰後百花齊放的思想潮流，導致藝術發展與創新的速度加劇，而人們對於兩次戰爭以來所累積的情緒，也終於在美國抽象表現主義的發展中得到了解放，美國抽象表現主義大師，如：馬克・羅斯

科（Mark Rothko, 1903-1970）、羅伯特‧馬哲威爾（Robert Motherwell, 1915-1991）、傑克遜‧波洛克（Jackson Pollock, 1912-1956）、威廉‧德‧庫寧（Willem de Kooning, 1904-1997）等，開始脫離歐洲的抽象繪畫，更重視媒材本身的特性，並將形狀與顏色以主觀的方式來表達。

五、欣賞抽象繪畫的觀念

　　台灣從 1950、1960 年代，進入美援時期，不僅在經濟上及基礎建設獲得提升，美國的抽象表現主義也隨之傳入台灣，其中最廣為人知的先驅團體即是「五月畫會」註⑭與「東方畫會」註⑮，在當時台灣美術還沉浸在寫實與外光派的創作氛圍中，這些畫會成員率先以前衛、大膽又創新的精神，來進行抽象表現主義的探索，甚至在當時的藝術氛圍中，認為現代藝術幾乎要等同於抽象藝術；爾後進入到 60 年代時，以劉國松為首的水墨藝術家，也開始了現代化的抽象水墨創作，在美式的抽象表現主義及中國山水的精神上，進行折衷與整併，突破了傳統水墨繪畫上的固有僵化思想與創作格式；台灣美術史注入的抽象表現，開啟了台灣收藏家對於藝術的眼界，也隨著市場的收藏品味開放，而培養出更多的抽象藝術家；抽象繪畫雖是一種類別，但每位藝術家的創作路線都不相同，針對抽象繪畫要如何觀看，與必須釐清的諸點，分述如下：

（一）容易誤解的抽象繪畫

　　從事藝術產業時常聽聞老畫家論及抽象畫，認為抽象就是把具體的形象給抽離，因此在習慣的口語上，老畫家常說這件作品挺抽的不是很寫實……，每當聽到這些評論總讓我感覺，這些畫家對於抽象繪畫的著重點好像在於表現形式，而

註⑭：「五月畫會」是 1956 年，師大廖繼春教授鼓勵下創辦的畫會，創辦人有：劉國松、郭豫倫、郭東榮、李芳枝，1957 年 5 月後增加：顧福生、黃顯輝、莊喆、馬浩、李元亨、謝里法、韓湘寧、彭萬墀、胡奇中、馮鍾睿、陳景容、鄭瓊娟、廖繼春、孫多慈、楊英風、陳庭詩等畫家，此畫會影響了當時的台灣轉型進入現代藝術。

註⑮：「東方畫會」是 1957 年正式成立，由李仲生畫室之學生發起，創始成員有：李元佳、歐陽文苑、吳昊、夏陽、霍剛、陳道明、蕭勤、蕭明賢，被封為「八大響馬」，後期加入李錫奇與朱為白，同樣影響了台灣藝術現代化與抽象藝術的開拓，在當時只有五月畫會可堪比擬。

不在於創作本質，這讓我感到有些疑惑並且覺得不太正確，後來發現這可能與早期的美術教育有關，由於早期的師承制，也讓許多藝術的見解與話語權是透過藝術家來論述，而非藝術理論家來定義，這就好像聽聞一些藝術家或藏家認為，藝術就是由「藝」與「術」所組成，這種見解似乎是用中文的字面意思去解讀，雖然感覺好像沒錯，但有時又覺得這見解太過簡化也容易誤導；將外在物體的形象抽離，這個形容會令我稍嫌擔憂，因為「抽離」一詞就象徵的是，本來有形象而透過變形、解構或抽脫，而完成這個抽象創作的過程，這聽起來不像是真正的「大抽象」定義，反而像是表現主義之類的意義，據說中國的文字歷史早期是沒有「抽象」一詞的，後來由日本的漢字翻譯傳入中國，之後才有抽象繪畫的名稱，實際上更適合抽象一詞的，應該是「超象」（超以象外之意），所以抽象繪畫理應不是抽離形象，而是超然於形象之外才是。

台灣有許多民眾認為畢卡索（Pablo Ruiz Picasso, 1881-1973）的創作就是標準的抽象畫，殊不知他本人認為自己一輩子從沒做過抽象繪畫，持這種觀點的人們，就是認為即使在創作時畫家有對象物作為參照，只要在觀看作品時覺得形體不寫實，就立刻把它歸類為抽象繪畫，也不論其創作的理論為何，更遑論去理解畢卡索是透過時間與視角的變化，來進行二維繪畫上的四維模擬，這樣的觀者好像喜愛的是自我的讀者本位，而排斥作者本位的詮釋觀點（不在意畫家在創作時是否意圖要作抽象繪畫），如果當時有人在畢卡索面前說他的創作是抽象繪畫，他肯定會非常的驚訝，因為對他而言確實是有人體模特，作為其繪畫的對象參照，藝術家只是透過個性的手法來貫徹他的創作理論，卻被誤解為不是再現的具象繪畫。

面對抽象畫時，千萬不要誤解以為畫家是把具體的形象給抽離化，而開始在畫面上去尋找具體的形象（為了想還原抽離的形象），畫家創作時本來就不是再現某地風景或某個靜物，因此沒有對象物可以做描繪性的圖像再現；但也不要認為畫家沒有在描寫自然，就是隨性而為的亂畫，或畫家怎麼樣事後諸葛的闡述自

己的作品都可以，甚至批評與懷疑創作者，因為不是再現就沒有畫得像不像的標準評判，所以也沒有失敗的作品，其實以上的這些情況，都是因為對於抽象繪畫不夠瞭解，才導致一些負面的刻板印象。

　　許多人常會問到抽象畫家，在創作時會不會打稿，其實這部分真是因人而異，據我所知「冷抽象／理性抽象」的藝術家通常經過縝密的構思，將畫面的構成以一種很精密的方式計算，將用色、比例、節奏、構圖、空間……，構思好才開始執行創作，因此很多冷抽象的藝術家會事先構圖；而「熱抽象／抒情抽象」的藝術家，他們就像是即興創作的舞蹈家，隨著情緒的湧出自然而然地，透過肢體來詮釋內心的情感，我所認識的大部分熱抽象畫家，在進行繪畫之前可能會有個大前提的創作方向，但在創作中是透過與畫面上產生的互動關係，以及某些創作偶發性，並憑藉著自身的美學涵養及技術手法，逐步地將畫面完成，也就是類似一種隨機應變、因時制宜、順性而至的創作心態，很多時候沒有畫到最後，根本無法知道最終的作品面貌，因為在創作的過程中作品是有靈魂，且會與創作者互動的，而這種人與作品在創作上的交互發展也正是抒情抽象最讓人享受的部分，因此很多的熱抽象畫家，並不會進行一個仔細的打稿，而是保持著一種期待的感受，等候創作的感覺降臨，然後慢慢的執行創作，過程中藝術家同時是創作者也是旁觀者，就在這雙重的角色下，期待著作品的誕生。

　　抽象繪畫相較於從文藝復興以來的具象繪畫不同，它不再以宗教、政治、權勢、文學、自然……為題材，它不再以敘述性的表達方式來作為藝術創作的初衷，且抽象繪畫相當獨立又純粹，即使是印象派、野獸派、立體派、表現主義等，獨具個性手法的表現突破，也無法達到如同抽象繪畫般的超然與純粹，抽象繪畫不附庸，它可以達到完的獨立，而以繪畫純粹的基本元素，如：色彩、點線面體、構圖、形狀、空間……，來組構一個完整的畫面，它就如同沒有歌詞的純音樂般那樣的純粹、也那樣的獨立，既然抽象繪畫是超然於象外，它既自由、獨立又純粹，因此我們理應以一種全然的新觀賞方式，來欣賞抽象繪畫。

（二）聯覺審美意象

　　曾經有個學美術的學生問過我一個問題：「到底何謂抽象與具象的分界？如果一個畫家看了一個山，而做了一幅抽象畫，那他是不是因為有了對象物，所以他的創作就不算是抽象畫？」其實這個觀點還是要著重在此畫家是否有物體表象上的再現，也就是依據物體的外在形象將其描繪出來，畢竟畫家不僅眼睛看了山，也透過了心眼感受了山，山的靈性、山的壯闊、山的四季變化、山的生命感悟……，這些都是靠著藝術家的情感特質產生的內部變化，而創作者外化並呈現於畫面上時，可以自我選擇表現的方式，若是藝術家以抽象的形式表現，意即呈現非肉眼所見的再現或具象畫面，則還是抽象的繪畫；比利時抽象畫家兼藝評家—蘇福（Michel Seuphor, 1901-1999）對抽象繪畫的定義為：「繪畫作品中的形象與現實世界裡常見的形象迥異，因而無法辨視其為何物，或者是不反映日常生活環境的客觀現實者，稱之為抽象繪畫」，蘇福此言同時也說明了抽象繪畫不僅是不具象，同時也不是客觀導向，而是藝術家的主觀導向，如果上述畫家表現出的是一個山的靈性，這並非是以圖像或影像存在的，山的靈性雖然透過肉眼觀看，但也透過心眼感受，本質上的靈性並非是存在於淺層的表象中，因此與照相所呈現的客觀是相反的，是需要藝術家的主觀詮釋。

　　蘇福（Michel Seuphor, 1901-1999）也曾在《抽象繪畫辭典》中為抽象繪畫提出簡要定義，他認為：「在繪畫裏，凡其形象切斷了與自然或現實世界之間的臍帶，以致無法辨識、關聯或思考其形象均稱之」，因此重點在於有沒有再現物體的外在形象，若是僅將視覺之所見所悟，作為一種創作上的養分，而沒有再現的成分，則還是抽象繪畫；其實在過往的許多抽象繪畫的創作者，時常也會在畫面上加入一些簡單的圖像或符號，雖然畫面上的大部分主要構成是抽象的表現，但也並非就完全的抽象，且許多的符號也可能是簡單的線條表現，抑或點狀、塊面、幾何的筆觸處理，透過這些可以引發視覺上聯想的線索，也是抽象繪畫中一個大主流的表現走向，而這種界定藝術家是否是抽象，抑或具象繪畫的判別，對

於創作者而言並非是最重要的，更重要的是創作者是否能夠精準地，表現出其自身想追求的創作。

　　康丁斯基（Wassily Kandinsky, 1866-1944）的著作《藝術的精神性》中提及，藝術若能呈現內在需求即是美的，而內在的需求包含三方面：「呈現藝術家自身」、「呈現藝術家身處的時代」與「呈現超越個人與時間限制的藝術」，因此所有的藝術家都在追求一種，可以超越個人與時代的藝術作品形式，而早期有些人認為抽象繪畫就屬於這種藝術作品，認為抽象繪畫找到了一個可以超越時代與文化，且符合所有人類共同普世價值的傳達語言，是一種為藝術而藝術的創作；就某方面而言，抽象繪畫勝過其他的藝術類別，舉例來說：文學受到了文字的國別限制，即使有翻譯也容易失去作品內容的原汁原味，而抽象繪畫又是更為純粹的創作形式，它直接面對藝術家與觀賞者的心靈，很多無法透過言語表達的抽象情感，卻能夠透過畫面的內容傳達的更精準，無須翻譯只需與作品對話，就如同線條本身就是一種可以欣賞的對象，且線條本身不會受限於文字的限制，因為簡單又純粹所以不受限，抽象繪畫使用最簡單的基本元素與美感形式，來達到傳遞情感的目的。

　　抽象畫企圖用一種召喚的方式，將我們過去的所有情感經驗作一種連結，並且讓我們所曾經歷過的感官經驗再一次的感受，用一種類比或象徵的方式來詮釋；人的感官或感知：視覺、嗅覺、觸覺、味覺、聽覺、運動感覺、直覺……，都是一種由外在發生，而感受於內在的過程，這種從外而內的感受順序分別是物理、生理、心智、靈魂的順序傳遞，所有的感官或感知都有一種共通性，稱為「共感」或「聯覺」，因此我們時常聽到某組數字、某個顏色、某個音樂、某個味道，都會使我們有其他感官上的聯想，好比說八大藝術其中的建築，也被人稱作凝固的音樂、立體的詩篇，這是因為建築與音樂及詩篇有某種共通性，因此我們也可以透過一種類似欣賞音樂或詩篇的方式來感受建築之美，而這種共通性，就可作為我們對於抽象繪畫的一種欣賞方式。

其實人類的各種感官之間的感受，彼此就是有種相對應的關係，歷史上不僅有音樂或文學去影響到繪畫，其實也有平面繪畫影響了音樂與文學的例子，在現代主義的開端—印象派的繪畫誕生後，視覺藝術的領域也隨即的影響了音樂與文學的領域，於是誕生了「印象主義音樂」與「印象主義文學」，印象主義音樂緣起於法國，其有別於過往講究優美旋律與完整樂曲架構，就如同印象派繪畫不拘泥於物體的細膩質地與造型，而更重視光與色的表現般，印象主義音樂也不拘泥於和弦結構，更重視主題的氛圍與背景；而印象主義文學也如同印象派繪畫般，捕捉許多轉瞬即逝的現象與更深層的心理狀態，不僅止於表象的探討與再現，而更多細節與內部狀態的描繪。

（三）如同聆聽交響樂般的享受

前述介紹過聯覺的感官聯想，其作為一種審美的方法，透過召喚過往的情感與認知，並且與其他感官所產生的感受聯想，我們得以更近一步的體會非表象的意蘊，人類的情緒透過任何一種方式表達，都是有失全貌的，無論是語言、文字、文學、圖像、影像……，都有其未盡之虞，即使是心電感應也會因為不同人格上的情感反應，而產生不一樣的體悟，而抽象繪畫最常被比喻成音樂，特別是透過交響樂的多種樂器、音質、曲風、詮釋風格來比喻抽象繪畫，而用一種視覺與聽覺的共通性來感受抽象畫。

康丁斯基（Wassily Kandinsky, 1866-1944）認為：「色彩是琴鍵，眼睛是琴槌，而心靈則是鋼琴的琴弦」，這種比喻方式，不僅敘述了藝術的傳播，也強調了繪畫的音樂性，音樂中最重要的聽覺材料是節奏與旋律，而平面繪畫中筆觸的節奏感與線條的旋律性，也同樣具備了音樂的美感形式，除了節奏與旋律以外，繪畫中的不同色彩，有時也像是不同樂器之音色，每種樂器的音色，皆會有著個人的喜好差異，而不同畫家的技法應用，也如同交響樂中每一個樂手的演奏手法，畫家在畫面中如何的去交織、組構這幅畫作，就儼如指揮家是如何的去帶領每一個樂手，將作品中不同部分各司其職，並且相得益彰地組織成一個動人的

曲風,而每位傑出的畫家其最動人與獨特處,即是他最為人所稱讚的創作風格。

（四）不設限的無題繪畫

作品的表達有上帝與作者本位的觀點,同時也可以有讀者本位的觀點,欣賞抽象繪畫時,觀賞者／讀者的觀點可以是超然又獨立的,作者創作時雖然是藉由精神活動與情感流動來驅使作品誕生,而透過創作的過程中,藝術家對於作品也有獨自的意涵與情緒表露。

雖然藝術家有自我對於作品的詮釋觀點,但有趣的是,藝術家也同時希望觀賞作品的人,可以有自己的情感接收與詮釋觀點,透過觀者的審美距離,每個人有著不同的文化、閱歷、品味、情感、個性與喜好,不同的人觀賞作品時皆由其主觀成分,產生了藝術的召喚,這份召喚與個人過去的情感記憶連結,所以每個人觀看抽象畫時感悟都不盡相同,因此許多抽象繪畫的藝術家,創作完成時不想賦予作品名稱,或者以「數字」或「無題」來為作品命名,這個命名上的舉動,就是希望觀賞者不要受到作品名稱的影響,並且希望觀者可以沒有框架的限制,來欣賞此件作品。

（五）如同品嚐紅酒般的陶醉

品飲紅酒時我們不僅觀色聞香,還要細膩品味口腔中的芬芳香氣、酸甜苦澀、酒體厚薄、優雅強壯等各種感覺,且單寧、酒精與風味的各種部分,都要能夠達到一種絕妙的均衡,配合著酒漿滑入喉嚨的收斂感,多重的感官刺激交互纏繞並烘托出這支紅酒的樣貌,且這種均衡又會隨著品飲的時間,有著甦醒般的變化感受;這一切其實就恰恰如同抽象繪畫給予人的感受,抽象繪畫不僅能遠處觀賞其整體構圖,也可以近處的局部觀賞藝術家的細部經營與筆觸效果,想像藝術家創作時的動態思想與創作風采,每一個在畫面上呈現的符號、用色、技法、構圖、旋律、氛圍⋯⋯,都有著無限多種的組合變化,並且每一次品嚐抽象繪畫時都可以感受到不同的情感,藝術情緒感受的前、中、後調轉變,是奇妙又多變的,這份不同的體驗隨著時間與心境會產生變化。

　　藝術家的情感與觀念使其選擇了某種創作路線，而創作路線對於觀者是起著引導作用的，這種帶領觀者進入藝術領域的路線，就如同紅酒的釀酒師般，不僅因著材料、工具、地理、氣候的要素，也同時因著釀酒師的手法個性與窖藏環境，而產生不同紅酒之特質樣貌的呈現，而展覽呈現與作品導覽及欣賞時，就如同侍酒師透過專業知識、技術與器具，所詮釋的紅酒風味。

（六）如同人生階段的各種情感

　　康丁斯基（Wassily Kandinsky, 1866-1944）認為：「事物之所以是美的，是因為它是出自內心的需要」，也就是說人們感受到事物是美的，是因其內心的需求且因人而異的，畢竟每個人的內心都不盡相同，因著其不同的文化背景、過往經歷與情感特質而對著美的需求有著異同；創作者因著自身的情感經驗而創作藝術作品，欣賞者觀賞藝術作品時同樣會連結到過去的情感經驗，而人生中的各階段情感經驗，則成為了連結藝術創作者與欣賞者間的溝通渠道。

　　美國存在主義心理學家—歐文‧亞隆（Irvin D. Yalom, 1931-）在其著作《存在心理治療》將孤獨分為三種類型：「人際孤獨」、「心理孤獨」與「存在孤獨」，人會產生孤獨有時是因為與人際關係的疏離、恐懼親密接觸或地理位置上的孤立，但有時的孤獨是心理狀態上的距離，類似找不到知己的孤獨，又或創傷後的心理隔絕保護，甚至人在本質上就是孤立存在的個體，與周遭的世界始終是處於一個隔絕狀態。

　　孤獨基本上是人生的一種本質狀態、人生境界、情感狀態與自我覺察，但它卻不一定總是代表冷清難耐或負面情緒，以藝術家而言，許多時候是喜愛孤獨並擁抱寂寞的，人生中有著各種階段並擁有品味不同情感的機會，對於創作者而言，人生中的各種情感則是藝術創作上的必須養分，藝術家喜愛並擅於獨處，透過自我獨處的過程中，探索自身對於藝術本質的回應，檢視與回憶過往的人生歷程，品嚐情感作用於人之上的漣漪，思考人類環境於文化價值上的貢獻；其實藝術家在抽象繪畫的創作歷程上，就好像在反映人生中的各種階段與情感變化，所

以我們在觀賞抽象繪畫時，有時可以觀察出藝術家的心境，同時我們過往的經歷與當下的情感，也容易投射進入眼前的畫作，因此創作時不僅主觀，欣賞時也與主觀情感有關，這些都是人生階段與狀態下的反應，抽象繪畫即代表人生階段的各種情感。

（七）形式美的審美意象

抽象繪畫以超越自然物象的感知，也就是超越我們視覺所接受到的物體形象來作為表現方式，而抽象繪畫的形式不僅作為材料與內容的接軌，對於材質的掌控與依賴，以及純粹繪畫性的表現更為直觀且親近，而無拘無束的表達方式，也讓作品的內容可以擺脫具象繪畫的傳達方式，且形式本身同時也是可作為審美的獨立對象，不僅是作為一種技法的展現，同時也能有其獨特的形式美感，創造出可供審美的意趣，這種形式美感的追求由於不受限於再現或具體形象，因此更為自由且可隨心所欲的展現個人之風格，但也由於抽象繪畫的發展歷程已久，因此要達到更為突破的識別風格，則更需要極高的天賦。

藝術作品的各個部分，不僅是互相扶持、彼此彰顯，同時也在追求一種絕對的均衡，以達到一種理想藝術的極致，形式雖然是按著作品的內容，或是藝術精神的內在需求而產生，但形式是沒有標準答案的，或許美是有一些原則論，但形式卻會依照作品情形的不同，而有不同的形式應用，同樣的形式在某些作品的情形下是好的，但在別的作品情形下卻是不好的，它有別於科學般的精準與絕對，也無法計算與公式化，只能說在不同的作品情形下，應用不同的形式表現，會有適切性的問題。

就如同一個歌手在不同的情緒、時空環境、表達內容的改變，也會選擇不同的演唱方式來詮釋歌曲，而這些不同的形式選擇，有時候會獲得成功，有時候也會失敗，成功可能是基於聽眾們感到共鳴，失敗可能是因為沒有人覺得好聽；雖然如此，但也可能是觀眾與音樂評論家還找不到一個好的欣賞角度，就好比藝術理論家，無法主／客觀的感覺作品並表述其感覺，原因之一，可能是因為作品不

夠好，原因之二，也有可能是藝術理論家尚未抓到形式發生於作品的作用力，所以我們也不敢保證歷史上沒有發生過埋沒天才，或專家看走眼的情況發生；總之形式不僅可以作為獨立的審美對象，同時它會對於作品產生高度的作用力，而不同的作品情形下選擇不同的形式來創作，是藝術家刻意的選擇，但欣賞者也必須找到共鳴的方式才能欣賞。

（八）視覺的遊戲、心理的反應

康丁斯基（Wassily Kandinsky, 1866-1944）於 1923 年發表的文章《關於抽象的舞台綜合》，認為舞台藝術融合了文學、舞蹈、雕塑、建築、音樂等，並且將每一種藝術的語言都注入了舞台，成為了一個抽象形式的總和，康丁斯基長期研究舞台藝術，並且透過舞台藝術理解了抽象繪畫，其實抽象繪畫雖然純粹，但也如同舞台藝術般融合了許多種藝術語言，而繪畫中的形式是要依其內在需求，也就是內在條件上的需要而產生的，這份內在的需求，我認為主要是根據創作中的情感而發生的，根據情感的表達而產生作品上所必須呈現的形式，因此形式並非是沒有意義的單純技法展示。

更可以說抽象繪畫的形式，是要與心靈去溝通的，並且透過形式可以瞭解作品的內涵，若是形式無法令人與心靈產生溝通，就不可能理解作品內涵，甚至與作品內涵無關；也就是說一件作品，若是沒有滿足內在條件上的需求，那麼它就不是一件好的作品，而這也說明了抽象繪畫為何不是胡亂塗鴉，甚至是隨意而為且無高下之別，抽象繪畫看似無章法也無規範，但卻是可以鑑別出高下層次。

抽象繪畫是透過純粹的視覺呈現，來影響到心理反應，也可說成是一種視覺上的遊戲，雖然抽象繪畫的自由度非常大，創作上也好似沒有邊界般，但卻是可以依據作品是否在心理上產生反應，而來探討創作是否成功；首先，畫面上的「色彩」會影響觀賞者的心理變化，且有某種情感或質感的喚起；其次，「構圖」會影響到眼球聚焦與位移的方式，且形狀與動勢會影響我們對於觀看時，心理上的情緒高漲抑或平淡冷靜；第三，舞動般的「線條」有分為非常多種，也猶如書

法般每一個線條或筆觸，都可以呈現某種情緒或觀念，而線條中的方向性同樣也是影響觀看的線索之一，以這種意義擴大來說，無論是點、線、面、體，對於畫面上的需求都是有意義，而這意義可能是純粹的畫面上美學的需求，或對於藝術家的某種深層意涵，就好似一個藝術家的情感密碼般，是隱晦又惹人猜想的；第四，符號與造型的掌握也會影響到心理上的反應，無論是具象符號所勾起的象徵意義，抑或造型的多元與節奏上的變化，都會影響到作品的調性，進而思索作品的內涵；第五，畫面中透過不同的「介質」，有著不同的「力量」分配，無論是透過色彩、構圖、技法、符號、造型等的哪一種介質，在畫面上產生的效果就會不相同，因此畫面的味道也不同，抽象繪畫以一種創作者與觀賞者的遊戲方式，透過視覺來影響觀賞者的心靈。

其實人類天生對於節奏、和諧與平衡，本身就具有一種本能，無論是創作或是審美上都會去追求這種無目的、無動機的美感體驗，且抽象繪畫有時會有一種神祕性，這種特性難以言說，但卻使作品有種迷人的吸引力，抽象繪畫不像語言或文字般有著文法上的規範，所以也提供了更多語言與文字所無法詮釋的體驗。

（九）如同人與人間的相處

收藏界有句老話：「藝術收藏不單是人在找作品，有時候也是作品在找人，會是你的作品，就會等到你。」這句話時常讓我覺得很奇妙，在做市場銷售時，常常會遭遇到這樣的情況，一件作品久久未能售出，但售出之後卻又有許多人想購買此作，而有時候一件作品一開展就售出了，但之後的藏家即使看了此件作品的圖檔，卻也再沒有人詢問過；有些作品一問世馬上就被收藏，不見得就是最好的作品，有些作品一直未售出，也未必就是不好的作品，這就好像是一種與作品的緣分，而且有些作品雖然一開始並不對眼，但下次看見之後卻覺得耐人尋味，彷彿作品有種讓人魂牽夢縈般的吸引力，令人朝思暮想而無法放下。

抽象繪畫有時候確實是需要與作品相處，由於作品的抽象性，使其有別於其他非黑即白、昭然若揭、一眼望穿的作品般，更需要時間與精神上的相處，這種

與作品的相處過程，就像是與人相處一般，如果在對的時間點上，很容易情投意合、一見鐘情，而今天如果跟作品的相處磁場不對應，就會對於作品無感，就好像兩個人沒有緣分般無法共處一室，也有一些藏家認為收藏作品就好像在談戀愛一樣，每件作品就好像一個人，有著它獨有的個性與氣質，而隨著年齡、經歷、個性、見識、品味、環境、人生上的轉變，看待作品的角度也會不相同，而這種有著自由聯想與獨立詮釋觀點的作品，畢竟是耐人尋味且需要互動的，與作品每日的相處，有時融洽有時相對，雖然並非永遠有一致性的感受，但這也是抽象繪畫有趣的地方，同時也是另外的一種欣賞境界。

有時候與藝術作品的相處，確實就像是與人相處一般，藝術的鑑賞有時候與愛情很類似，兩個人情投意合的交往是因為相愛，這表示對於彼此是有感覺的（有感），若是因為感情出現了嫌隙導致了不和平的分手，則會產生了恨意，那麼你說愛的相反是恨嗎？其實也不是，因為這所謂的恨意是從愛而生的，只要有恨就說明了還有感覺，真正的不愛是無感的，就好像感情走到盡頭愛已經消耗完了，如同陌生人的無感，分手之後不像家人也不像情人，留下的只是單純的無感，因此愛的相反不是恨，而是無感也就是絕對的漠視，在藝術的領域中，美的相反也不是醜而是不美，因此同樣是無感，讓人無感的作品即是不美。

（十）有別於寫實繪畫，也許是另一種再現

許多人對於寫實繪畫的定義，是認為寫實繪畫精準地將自然的「圖像性」再現於畫面上，屬於一種表面形象上的模仿複製，而有些學者認為世界上的東西分為兩種，即為「自然物」與「人造物」，神創造了自然，而人也屬於自然，因此說到底人造物也屬於自然，只不過是透過人類代工而已，因此人類在模仿自然或人造物時，即是在模仿上帝造物，這種能力在其他的生物上是看不到的，因此創作也就是上天給予人類的特殊恩澤。

圖像性再現指的是將實質的物體畫面（自然），給轉移或創作於畫面上，而畫面指的是一種平面，這種平面提供給畫家作為繪畫創作上的場域，可用來堆疊

顏料，並透過畫面上指涉性的符號來隱喻一些更深層的內容；抽象繪畫與寫實繪畫一樣，是建立在一個平面場域上，有時也同樣使用一些指涉性的符號來隱喻一些內容，但他卻不似寫實畫的圖像性再現，也拒絕以自然主義的寫實繪畫方式做視覺上的如實呈現，雖然有些抽象畫家會透過一些具象的符號，來喚起觀賞者的共鳴，但這些具象符號的使用，卻不是透過自然的模仿來進行圖像性再現，舉例來說：如果你在一件抽象繪畫中看到具象的十字架符號與小三角形符號，它並非是在再現某一個真實的場景，而只是透過這些符號所具有的隱喻，來傳達情感或觀念，而這種隱喻的方式，即是一種「象徵性」再現。

　　若按照前述所說，人屬於自然的一部分，那麼人的內心情感也將會是另一部分的自然，情感面雖摸不著看不到，但就好似人的內在自然（內心世界），德國繪畫大師—保羅‧克利（Paul Klee, 1879-1940）曾說：「藝術不是模仿可見的事物，而是製造可見的事物」，他認為藝術的追求不再是追求圖像性再現，而是將從沒出現過的圖像視覺創造出來，由於藝術之美是透過人類所創造，因此創作中自然流露的情感，最終會呈現於畫面上，即使是以一種抽象難辨的形體，卻能夠透過畫面中最簡單的線條、色彩、構圖、空間、符號……，將情感內涵傳達予觀者，因為藝術家是把內心的情感世界化為可見的視覺圖像，所以抽象畫家某種程度上來說，他是另外一種再現，其再現的是藝術家的內心情感，而這種內心情感的自由意識再現，也有別於模仿上帝造物般的複製表現，抽象繪畫的內心情感再現是極為不同且特殊的。

六、個人對於抒情抽象畫比較關注的重點

　　抽象繪畫的創作是純粹、自我且自由的，不著重在客觀的現實，而著重在主觀的情感，情感是藉由形式表達而呈現的，雖然抽象繪畫是無拘無束的，但若是以畫面上的美感分析，還是需要滿足一些原則性，而面對抒情抽象（熱抽象）畫時，我所關注的重點有以下幾點：

（一）色彩要能融合

　　關於藝術家的抽象繪畫中，色彩是相當重要，且能夠表達個人創作特點的，也就是我時常談論的「配色系統」，指的就是每位藝術家特殊的喜好配色，自成一格並且有著自身的喜好與品味，顏色與顏色之間的互相襯托、互相依靠，有時候是很主觀的，當然他可以透過教育及品味培養，在不同的時代中產生符合時代下的美感，因為不同色彩之間的互配關係，就如同彼此相異的音符組織成和弦的情況，色彩的配適無論是對比或相近色，只要能夠產生有感覺的和弦，就是成功的色彩融合，而成功的達成彷若音樂和弦般的配色效果，就能夠產生視覺上的配色和諧感。

（二）畫面聚焦的地方

　　繪畫是一種與眼球有關的活動，觀看畫作時眼球會隨著畫面的線索而產生內心的好奇，使得我們的心裡會追尋著畫面的舞動效果來進行欣賞，即使是一個最純粹空靈的單色域畫面，也會透露出藝術家傳達出來的精神，透過筆刷的運行，我們想像著藝術家創作時的情緒，透過色彩堆疊的意識，我們也許感受到雅緻、激昂、沉穩或喧囂的氛圍呈現，色彩塊面的交接處，有不同的處理方法，想要強硬壓迫又或是漸層融合，這些都是探討邊緣問題的課題，種種的繪畫形式有個大前提，即是如何透過畫面效果，來影響我們的眼球與心理，無論是寫實抑或抽象，這種視覺上的影響定律，就像是繪畫中的物理定律般，有著原則性並且可以透過研究來發掘。

　　一個讓人只能發散卻無法聚焦，甚至無法吸引人耐心觀看的作品，是沒有影響力的，聚焦並非是將畫面豐富的填滿，或是造成反差就可以達到，有時候過多的畫面效果也是會形成一種干擾，要思考如何透過畫面的經營推敲，傳達出創作的精神性；畫作中的媒材也許會與技術性相連結，並且透過畫面的視覺材料與技術性經營，來傳達出畫面的美感形式，這一切的連結性都會影響到創作者是否可以準確的，在畫面中傳達出精神內涵，因此畫面有些聚焦的地方，不僅可以有主

賓之分，也更能清楚地傳達出作品的意蘊內涵。

（三）顏色不能髒到沒個性

此所謂的髒並非就是顏色灰暗，而是不當的混色造成明度與彩度不和諧，色彩的選擇並非就一定是互補配色法，也可能是相似色配色法、無彩配色法、單色配色法，配色比重就如同數學與構圖上的比例般，需要美感的營造，無論是何種配色法，還是需要考慮到色彩給予人的感受或意義。

有些初期嘗試抽象繪畫的創作者，因為不熟悉媒材的特性，因此在濕上濕的混色時，因為失誤而造成顏色混濁，這種混雜的濁色若不能成為一種個性，則畫作就失去了味道，抽象繪畫創作時因為沒有對象物的再現，所以很容易受到自我奔放的情感，而失去了用色精準度的掌握，抽象繪畫需在激情感受與熟練技法之間，取得平衡並詮釋個人風格。

（四）底蘊與力度

許多的抒情抽象是講究作品底蘊的厚度，這類型的作品很需要在畫面上呈現出力道，甚至是透過畫面傳遞出的質感，來表現一種文化內涵，並透過藝術家本身富含的藝術涵養，讓作品有種深層的力量；而所謂的力道可能是透過作品精神傳達出的，也可能是運筆技法所產生的速度感，或應用技術與形式造成的醒目感，甚至是畫面經營上的配色與構圖概念，所呈現出的對比度。

有底蘊的抽象作品能夠賦予作品氣質，並且可以細心品味又持久耐看，沒有底蘊的抽象作品，即使乍看之下醒目炫彩，卻難以深入探尋，抽象繪畫是透過最基本的美學元素來傳達藝術家的情感與精神，若是沒有底蘊，則恐怕淪為形式表演；有力度的抽象作品，無論是配色、技法、構圖或造型，都會吸引我們的注意，讓我們得以專注的聚焦於畫面上的安排。

（五）構圖的美感與多樣性

抽象繪畫的構圖美感，是與線條和造型有關的，線條的律動感無論是粗細、運行方向、流暢度或是速度感，都與空間產生互動；而造型上無論是「有機形狀」

註⑯（Organic Shapes）或是「幾何形狀」（Geometric Shapes），不同的造型變化，會牽連我們的感受變化，透過線條或色塊產生的造型，也成為了構圖中的一部分，彼此相互的依存，且扮演著美感上的供給。

抽象繪畫同時也是需要觀察脈絡的，由於抽象繪畫的創作特性，很容易讓長期進行抽象創作的人，養成按照章法的創作模式，即是透過排列組合的創作思維，長期地依賴過去的舊作，而進行舊作的重新詮釋，雖然重要的作品可視為創作上的火種，但複製自我作品的創作模式，很容易在構圖上產生重複，並且容易只追求單一性的美感，缺乏了藝術創作的多樣性。

（六）技法的多元性

前述小節敘述過不同的技法，就如同交響樂中不同演奏者的詮釋風格，而指揮家若是能在整場的音樂演奏中，讓所有的樂手互相合作、彼此陪襯，則多元又繽紛的交響樂則會是一場非常精彩的演奏，除了顏料厚薄的處理、線條與造型的表達、速度快慢的效果、筆觸節奏的變化、不同工具與媒材的交互作用、色彩效果的變化、流動性與凝結性的對比、畫面空間與結構的經營、氣質與作品內涵營造……，還要考慮到作品是否能夠證明自我的才氣，並且創作出具有開放性與突破性的作品，畢竟不在創作上去進行實驗的藝術家，同時也會喪失了風格突破的機會，而囚禁了自我的創作。

有些創作者太依賴於全自動或半自動性技法，或太偏重特殊工具，使得工具效果佔比太重或過度炫技，這同樣會使得創作的獨特性與技法多元性受限，其實透過水拓、滴流、暈染、滾壓等技法，來進行美感形式的營造並非原罪，但若是太依賴或鍾情於單一技法，則很容易讓創作形式無法突破，並且由於自動性技法每個人做起來的效果都差不多，因而喪失了畫面的獨特性。

（七）畫面正空間與負空間的處理

註⑯：「有機形狀」有別於幾何形狀，其輪廓弧線呈現自由與自然的形狀，自然界中許多物體的形狀即屬於此種，例如：阿米巴變形蟲。

抽象繪畫雖然不再現，但並不是就沒有透視的概念，雖然不似寫實繪畫的光學研究，但基於美感的追求，抽象繪畫也重視空間的處理，說的具體一點，抽象繪畫是藉由寫實中的透視研究，而發現空間關係對於視覺上的影響；平面繪畫如同雕塑一般，有著正空間與負空間的存在，正負空間的關係正如同主賓之分的關係，這不僅在寫實繪畫中存有，在抽象繪畫中也同樣重要。

一般而言抽象繪畫中，畫面經營細緻、集中與精彩的部分，往往是平面繪畫中的正空間，但觀賞畫作時並非是僅有正空間，就能表現出作品的全貌，負空間也是扮演著陪襯與通氣的構圖需求，畫面中如果正、負空間都同樣豐富精彩，則構圖過滿，也無疏密關係，特別是在一些講究東方精神的抽象繪畫中，要追求空靈感的畫面，就必須掌握正、負空間唇齒依存的關係，中國繪畫中講究的「計白當黑，虛實相生」，不僅是談色彩的陪襯，同時也在談空間性的陪襯。

七、關於抽象繪畫的幻想

由於美術史上抽象繪畫的發展歷史，尚不及寫實繪畫來的悠久，寫實繪畫的科學化過程，要屬文藝復興時期的貢獻度最大，透過上百年的寫實藝術薰陶，人們對於寫實繪畫的內涵與意象，能體會的程度較高，而由於抽象繪畫的歷史較短，普及性也較低，因此理解抽象繪畫的人口比例是較低的；曾經保羅‧克利（Paul Klee, 1879-1940）在其教學筆記中，將抽象繪畫的組成拆解到最小元素，針對不同的斜線、曲線、迴轉線條、律動線條等，與不同的幾何形狀、有機形狀、圖騰形狀等，及不同的色彩、技法與效果，全部歸納並分析其對應的象徵意涵與產生效果，試圖透過一種好理解的教學式方法，來理出觀看抽象繪畫的幾種角度。

其實保羅‧克利這種歸納與分析圖像的方法，成為了精神分析學或藝術治療一類的分析參考，圖像在潛意識或情感的流動上，有時是勝過語言與文字的，一個組構的圖像，有時是承載著大量的情感或資訊，甚至是強過一堆文字的訊息

量；許多時代下的抽象藝術大師，目前可能尚未被完全瞭解，但若是百年後抽象藝術成為了顯學，回過頭來觀看，也許抽象反倒是合理又清楚的藝術呈現，我時常幻想著若是有更高一層的生命境界，也許透過更高的維度來看抽象繪畫是更清楚的，由於抽象藝術作品中展現的精神性，是更為純粹與超脫框架，因此藝術與意識的傳遞是更為順暢、無雜質的。

八、寫實與抽象之間

（一）西方表現主義 vs. 中國寫意繪畫

西方藝術進入到現代主義後，逐步地將透視、解剖、光影、造型、色彩等束縛加以突破，並非是完全地除去這些累積的觀念，而是提出一種新的系統，來讓作品擁有過往所沒有的深度，在不同面向的探索與實驗，也讓各流派間推陳出新而誕生經典作品，而其中的「表現主義」，接續著印象派與野獸派，融合了前述的精華並且大膽創新，以平面繪畫而言，其以具象的摹寫形式來表現人類內在的情緒，並透過變形或表現的具象手法，來提供審美上的品味角度；表現主義並非完全的再現，因此與大寫實的取向不相同，雖然能夠以內在世界的情感為表現訴求，但與大抽象不依附於外在形象的定義上也不相同，表現主義可以說是介於大寫實與大抽象這兩者之間。

以「西方」美學的角度來觀看中國寫意繪畫，所謂的寫意繪畫並非是抽象繪畫，其還是屬於具象的，即是藝術家將理念、意趣、情感、觀念等，透過非寫實也非抽象的方式來表達，透過主觀的描繪來捕捉物體的神韻、精神、內涵，而不是精雕細琢的完全再現物體的外貌形態，藝術家表現的自由度很大，甚至是以線條的美感、空間的營造、色彩表現與造型的變化等方式，來追求藝術的呈現；在寫意繪畫中，寫實或抽象已經不是創作的重點，而是創作是否精準地呈現原意，且作品最終的呈現與傳達，能完整地讓觀者感受到創作精神。

以「東方」的美學系統來談論中國的寫意繪畫，會發現中國繪畫追求的是意

向、神似、空靈、出世、天人合一、超凡脫俗等境界與哲學觀點，舉例來說：以
「意向」而言，其代表的是想像、思想、夢境、記憶、意識、幻覺、情感等，非
實際物理世界所產生之物，也許是情感世界或想像世界之物，也就是說意境是生
於物象之外的，並非是以物體外在的客觀形象就可以表達；以「神似」而言，中
國寫意繪畫追求的是形散神不散，也就是重視精神傳達，較不重視外貌／視覺等
表象的傳達，齊白石：「似與不似，太似則媚俗，不似則欺世」，所講究的也是
這種美感與哲思；以「空靈」註⑰而言，追求的是一種不過滿、不窒礙、妙在無中、
靈氣活現的一種美學境界，屬於中國人深受自身文化內涵與哲學思想，而產生的
獨特美感；以「出世」而言，則類似一種力爭上游的境界提升，超脫了庸俗的平
凡感，好似出離世間一般而產生清新的美感；以「天人合一」而言，係屬於中國
古代的哲學思想，儒、釋、道三家也都有此種思想，意思即是人與自然（天）有
相互感應，且人也屬於自然的精神思想；以「超凡脫俗」而言，指的是擺脫世俗
的高雅境界，也是中國哲學中所追求的美感。

　　中國水墨畫家時常在畫面的小地方，呈現出一種孤舟獨釣的寂寥美感，在廣
闊的天地之間悠然自在地融入周圍景色，其實呈現的就是一種走入自然的人生境
界，這種透過寫意形式來表達的抽象意境，也是中國寫意山水畫的一大特色；以
中國畫史上北宋畫家米芾與米友仁父子，發展出的米氏雲山為例，即是透過一種
煙雨朦朧、變換空靈的畫面氣氛，來表現藝術家的心境投射，不以自然的全貌客
觀呈現，而是以主觀的人生心境作為一種微妙境界的實現，此類的中國寫意山水
畫，不僅兼顧了寫實與抽象繪畫的特點，在意境上的追求更是其他兩者所不及
的。

（二）因人而異的繪畫追求

　　自古而來藝術家追求創作的突破與藝術本質的探尋，從而實踐自我的創作理

註⑰：「空靈」是中國特有的審美境界，係指靈活而無法捉摸，中國繪畫留白中產生的妙在無中、寓情寄意即屬於
　　　此種。

念，而創作上的形式走向，則是藝術大眾所共同關注的，如何提出一個嶄新的面貌且同時被時代所接受，是藝術家共同的追求；中國留法三劍客之一的吳冠中，終身致力於中國繪畫現代化與民族化，透過中國繪畫的現代化能夠讓傳統得到突破，而創作的民族化則是根基與自身的文化，來發展自我的創作脈絡，且他認為形式是作品的唯一表現手段，因此形式主宰著美術，吳冠中曾在《繪畫的形式美》中提及：「藝術創作是一種形式思考，而形式美是其中的關鍵環節；藝術家通過創造形式，才得以發展出屬於自己的風格，最終自成一家；這無非是長年進行藝術創作、忠於自身感情的自然結果」，創作者擁有自我的獨特風格是重要的，並且唯有通過全新形式的創造才能夠成功，因此我們發現吳冠中的繪畫，融合了中西方的精髓，並且在寫實與抽象之間，達到了完美的平衡。

印象派畫家—塞尚（Paul Cezanne, 1839-1906）曾說：「畫家作畫，至於它是一個蘋果還是一張臉孔，對於畫家那是一種憑藉，為的是一場線與色的演出，別無其他的」，對他而言創作時一件繪畫的物象，並不是主要探討的對象，其實只是藉由這個物體來表現線條與顏色，塞尚僅是透過形象來作為憑藉，而表達的線條與色彩，才是創作中真正的內涵，而所有的美學涵養，也正是透過線條與色彩來表現，藝術家藉由畫面來呈現一場演出，如同劇情上演般，塞尚藉由他的繪畫觀點，呈現出他自身的藝術理念。

新巴黎畫派藝術家—尼古拉・德・斯塔埃爾（Nicolas de Stael, 1914-1955），二戰後於歐洲享負盛名，許多人將其歸類為抽象藝術家的代表，但他自己卻反對此點，尼古拉透過塊面的色彩與濃厚的肌理效果來進行繪畫創作，看似屬於抽象的風格，但實際上藝術家卻反對以具象或抽象來做區分，認為這樣對於藝術是過於簡化並會造成損害的，畢竟在其繪畫過程中是有對象物作為參照的，藝術家透過具象或半具象的形體中，進行一種抽象性的表達。

很多藝術家在追求創作的歷程中，思考的是藝術本質的問題，並且希望找到一種傳達的方式，而這些歷年來的創作軌跡，是作為表達核心藝術價值的產物，

作品形式到底該歸類為具象或是抽象，並不是藝術家主要想探尋的，寫實、抽象或介於兩者之間，其實還存在更多的創作表達議題，而藝術家一輩子的創作也不見得只有兩者取其一的走向，因此糾結於藝術的歸類，不如用心體會每位藝術家的創作邏輯與藝術理念。

如何欣賞一件雕塑

我需要在我的眼睛裡安上一個指南針，而不是在手上。因為手只是用來工作的，
而眼睛卻是用來判斷工作做得好壞的。

—米開朗基羅（Michelangelo），文藝復興三傑

所謂大師，就是這樣的人，他們用自己的眼睛去看別人見過的東西，在別人司空
見慣的東西上能夠發現出美來。

—奧古斯特·羅丹（Auguste Rodin），雕塑家

　　以中國雕塑史而言，其自古而今的發展與中國佛教史有高度的關聯性，而以西洋美術史而言，雕塑則起源於古希臘，以定義上來說，雕塑為一種造型藝術，有別於平面繪畫，其是利用物質材料及手段，創造出三度空間形象的視覺藝術，因此雕塑是有著高、寬、深的造型藝術，其不僅要思考創作上的質感與量感，更要思考其展示時的作品與空間的搭配，其最早使用的創作方法為「雕」及「塑」，雕即為通過減除物質材料來造型，塑則為通過疊加物質材料來造型，其常見的物質材料有木頭、石材、金屬、陶土、石膏、樹脂、冰、沙、紙、複合媒材等，現代主義之後的雕塑，也時常使用現成材料，以焊接、鑄造、沖壓、模塑等方式來創作；前述所談論的即為大眾所認為的靜態雕塑，這些屬於比較狹義上的定義，但隨著當代藝術的發展，也有許多材質上或認知上的轉變，雕塑並非都是堅硬且沉重，也產生了許多柔軟且輕薄的雕塑，又或者以面或線性的形式發展，再者雕塑的面貌是隨著氣溫、風向、光線、時間、環境氛圍、觀眾互動等，有著不同的形態轉變，當然以目前的當代藝術環境，許多的雕塑與裝置如同一體，不僅會運動還會互動，也有許多加入了數位的內容，且現今運用聲、光、電產生運動的雕塑，不僅擴展了新的雕塑範疇，也讓雕塑內容的探討更為擴大。

　　從 Helene Pinet 著（周克希譯）的《羅丹激情的形體思想家》一書中，關於 19 世紀的描述：「要將出自雕塑家之手的泥塑作品變成石膏模型、大理石或青銅的成品，得經過加工。而加工需要許多助手：翻模工、放樣工、粗雕工、製胚助手、澆鑄技師和做綠技師。……19 世紀時，雕塑（Sculpture）還只是泥塑（Clay Sculpture）的同義詞。一個成了氣候的雕塑家，不必親手雕鑿石料。他身邊有製胚助手，按他的指令雕鑿大理石」，因此我們知道雕塑的製程繁複程度極高，且從 19 世紀就已經非常成熟，而因為需要大量的人工來做協助，所以大部分的創作並非是藝術家獨自一人就可以完成，從初期發想的草圖到實際泥塑的過程，及後期翻模廠師傅們的代工，都需要助手或工廠老師傅的協助，因此雕塑才會被稱為「藝術的重工」，而近幾年台灣也發展出許多金屬雕塑的藝術家，這

些製程更可算是重工中的重工，過往金屬的原創雕塑，大部分是透過切割與焊接的方式來製作，但台灣近些年也自日本導入了更多手作職人的技術，舉凡：雕、刻、切、塑、堆、貼、焊、敲、編、鍍、燒、銹、蝕、融、滴……，皆是過往台灣較少出現的技法，因此在金屬雕塑的形式樣貌上，也更多樣化。

一、雕塑的分類

雕塑的範疇其實很廣泛，有些是純藝術的範圍，但也有很大部分是與工藝美術有關；若以簡單的方式來將雕塑分類，大概可以用四種分類方式來進行區分：「材質」、「形式」、「環境」與「功能」，這四種面向是普遍用來區分雕塑的分類方式；以「材質」面向，雕塑可分為：木雕、石雕、沙雕、冰雕、紙雕、竹雕、水泥雕塑、紙漿雕塑、玻璃鋼雕、陶瓷雕塑、石膏雕塑、玉雕、寶石雕、金屬鍛造雕塑、金屬鑄造雕塑、現成物雕塑、化合物雕塑……，凡是可雕與可塑性的材質，幾乎都曾被拿來製作過雕塑，其中常聽人講的銅雕即是以鑄造或翻模的方式，將原始的泥塑或木雕等原件雕塑複製出限量的銅雕，並在每一件雕塑的背面簽名並標記版次，而通常翻模後有版次的作品，因為數量較多及非唯一性，因此價位也會比原件雕塑價格低許多，比較常見的鑄造方式有：砂型鑄造（翻砂法）、熔模鑄造（脫蠟法）、壓力鑄造、低壓鑄造、離心鑄造、金屬型鑄造、真空鑄造、擠壓鑄造、消失模鑄造、連續鑄造；以「形式」面向來區別，雕塑可分為：圓雕、浮雕及透雕，圓雕又稱為立體雕，是指不依附在任何背景物上的雕塑方式，其可以從各種角度進行欣賞，且各種角度的審美考量都需納進創作時的構想，浮雕則至少有一面必須附著於背景物上，古代建築物的牆面上，就時常透過浮雕來敘述歷史上的故事情節，除了浮雕外還有透雕，其又稱為鏤空雕，它與浮雕類似，只是它以浮雕的方式為基礎，而進一步的鏤空作品的背景，因此有單面透雕與雙面透雕之分；以「環境」面向來區別，雕塑可分為：架上雕塑、案上雕塑、室內雕塑、戶外雕塑、園林雕塑、城市雕塑、校園雕塑與廣場雕塑等，依據雕塑

所擺放的環境來給雕塑的類型取名；以「功能」面向來區別，雕塑可分為：主題性雕塑、紀念性雕塑、裝飾性雕塑、陳列性雕塑與實用性雕塑等，其實最早的雕塑也是附屬在建築物內，一直到歌德式建築開始有脫離建築物的趨勢，而 15 世紀上葉，義大利偉大的雕塑家—多那太羅（Donatello, 1386-1466）之後才開始將雕塑獨立於建築之外，此後雕塑的獨立性發展也更為無罣礙。

在當代雕塑的發展中，除了媒材與形式上的創新，於審美上也不斷的進化，從原本定義的雕塑是什麼？有哪些類別？轉變成什麼可以成為雕塑？其中有最多此類想法者，即是把設計物也當成雕塑般欣賞，甚至把概念擴大成社會、身體也都可以成為雕塑，此部分則在後面的章節會加以敘述。

二、雕塑的「複數性」與「複製性」

所謂的藝術品其特別的地方，本身就擁有著「身分」與「稀缺性」，因此反映在市場價格與收藏價值上，「原件」、「複數性作品」、「複製品」與「仿冒品」，價格真是天差地遠，所謂的原件即是藝術家在創作時，最原始直接創作的作品，也許是木雕或泥塑等媒材，而雕塑可以透過翻模鑄造，即是以脫蠟或翻砂法等方式來轉換材質，透過更堅硬的材質使作品更好地保存，因此許多木雕或泥塑的作品，大部分透過翻模的程序，都會翻成銅雕或其他金屬材質，而翻模後的金屬雕塑成品，通常會在 12 件以內，其中包含 8 版（1/8 ～ 8/8）可作為市場收藏的作品，以及 4 件以內的藝術家自藏版作品（AP or EA I ～ IV），會有這樣的規範，是由於法國於 1920 年代初～ 1981 年，共計 4 次針對雕塑的立法及修法規定，其規定翻模鑄造的雕塑應該要小於 12 件，並在作品上有藝術家簽名、版次標注（作品編號）、鑄造師簽名、鑄造年代、著作權標誌等相關資訊。

前述的有版次（編號）作品即是有別於原作的複數性作品，若是以木雕來說，翻模完還是能夠保留原件作為市場銷售或自藏，而因為原件的稀缺性被視為獨一無二，因此在市場價格上大部分會比翻模鑄造的作品高出許多，但泥塑方式的作

品通常翻模後會毀壞，即使沒有毀壞，後續也難以保存且不適合收藏，因此大部分的泥塑作品皆只保留複數性作品，而沒有原件；其實複數性作品不僅是雕塑獨有，其他類別如：攝影、錄像、版畫等，也都是屬於有版次的複數性作品，這些作品雖然是複數但皆是通過藝術家所認定的限量作品，同時也具有收藏性，與沒有限量的複製作品雖然長得差不多，但在於作品「身分」的認定上，與複製作品的價值可是天差地遠。

如果超過前述的版數（12 件），即使翻模的模子是同一個且長相也一模一樣，超過版次的作品，也應該要被視為複製作品，複製作品在收藏上不具價值，但具備觀賞與裝飾的價值，因此價格也會大幅的低於複數性作品；而若是以完成的翻模鑄造作品取代原件來建模，並再另行翻模鑄造，則會由於建模與鑄造材質的熱脹冷縮性質，鑄造出來的成品會變更小，許多的細節也會消失，因此有失於原創精神，且並非藝術家授權，這樣的作品當然是屬於偽造之贗品。

三、淺談西方雕塑的發展歷史

（一）古希臘雕塑

史前文明最早從舊石器時代，人類即透過石頭及骨骼來進行雕刻，而至西元前 10 世紀至西元前 1 世紀之「古希臘雕塑」時期，由希臘半島及周圍島嶼發展出的雕塑，主要是受到古希臘神話的影響，並且以神與人同形象、同性格的觀點，來塑造人體雕塑，也因此以古希臘神話為題材的雕塑作品，都極富人物性格並充滿七情六慾，也由於希臘人崇尚自然認為裸體是人最美的狀態，因此作品以裸體的人體為題材，並時常傳達出一種理想主義、雅緻、質樸與均衡的美感，希臘的藝術除了強調模擬（Mimesis）來再現實物，更重視選擇性地再現，以符合理想中人體比例的美感並追求「理想美」，而創作的媒材以大理石、青銅、陶土、木材、黃金和象牙，現今所保存的作品則是大理石雕塑為主。

（二）古羅馬雕塑

　　公元前 146 年羅馬帝國統治了希臘，因此將古希臘的文化成果納入了「古羅馬雕塑」，傳承至古希臘的羅馬雕塑，以城市建築及人物題材為主要創作，城市建築主要是因為偉大的羅馬帝國要炫耀戰爭的勝利，因此建造了許多紀念性建築物，其建築物的牆面與樑柱上，出現了大量的肖像與浮雕，將人物樣貌、服飾、民族特點、宗教儀式、帝王訓斥等內容展現在浮雕上，且東征西討的羅馬帝國將各民族的優秀雕塑作品及雕塑家皆帶回羅馬，進行了大量的複製與雕塑創作，觀察古羅馬雕塑會發現其作品對於寫實性與敘述性更為昇華，且人物的內在情緒也更為強烈的表露。

（三）中世紀雕塑

　　「中世紀雕塑」是從古典時期結束，至西方文藝復興開始之前的這段時期，這段時期的雕塑因為受到宗教文化的影響，因此出現許多以基督教為主題的雕塑，創作的動機多是以服務宗教為主，因此也被義大利學者－佩脫拉克（Francesco Petrarca）稱為「黑暗時代」（Dark Ages），認為這段期間的文化成就較低落，而漫長的中世紀大約也可分為前、中、後段三個分野；「中世紀前期」由於西羅馬帝國滅亡，且外敵入侵、人口減少、逃難遷移、城市衰落的背景下，歐洲快速基督教化並廣泛的興建修道院，因此許多與基督教建築有關的雕塑作品（雕塑結合建築）大量誕生；「中世紀中期」地球氣候開始溫暖（全球暖化），帶動農業科技進步及貿易的繁榮，歐洲人口大量增長並且帶動了社會組織結構改變，產生了自給自足的莊園制度，此時人民的重點在於經濟與商業的提升，藝術發展較少；「中世紀後期」光景不再全球氣候開始進入小冰河時期，且歐洲飽受戰爭、飢荒、瘟疫、黑死病的影響，歐洲人口大量減少，也導致雕塑作品的創作量下降。

（四）文藝復興雕塑

　　義大利文藝復興（Renaissance）時期的雕塑，發展於 14 世紀末至 16 世紀末，是對於被稱為「黑暗時代」（Dark Age）的中世紀的一種「重生」，從義

大利北部的佛羅倫斯往南向羅馬傳播，最後影響到整個歐洲大陸，由於 14 世紀歐洲人類見識到了英法百年戰爭、貿易中斷、氣候變遷農產下降、饑荒問題、黑死病導致歐洲人口損失 1/3、面對教會的無能及經濟的崩潰，這些眾多的人類問題下，有產階級遂把資金投注到了文化與藝術的領域，尤其是佛羅倫斯的梅迪奇（Medici）家族長期贊助藝術家的創作，也促成了文藝復興的發生，其較為著名的代表雕塑家有：多那太羅圖⑯（Donatello, 1386-1466）、盧卡·德拉·羅比亞（Luca della Robbia, 1435-1525）、安東尼奧·德爾·波拉約洛（Antonio Pollaiuolo, 1431-1498）、安德烈·德爾·委羅基奧（Andrea del Verrocchio, 1453-1488）、米開朗基羅圖⑰（Michelangelo Buonarroti, 1475-1564）、本韋努托·切利尼（Benvenuto Cellini, 1500-1571）、詹波隆那（Giambologna, 1529-1608）等，文藝復興早期的雕塑接續著發展古羅馬時期的獨立人像雕塑，不附屬於建築結構中，並且受到構圖學、透視學的影響，作品強調結構的均衡美感。

圖⑯：《大衛》，多那太羅

圖⑰：《聖殤》，米開朗基羅

（五）現代主義雕塑

　　現代主義之後，野獸派與立體主義對於雕塑有重大的影響，有別於過往注重

敘事性、均衡感、唯美感的作品表現，現代主義之後的雕塑突破了對象物與再現
寫實的框架，其中繼承了古典文藝復興的養分，又身兼現代主義的開創者，則非
羅丹（Auguste Rodin, 1840-1917）莫屬，這位偉大的法國雕塑家，在雕塑史上
作為承先啟後的角色，成為後代雕塑創作的重要指標，並且遺留下許多歷史上重
要的作品，如：《號召應戰》、《卡萊市民》、《地獄門》、《擁吻》、《永
恆的春天》等，羅丹之後的藝術家徹底地改變了雕塑的型態；布德爾（Antoine
Bourdelle, 1861-1929）追隨了羅丹 15 年後，開始獨立發展自身作品，其以希臘
故事作為創作題材，並且以塊面結構的方式來製作雕塑，使作品更有建築性；
布朗庫西（Constantin Brancusi, 1876-1957）則運用了石膏、大理石、木材、銅
等媒材來製作雕塑，並且以簡化的手法來表現女子形象與抽象造型；亨利‧摩
爾（Henry Spencer Moore, 1898-1986）從頭骨、卵石、貝殼、漂流木等大自然
的形象中激發靈感，近似抽象造型的作品中常見有孔洞、凹凸、彎曲等的表現
手法，作品也帶有原生藝術的特點並充滿神祕感與生命力；賈克梅蒂（Alberto
Giacometti, 1901-1966），早年作品形式受到立體派與超現實主義影響，後期受
到存在主義與精神分析學的影響，作品充滿精神性並且發展出個人的學術理論，
其代表作《行走的男子》更在 2010 年倫敦的蘇富比（Sotheby's）拍賣中以 6,500
萬英鎊成交，創了當時的拍賣高價紀錄。

四、欣賞雕塑的幾個方向

　　許多藝術入門的人認為繪畫較雕塑容易欣賞，至少平面圖像式的表達是比較
常見的，而雕塑的學問好似很深，令人不知該從何處開始進行審美，其實一般的
雕塑大概有幾個不同的面向可以進行欣賞與探討，例如：體量大小與造型、周圍
環境的關係、社會的時空背景、材質屬性、技術層面、觀看的視角、三維構圖、
主題 / 素材的意涵、建築與雕塑的相互影響等，以下分別簡述說明：

（一）體量大小

講究的是一種現場性，因為我們觀看這種具有量體感的作品，通常是以自我為一種比例尺，來作為雕塑物體大小的感知，同時我們也講究雕塑中各種「造型」能力與「比例」的美感，因此雕塑的欣賞我們時常針對不同角度，所觀看到的線條、孔洞與塊面處理，來感受藝術家所要呈現的美感。

美國極簡主義雕塑家—羅伯特‧莫里斯（Robert Morris, 1931-2018）認為：「在相對尺寸的感知中，人類身體⋯⋯本身構成尺度衡量的常數⋯⋯尺度的體認是一種比較此常數、某人自我身體尺寸和客體對象而來的作用。在主體和客體之間的空間也包含在如此的比較之中」，因此創作者與觀賞者，會根基於人類的身型尺寸，來作為參考與認知作品，也就是創作或看見一個雕塑作品，是大還是小會與自己的身體大小相關，而比例的構成時常也會以人類的比例尺，來作為比較，甚至在展場的場域與空間關係中，也是以人的活動範圍作為感知。

（二）周圍環境的關係

也就如同平面繪畫中視覺材料與不同空間之間的比較關係，也類似水墨繪畫中留白的意境效果，當然還有周圍環境材質、溫度、造型的互動、空間氛圍與所處的位置意義等，畢竟一件雕塑設立於私人空間、教堂、美術館或其他公共空間，其意義與功能性皆不相同，有時雕塑作品可能是前人的舊作，周圍環境卻是現代建築，過去之作與當下的時空關係，常令人感到不同風格存在於同一時空下的錯置感，但透過歷史背景與創作背景之差異性的理解，反而使得我們有另外一種層次的欣賞效果，一種思古之幽情或對於歷史事件的永懷，也讓我們重新的感受雕塑的意義。

（三）社會的時空背景

即是因為社會及時空環境所觸發的藝術創作，及後世社會及時空背景，所詮釋的角度及交互作用，其實所有的藝術作品都會受到總體環境的影響，而雕塑藝術則更是如此，尤其是某些作為政治教化的城市雕塑，內容通常都會記錄過去的政治歷史，或是以巨大的偉人雕像，來傳達一種偉大、強健與崇高感，藉由這些

對於人性上的觀點，來詮釋偉人之偉大。

　　不同社會的時空背景，同樣會在雕塑的思考與取向上，造成不一樣的結果，特別是近年來，受到電影與動漫的影響，全球興起了一股萌與潮的雕塑抗衡，亞洲區受到日本文化的影響，許多造型可愛或賣萌的雕塑作品，成為了年輕族群的收藏品味，而歐美國家則受到街頭文化的影響，而產生了許多帶有潮流味或跨界的雕塑家，這兩者不僅在近年的一級市場上造成熱門，同樣也在二級的拍賣市場上，屢創高價。

（四）材質屬性與技術層面

　　在創作時材質的特性與工序上的技術使用，時常是相互影響的，材質的選擇是有意涵的，並且會影響視覺的溫度與質地的感受，而不同材質的處理需要相應的技術配合，作品的觸感、表面處理手法、整體完整度及作品之精細走向，才能夠產生藝術家的形式表達並與作品內涵接軌。

　　在雕塑的領域中以奇木、玉石等材料，針對其造型及內部結構／材質較為特別的物料，去進行雕刻的一種技術稱為「巧雕」，即是因為雕刻原料有欠缺或不完美的部分，創作者透過經驗與巧思，去改變創作上的思路，並且考量物料的天然不足之處，搭配原料的結構、色彩、紋理、特點與天然之美，讓材料的價值性能夠特別凸顯，此類創作者通常具有化腐朽為神奇的功力，將原料有瑕疵的部分變成了創作的特點甚至是優點。

　　總體來說，雕塑的材質屬性與技術層面，是影響作品造型或整體風格的關鍵，因此透過材質或技術層面來瞭解雕塑，也可以理解藝術家在創作時的思考脈絡。

（五）觀看的視角

　　視角則是雕塑藝術這種三維作品的最大特點，除了浮雕類型的作品，雕塑的創作者在創作時要思慮的是雕塑 360 度的「繞行觀看視角」，即是讓觀賞者透過不同角度／高度的視點觀賞下，雕塑都有不同的風格面貌呈現，至於以繞行觀看

的方式來欣賞雕塑主要有幾項特點：首先是「光線的作用」，以此種觀看方式會發現光線在作品上產生了影響，無論雕塑的展現是在室內或戶外，都會受到人為光線與自然光線的影響，人為光線是一種穩定的光源，透過佈展時的光線安排，讓光線聚集投射或平光照亮的方式，強調出作品希望被呈現的特點，並透過光線的氛圍強調出環境與空間的關係，而自然光線則是會隨著早晚的光線變化、四季的色溫改變、天氣陰晴的不同，而有著強弱與剛柔的呈現，無論是何種光源，透過繞行觀看時不僅可以看出光線的折射與反射，透過明亮與陰影的呈現，更可以讓雕塑的層次更多，且可以產生不同角度與光線的審美互動；其次是「視覺的觸覺」引發的審美變化，由於每個觀看角度都不同，隨著腳步與視角改變的節奏，我們產生了一種視覺上的觸覺感受，這種交互的刺激產生的變化性，讓我們不僅感受到造型上的多元變化，也彷彿讓雕塑作品活了起來；最後是「運動感覺」註⑱所造成的趣味，觀賞雕塑作品時因為繞行觀看，所以觀賞者產生了運動，而視覺聚焦於作品時，也同樣地感受到作品在產生律動，配合著作品造型上的動態感，這三者之間的運動感覺產生了互動，成為了另外一種趣味性。

（六）三維構圖

有別於平面繪畫的構圖，其對於作品主體與客體、動態與靜態、不同區塊造型的關係、構圖的動勢效果，皆有其特殊性，與二維作品雷同但更具有實體感，特別的是雕塑作品更看重的，是一種三維空間中的「均衡美感」，即是作品在三度空間中無論以哪個角度觀看，作品各部分的重量感覺，都能在相互調節中產生一種均衡的美感，這種均衡的美感也會隨著前述所說的觀看視角不同，而有著不同的變化，因此觀看的同時也能感受到藝術家創作的用心，不僅在繞行觀看的視角上有不同風貌產生，更是在作品的局部與整體、邊緣與中央、表面與結構上都進行了一種均衡的作品營造，而雕塑的均衡並非就一定是對稱的，而是透過一種

註⑱：「運動感覺」即人在運動中與環境變化的「互動感覺」與「本體感覺」，而其中的本體感覺又稱為自我知覺，例如：平衡感、移動感、環境知覺、手眼協調、肌肉記憶等。

「寓變化於統一」的手法讓畫面的三維構圖產生美感,既抑揚變化而又和諧統一。

　　以藝術的創作而言,一般談論的七大元素是指:線條、形狀、形體、明暗、顏色、空間與質感,其中雕塑最重要的部分則是空間,而正負空間的經營則是雕塑之三維構圖重點中的重點,其目的即是藉由作品的形式與空間互動,為作品創造生命力,讓觀賞者感受到作品是活的;「正空間」指的其實就是雕塑本體、實體的部分,也就是物質實體佔據的空間,通常指的就是作品本身,且作為主要的欣賞對象;「負空間」指的則是雕塑實體以外、實體與台座之間的空間、實體與實體之間的空間,及雕塑實體與觀賞者之間的空間,即是不被形體、物體佔據的空間,由於觀賞者在觀看雕塑時會有遠近距離、繞行觀看、視角變化等與作品的互動,因此觀看的同時也形成一種空間場域,也成為了作品可以被探討與欣賞的部分。

（七）主題/素材

　　創作時對於主題與素材的選擇,必須是具有意義的,如此作品才會具有內涵,且成為觀賞時的焦點,讓觀賞者可以透過這種藝術家選材的方式,去體會其象徵意義,且創作的主題取向與素材的選擇,也會暗示藝術家在創作當下的時空背景,因此透過作品的主題與素材,我們也可以猜想藝術作品是屬於哪一個時代,並比較當時代盛行的主題是什麼,而使用的素材之屬性,與今日的雕塑又有何不同。

　　其實雕塑的主題與創作的目的,是時常有關聯的,以信仰面來說,許多創作的目的是與宗教有關的,並且在各個文明與文化中,都會藉由神祇或神話主題的雕像來作為宗教上的儀式性崇拜;以政治面來說,古代的國王不僅會以頭像製作錢幣與獎章,還會製作富有統治象徵的大型雕塑,並放置於公眾空間;無論雕像的主題與目的是什麼,創作者皆會思考什麼樣的素材置入,能夠讓雕塑的主題呈現更為凸顯,並且滿足最初的創作目的。

（八）建築與雕塑的相互影響

　　在我們欣賞早期的偉大建築中，我們時常在其中發現雕塑的身影，這類雕塑我們稱為「建築雕塑」（Architectural Sculpture），在此類型的雕塑中慣常以圓雕及浮雕的類型來呈現作品，而敘事性強烈的主題則常以浮雕的形式，來作為建築的牆面裝飾，舉世聞名的《帕德嫩神廟》（Parthenon）中北側的額枋浮雕群，即是透過騎馬者隊伍的韻律感、浮雕的立體動態感與騎者間的疏密關係，來敘述一場關於雅典娜女神的慶典，這系列的浮雕作品不僅妝點了建築，同時也賦予了建築意義，讓帕德嫩神廟更具深刻感。

　　建築與雕塑自古而今互為因果，西方的古典教堂與國王宮殿、東方的廟宇和皇城宮廷中，雕塑與建築共生融合，依存補充並互相影響，除了有吸收建築風格養分之雕塑，也有從建築中分離出的獨立雕塑，甚至也有從立體主義或其他風格強烈的雕塑中汲取養分，並幻化成雕塑感強烈的建築，雕塑與建築就在循環的成長中互助發展。

五、雕塑的本質與特性

（一）多面性/空間性/位置性/場域性

　　雕塑與平面繪畫最大的不同點，則在於雕塑作品的多面性，以觀賞這兩種藝術而言，它們最大的差異點，則在於平面繪畫是單面向的觀賞，而雕塑是一種以繞行的方式來觀賞的藝術，也就是前述章節所提的，不同角度與高度的視點觀賞，會造就雕塑不同的風格面貌呈現，這種「繞行觀看法」每個人的節奏與著眼點都不相同；不同的雕塑藝術家，從雕塑的基本特性，也可以發展出許多特別又有深度的觀賞理論，亦即以另外的觀點來闡述這些雕塑作品的多面性，並且著重在觀賞的方法論，而衍生出雕塑審美上的多面性，以哲學家—史作檉談論賈克梅蒂（Alberto Giacometti, 1901-1966）創作之方法來說，賈克梅蒂共有：縮小之距離法、瞬間統合法、混亂法、不可完成法等，這些就屬於雕塑家自行開創的藝術創作與觀賞理論，且這些理論皆是基於雕塑的基本特性，透過不同雕塑理論家

的論點，雕塑的審美模式就更多元，也越接近藝術的真理。

美國極簡主義藝術家－卡爾·安德烈（Carl Andre, 1935-）時常不雕刻作品，直接使用原始的物質材料來進行作品創作，他認為如果要切割材料，不如拿材料來切割空間，因此最原始單純的材料，如：木塊、石頭、磚塊、鋼板、鋁、鉛、鎂板……，都成為了他最接近物質本身存在的樸素材料，這位不雕也不塑的藝術家認為：「如果要切割材料，倒不如把它們直接拿來切割空間」，因此其創作時常常不打草稿並保留材料本身的紋理特質，以排列／組合／構圖的方式讓最原始的物質與空間對話，藝術家在創作／佈展時會在展出的地點中思考，並透過這個環境現場給他的感受，來安排他的作品擺設，因此從 1966 年起，他也開始將他的作品概念稱為「雕塑作為場地」（Sculpture as space），透過這些原始物件的安排，他也在進行雕塑可能性的探究，如：物件與空間之間的關係、正空間與負空間彼此之間的張力、物質材料的可置換性、排列／對稱／節奏／疏密間的探討、空間場域的力場與氣場、視角與動線的作用。

安德烈也曾經提及一個前衛性的雕塑概念，這種概念突破了雕塑作品直立性、與需要基座的傳統觀點，他同時也改變了觀賞的主體性，他的許多雕塑也許是平鋪在地面的金屬板，也許是堆疊在地面的木塊，這些有形的原始材質透過他的雕塑概念與無形的物體連結，而他所提出的著名概念－「空氣柱」，認為地球上每塊面積都存有空氣，也就是每平方英吋 14.7 磅的空氣重量，其作品上面呈現的也正是視覺上看不到的空氣柱概念；安德烈創作出觀念性與哲學性極強的作品，不僅以原材料與環境產生共生的觀點，也透過作品安置於空間中，而進行了空間的切割與場域的互動，然而觀者遊走觀賞的同時，透過位置與視點的改變，也參與了場域。

（二）公共性

美國極簡主義藝術家－安德烈（Carl Andre, 1935-）將雕塑之發展概分為三階段：作為「形狀」的雕塑、作為「結構」的雕塑、作為「地點」的雕塑；在古

典雕塑時期，重視的是完美的人體比例、線條的美感、敘事性的概念、形狀與表面的張力等，因此古典雕塑重視的還是以「形狀」作為主軸而發展的創作；而現代主義之後，雕塑以前者的累積而發展出更強調結構的作品創作走向，且此時期的構成主義（Constructivism）吸收了立體派的浮雕與拼貼技術，影響了建築與雕塑的發展，開始有了許多以內部「結構」作為單純審美的作品形式發展；而到了後現代之後，雕塑的走向開始因為「地點」，而有了文化與社會性，最早附屬於建築內的雕塑，成為了架上雕塑，後現代之後又從架上走出了戶外，從私領域走入了公共空間。

既然雕塑作品走入了公領域，則公共性雕塑與純粹藝術家個人所創作的雕塑，就會存在一些差異性；首先，必須思考的是如何融入環境、與環境互動並富有意義；其次，是作品要如何與觀眾互動、被民眾接受、在創作與大眾觀點間要如何平衡，綜合以上的兩點，所謂雕塑的公共性，談論的即是屬於作品本身之形式、內容與空間的互動，以及作品被接受的方式；美國極簡主義雕塑家—里查·塞拉（Richard Serra, 1939-）於 1981 年在紐約聯邦廣場上的公共作品《傾斜之弧》圖⑱由 120 英尺長 12 英尺高的弧形鋼板構成，並霸氣的坐落於廣場的中央，因此所有經過廣場的民眾都必須繞過作品才能通行，由於藝術家的創作理念就是刻意地透過這件作品對於動線的阻斷，並產生民眾對於公共空間的使用認知改變，且狀似要傾倒的牆面產生的心理壓力，與雕塑牆阻隔聲音造成的環境扭曲效果，都會是一種對於民眾的挑戰，走入像峽谷一般的封閉雕塑中，望眼是鏽蝕的冰冷牆面；其最終也造成了大批民眾的憤怒反感，因此這件被比喻成柏林圍牆的作品，也在 1989 年時被抗議的民眾切割成三大塊，並且丟棄於廢鐵回收廠中摧毀，至此事件後引發了大量的對於公共藝術的討論，究竟公共藝術要忠於創作者的主導性還是要重視藝術作品與觀者的互動？以及政府機構對於藝術的態度是如何？至今都還是令人討論不止。

公共藝術畢竟是獨特的，並有別於架上的雕塑，作品與民眾的互動、倫理與

道德的風俗、公共區域的安全性、與建築空間的結合、思維價值的維護、大眾多元觀點的介入、社會階級的心理性、不同族群的觀點、養護與保存性、創作執行可行性、作品造詣與藝術家創作內涵等，都會是評估與界定公共藝術的標準，公共藝術的呈現不僅影響政府與機關的收藏原則，其實也反應了市民大眾體內「文化基因」的審美價值，不同城市、不同國家的人民基本美學素質，是深植於文化基因內的，這也就是為什麼不同的城市，其公共藝術的發展階段性也會不相同。

圖⑱：《傾斜之弧》，里查‧塞拉

（三）觸覺性

　　大部分人在觀賞藝術作品時，第一種感受皆是「視覺性」的感受，即是以視覺上對於作品的構成去審美，但除了視覺性以外雕塑還具備一種「觸覺性」，這種觸覺性直接一點的講法，即是用手觸摸作品時得到的感受，以手及皮膚作為感受的媒介去撫摸或把玩雕塑，但現實生活中並非每件作品都是可觸摸的，因此許多的觸覺性其實是建立在視覺上，即是用肉眼去感受雕塑的觸覺，屬於視覺上的觸感，尤其是雕塑表面的溫度與質地，帶給人的感受，或是一種雕塑形狀線條上的美感，都是可以透過這種視覺上的觸覺性來體驗。

　　有些藝術家在雕塑作品的表面大量地呈現肌理效果，其本身是可以作為欣賞對象並被其感動，就猶如印象派或抽象繪畫中的筆觸效果，本身就是可以作為單

獨審美的對象，其實每位雕塑家在肌理表現的手法上，都有各自的味道，透過其過往的練習與絕佳控制能力，以個人的手法來引發觀賞者特殊的情感觸動。

因此觸覺感是需要理性思考與感性的體悟，除此之外，雕塑上的形體結構雖然重要，但雕塑表面的肌理效果，其重要性也不亞於形體結構；無論這種肌理是天然木紋中本身帶有的自然紋理，抑或適材所致、意隨心轉的，透過人工所賦予作品的肌理效果，無論是創作中精雕細琢刻意為之，或是偶發性的肌理呈現；這些不同的肌理表現，對於作品上都起著一定的作用，無論是作品情感的表現、視覺上的衝擊感、與作品主題的呼應、輔助造型結構的連結、獨特個性的演示等，雕塑的觸覺性對於一件作品的完整度都功不可沒，除了可以單獨審美，也可以讓作品整體的體驗更完美。

（四）材質性

以創作而言，選用不同材質創作時，需要一種與材質對話的能力，這種能力好似溝通的方式，藝術家與材質溝通的方式，有的強勢、有的弱勢；有的順向、有的逆向；有的驚奇、有的平淡，與材質溝通的方式也類似一套語言，每位雕塑家都有自己獨特的創作語言，以一種非口語的方式在與材質對話，並依據材料的特徵而產生語彙，其實材質在創作時最直接的即是影響了作品的技法與造型，例如：原始材料的剛硬程度與延展性，則會直接的影響到作品創作的工具與技法，藝術家當然也會顧慮到作品材質的結構穩定程度，而去決定作品的造型、基座、結構輔助等。

在近代也有很多雕塑藝術家，喜愛利用不鏽鋼的表面反光特性去表達作品，由於不鏽鋼的表面拋光成鏡面，因此具備高強度的反光，可以將周圍的環境與觀賞者映在作品的表面，且因為雕塑複雜多變的肌理效果，會自然產生視覺上的干擾，因此用來描述社會性的特點也十分適合，而俐落又冷峻的溫度，也讓它成為了當代雕塑家喜愛的表現材質。

台灣目前學院的雕塑教學以泥塑、木雕、石雕、金屬、複合媒材為主要的材

質創作類別，前四項是較為傳統的材質，而其中複合媒材近年來融合了：纖維、現成物、化合物等，過去較少使用的媒材，其分類用意也在於平衡各種媒材的發展性，唯獨台灣收藏家對於材質屬性的認知目前較為保守，認為金屬則屬於翻模之作品，木雕作品則偏重室內收藏與工藝的審美走向，石雕則適合戶外不適合室內收藏，因此材質性確實是在審美上給人一種較難突破的既定印象，因為收藏者擔心作品的保存性與售後服務的考量，因此對於作品材質的擺設環境有了限制性的設想。

（五）社會性

　　雕塑的存在有時是具備功能性的，有些是屬於政治統治的功能、善良風俗的表彰、歷史事蹟的紀念、教化的功能、空間美化與裝飾、文化宣傳的功能、實際的使用性等，無論它的功能為何，雕塑的問世在於社會上是賦予意義的；法國藝評家尼可拉·布西歐（Nicolas Bourriaud, 1965-）提出「關係美學」（Relational Aesthetics），認為美學並非僅止於私人的領域，而是依著「人類關係」與「社會背景發展」，也就是美的相關一切，無論是創作、欣賞或理論發展，都會受到前述兩者的影響，也因此雕塑作品的意義，也是會受到社會性的影響。

　　曾經參加過第二次世界大戰的藝術家，約瑟夫·博伊斯（Joseph Beuys, 1921-1986）於 1947 年進入杜塞道夫藝術學院註⑲（Kunstakademie Düsseldorf）開始了以系統性的方式來學習藝術，其創作的範圍之廣泛從雕塑到行為藝術皆有，特別是他過往的生命經驗觸發了藝術的創作，其於二戰中擔任德國的飛行員，有次不幸墜機於克里米亞半島後被韃靼人救起，並用毛毯與動物油脂為其保溫，之後其創作的著名作品《油脂椅》、《毛毯衣》，皆是由他生命經驗的元素來進行創作，戰爭造成的死亡與痛苦回憶激發了這位藝術大師，透過其獨特的藝

註⑲：「杜塞道夫藝術學院」（Kunstakademie Düsseldorf）是位於德國杜塞道夫的公立藝術大學，創辦於 1773 年，許多國際知名藝術家都曾就讀於此學院，如：約瑟夫·博伊斯、奈良美智、安塞爾姆·基弗、格哈德·里希特、白南准、安德烈亞斯·古爾斯基等。

術語彙與暖性素材，創作了許多寓意深遠又前衛的作品，並且他還擴大了雕塑的範疇，提出了「社會雕塑」的概念，認為藝術能夠塑造人與社會，並建構出一種社會秩序，如同政治、教育、環保、和平、道德、藝術等，這些事物看似無關實則一體，並共同的建構了我們的社會，且每一個人都是社會上的參與者，在社會雕塑的定義中，雕塑並非我們平日所指的造型藝術，而是指人在社會中的重要性，透過參與社會而成為了社會的造型者，是將雕塑的造型概念，擴大到社會的結構與樣貌呈現，此即為博伊斯「擴張的藝術觀」內涵。

（六）可塑性

　　即是透過外力或環境的因素，引發形體改變的塑造過程，無論是以減法的雕或加法的塑，可改變結構或造型的特性都可稱為可塑性，可塑性有其三維的特殊性，並且因著材質的物理特性不同而存在著差異性；而這種可塑性也造就創作的偶發，並在創作時與創作者的交互影響下產生作品，因為不同材質的雕琢或塑造的過程，會產生不同材質的物理性回應，這也同時是賦予原本材料新生命的一種過程，並期待材料被使用後在某些性質上發生變化，即使是以現成物堆疊而形成的作品，由於以人之觀點而進行排列組合，也成為了一種可塑性，除了材質組合形式的轉變外，也賦予了作品意義。

　　除了前述所說，將材質原本的樣貌形塑成新的型態外，雕塑的一種「未完成感」也成為了欣賞者另外的一種可塑性，即是透過一種未說死的作品表達，提供觀賞者更多的想像與意象生成的可能性，也就是閱讀作品或詮釋作品的可塑性；米開朗基羅（Michelangelo Buonarroti, 1475-1564）有名的未完成作品《奴隸》（阿特拉斯），作品中粗糙的人形雕鑿，連人臉都無法辨識，但也因為作品的完整樣貌並沒有呈現，我們可在觀看時透過我們對於藝術家的創作想像，在腦海中去塑造這件作品，屬於一種意象生成的可塑性。

（七）文化性

　　雕塑作品的文化性即是透過作品呈現出文化內涵，其實無論是東方或西方文

化，還是先進或古老文明，其對於雕塑之創作都會反映出一種文化或民族性，甚至記錄了某些人民一部分的歷史；以「城市雕塑」而言，它不僅是扮演著城市中美觀造景的功能，也將這塊土地上的歷史文化進行記錄與呈現，甚至可以呈現出一個城市想要追求的文化樣貌，並形塑出一個城市的文化氛圍；以「紀念性雕塑」而言，其主要目的為彰顯歷史人物或重要事蹟，因此不僅作為一種紀念與教育，也可以作為潛移默化的文化教育手段；以「主題性雕塑」而言，通常是帶有故事性的，作品不僅可以啟迪人們的精神思想，同時也能富有文化上的意涵；以「裝飾性雕塑」而言，在傳統上會呈現出一個民族的宗教信仰與審美需求，甚至會有一個民族的文化圖騰出現，因此透過雕塑作品之素材，也可以理解一個民族的文化；以「實用性雕塑」而言，其主要的目的為實用與功能性，因此皆是與人們的生活有關，這也反映出一個民族的日常文化。

（八）動態感

　　除了視覺與觸覺外，雕塑的一大特點即是給觀賞者一種動態感，也就是所謂的動勢或稱運動感覺，這種動態感從我們觀看最早的希臘雕塑作品就可以感受到，這些具有人體美感的雕塑無論是正在運動或者靜止的人物狀態，其肢體的表達總是給人一種律動感、運動感與節奏感，有些的動態感是由於人物的動作背景是正在運動中，因此讓觀賞者感到雕塑的人物正在進行運動，有些的律動感卻是因為人物的肢體在三維構圖上達到一種韻律的美感，而讓欣賞者觀賞人物形象時產生了審美上的律動，也許是肌肉的力量美，也許是勻稱身形中恰到好處的柔美線條，這些帶給觀者的感受也正是雕塑作品的獨特之處，且並非只有具象的雕塑會有此種感知，抽象造型的雕塑也如同具象人物的肢體般，帶給觀者們一種動態感。

　　除了在靜態雕塑上產生的運動感以外，雕塑發展至「動態藝術」（Kinetic Art）後，雕塑家開始追求作品真正會動的藝術狀態，此類的藝術狀態除了作品是會變化外，透過視覺運動與觀眾的介入，作品形式在時空中也產生了運動狀態；

美國雕塑家－亞歷山大‧柯爾達圖⑲（Alexander Calder, 1898-1976)突破了雕塑是靜止的狀態，他以抽象的造型並且透過馬達、人力、風吹的方式使雕塑轉動，並且在轉動的雕塑形體中創造另外的一種抽象美感；當代的雕塑走向擁有了新的媒材，把運用聲、光、電、液體等媒介造成運動效果的作品，或以氣壓、物理特質、機械效應產生運動感的作品，也歸類為新型態的雕塑，這些也都是屬於動態藝術的範疇。

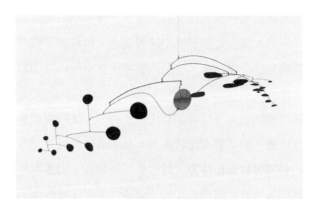

圖⑲：《電車》，亞歷山大‧柯爾達

（九）身體感知

　　人類的感官除了時常聽聞的五感外，還有所謂的「本體感覺」，即是一種對於自我身體的知覺，這種知覺會受到環境的變化而起著作用，如：平衡感、移動感、肌肉感覺、手眼協調與環境感悟等，都是屬於此類的知覺範圍，而在觀賞雕塑時我們不僅以自我的身體作為一種比例尺，將人類的身體作為比例衡量的常數，甚至將雕塑展示的環境與空間，營造出來的環境氛圍與空間作用，透過身體感知將這些現場性的作用，以視覺外的感知能力來感受作品，這也是為何以轉盤（Turntable）來轉動雕塑觀賞，與實際在雕塑的周圍以繞行觀看的觀賞方式上，會有截然不同的感受，因為在走動的過程中，觀賞者本身的身體、雕塑與空間這三者間的關係，是不斷的變動著，且這種感受不僅是以視覺感知同時也是以身體

感知。

羅伯特‧莫里斯（Robert Morris, 1931-2018）重要的代表作品《無題（波特蘭之鏡）》，以四塊大鏡子及木柱做成的大型裝置，其利用空間的分割與反射，創造了虛擬的空間與幻覺感，其用意是要讓觀賞者進入展場時，感受到實體（現實）與虛擬（鏡像）的木柱形成的圖形關係，並藉由對照的鏡中之無限反射，讓人類既有的透視規則與圖形關係，反應在身體的感知而產生一種幻覺，讓在展場中行走的人，因為運動位移與鏡像反射而產生一種感知的模糊或錯覺，甚至因為對稱性而迷失了方向，最後位於展場中的觀賞者，發現其身體與觀看關係漸漸變的複雜，以身體感知此件作品後，也開始思考所見與所知之間的關係與對抗。

（十）不可取代性

從文藝復興時期開始，不同類別藝術作品的相互比較與競爭，就時常被藝術家們探討，這就是著名的「藝術比較論」，其中最容易被拿來做比較的即是繪畫與雕塑，雕塑的獨特媒材與創作方式雖然有其視覺性，但卻與平面繪畫不同，因此許多雕塑的創作者是基於雕塑創作的「必要性」來進行創作，也就是希望能做出一種與眾不同，且有別於其他創作類別，甚至是無可取代的創作方式；威廉‧塔克（William Tucker, 1907-2003）在其著作《雕塑的語言》中提及：「當代世界的大部分視覺經驗是通過平板屏幕顯現的，我覺得這是雕塑的責任，特別是喚起我們對物體和空間的豐富性和複雜的感知性」，雕塑藝術有其複雜的感知性，且如果雕塑想傳達的效果與藝術理念，皆可以完全被繪畫或其他類型的創作取代，則這個創作的必要性也就不存在了；八大藝術之所以會並列存續，是由於這八種類型的藝術，都有其獨特的地方，也就是各種藝術類別皆具有「超然性」註⑳，不同的藝術種類雖然都有部分的相似性，但每一種藝術類別都有勝過於其他類別的特性，這種超然性也就是雕塑無可取代的部分。

註⑳：「超然性」即超越其他的特性。以藝術而言，每種類別都有其優於其他種類的特質，此即為每種藝術類別的超然性。

　　以「展覽呈現」而言，雕塑講究 360 度環繞觀看，因此展覽時觀者是穿梭在展場中的，也正是如此許多的雕塑作品之創作內涵，也是希望人可以進入作品的場域中，特別是空間觀念擴大到整個展場的作品，或需要與人互動的作品，不僅是感受雕塑處於觀者的存在空間，也感受觀者存在於雕塑的空間；以「收藏鑑賞」而言，許多的藏家喜愛這種特別強烈的存在感，雕塑不僅可以視覺觀賞，又可以觸摸欣賞，而作品的重量與材質也成為了藏家品味的項目之一，以「創作型態」而言，雕塑屬於藝術的重工，又似乎是一種與作品搏鬥的繁重工序，並且作品尺寸與作者身體尺寸，之間也有某種的對應關係與情感的連結關係。

　　希臘神話中有一則關於雕像的故事—皮革馬利翁（Pygmalion）是賽普勒斯的國王，性格孤僻且擅長雕刻，有次他在雕刻一件他理想中女性的雕塑時，他把熱情與希望都投射在這件作品上，由於他把心目中的理型典範都加入此件雕像，最後他竟然就愛上了這件作品，而故事的結局，在天神的幫助下竟然讓這美麗又高貴的雕像變成真人，並且與他結婚；故事雖然奇幻，但也說明了雕塑創作者，有時對於自我作品的愛戀是特別的，這不僅是因為理想的投射，也是因為作品的實體存在感，以及作品與自身的關聯性特殊，而讓雕塑創作有別於其他創作類型。

六、雕塑的趣聞與新奇的雕塑

（一）世界著名的巨大雕塑

　　城市雕塑作為一種精神象徵、統治工具或政治意涵，有一個特徵就是要夠巨大，巨大到讓人望而生畏，且因巨大而震撼，除了透過浩大的工程來證明偉大的雕塑使命，更讓遠處的人民抬頭就能仰望這巨大之美，這種巨型的城市雕塑，彷彿一切的子民都被籠罩在他的腳下，世界上較為著名的巨大雕塑有：印度古吉拉特邦那爾馬達縣的《團結雕像》（世界最高雕塑）含底層結構 240 公尺、中國河南省的《中原大佛》總高 208 公尺、美國紐約港自由島的《自由女神》從地面到

火炬的高度 93 公尺、俄羅斯伏爾加格勒馬馬耶夫山的《祖國母親在召喚》雕像總高 85 公尺、巴西里約熱內盧的《救世基督像》總高 38 公尺；這些不同國度的雕塑各有不同的風格，而大部分的巨型雕塑，皆是以人型為主，其中佔最大多數者，皆是以宗教人物或政治題材作為呈現。

（二）新型態的雕塑

雕塑的發展歷程，從關注在形狀上轉變為關注結構，再從關注結構上轉變為關注地點，透過雕塑在保存上的長期性期待，我們希望雕塑不僅能保存長遠，並且能呈現轉瞬即逝的事物；傳統上雕塑將瞬間變為永恆且流傳後世，而如今當代藝術的時代語彙下，雕塑的定義也開始有了範圍的擴大，並且新媒材與新科技的發展也影響了雕塑的走向，因此近來較新穎的：聲光雕塑、動態雕塑與軟雕塑也持續地展開；「聲光雕塑」是指具備了聲音或光線的雕塑，在控制系統下以聲音或光線來呈現出雕塑的運動感，增強與觀賞者的互動效果；「動態雕塑」則是指會動的雕塑，傳統的雕塑型態大部分為靜止的，即使作品有動態感的呈現，也僅是以靜止的姿態去表現出動勢，但動態雕塑是指真正會移動或運動的雕塑，若是傳統的三維雕塑加上時間的運行，而產生造型上的變化，則成為了四維雕塑；「軟雕塑」是指以軟性特質的材料來創作的雕塑，有別於傳統上硬質與冰冷感的雕塑，透過纖維、皮毛、粉末、樹脂、煙霧、布料、繩索、泡沫、橡膠、乳膠等材質，來進行雕塑創作，透過材質讓作品的呈現有不同於以往的溫度與感受，讓感官有新穎的感受外，也呈現出現代社會性的觀點。

（三）以身體作為雕塑的觀點

藝術家在探討與實踐藝術的過程中，勢必是透過身體這一個介質來思考並進行創作，因此許多的藝術家也容易將人體視為一種媒材或基底層，以雕塑或繪畫的方式進行身體藝術，並且認為人的身體是最為直接且完美的工具，不僅可探討身體與精神方面的議題，還可探討身分與性別的議題，甚至可以作為文化上的指涉。

真實的身體與人形的雕像畢竟是有著差異，人形的雕像是理想與現實中的投射或再現，但真正血肉之軀的身體卻是不同，身體是具有生命性、有感受、有溫度、會運動的，當代藝術的多元與跨領域的語境轉變下，原本關注的焦點也從雕塑的定義，轉變為大家探討的：「什麼可以是雕塑？」，透過身體本身造型變化或身體表現的欣賞，身體也成為了雕塑的一種。

（四）以設計物視為雕塑的觀點

以過去發展中的藝術觀點而言，純藝術的創作必須脫離利益也不探討實用性，也就是不具備實際的功能面，因此工業產品雖然兼具美學與觀賞性，但總被認為是應用美術而非純藝術，且隨著藝術的定義建構過程，許多學者期待的由藝術家親自創作與手工製作的觀點，也左右了我們對於雕塑的認定。

其實立體的工業設計物在近代，開始被視為雕塑的一種可能性，其實並非是泛指所有的立體工業設計物都能成為雕塑，而是以欣賞雕塑的眼光來體驗設計物，無論設計物是生活用品、玻璃裝置、經典跑車、戰鬥飛機、設計傢俱、建築物附屬裝置……，我們皆透過一種尋找美的眼光來進行生活上的體驗；羅丹曾言：「生活中不是缺少美，而且缺少發現美的眼睛」，現代人若是在生活中，皆能用心體驗美，將美學融入生活，則生活將會更豐富多彩。

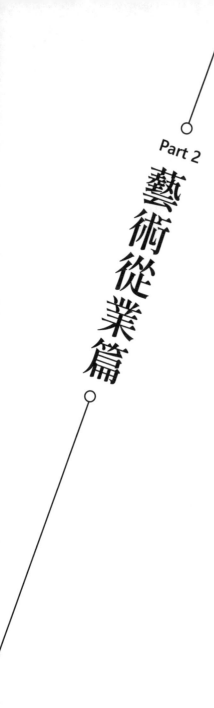

Part 2

藝術從業篇

畫廊的角色

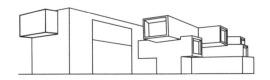

商業藝術乃是「藝術」的下一個階段……賺錢是一種藝術，工作是一種藝術，而
「賺錢的生意」是最棒的藝術。

—安迪·沃荷（Andy Warhol），普普藝術開創者

現在人們熟知一切事物的價格，卻對價值一無所知。

—奧斯卡·王爾德（Oscar Wilde），愛爾蘭作家

　　畫廊產業起源於 16 世紀的西方國家，就如同油畫創作起源於西方世界般，西方國家擁有著先驅性，而產業機制流傳到了東方國家後，我們積極地學習、模仿、研究、思考，東方人企圖在西畫上達到與西方人一樣的造詣，因此面對著上百年的畫廊產業，台灣的畫廊經營者懷著崇敬的心，逐漸也開創了這 40 年的畫廊產業史。

　　綜觀近年來影響到畫廊產業的因素主要有三點：首先，是「全球化」的腳步到來，東西文化與商業貿易交流頻繁，台灣也引進了西方畫廊的經紀人制度與商業模式，透過更先進的商業機制來提升台灣畫廊的轉型，同時畫廊的經營型態也五花八門的展開，畫廊面對過去所不曾有過的經營型態，也頗負冒險精神，持續努力突破舊有框架；其次，是「科技環境」的進步，記得 20 多年前台灣畫廊在經營時並沒有網站，也沒有網路社群媒體，更猜不到如今的社會是人手一支智慧型手機，今日的科技社會對於藝術的交易與客戶關係維繫上更為即時，而也因為網路受眾的分群，始終存在著藝術的高度關注團體，因此藝術內的新聞消息傳遞速度，也是過往所難以想像的，過去的畫廊行政與管理皆以紙本為主，現在透過許多管理系統與雲端儲存裝置，也更大的提升藝術行政的效率與效能，就連拍賣市場的交易資訊，全球也有眾多的指數分析公司，將其統整並分析，將拍賣走勢的趨勢更一目了然地呈現給大眾，而創作方面與展覽體驗，也由於新媒體藝術註㉑的興盛、虛擬實境（VR）/擴增實境（AR）/延展實境（XR）/混合實境（MR）以及人工智慧（AI）的崛起，讓我們的藝術創作與藝術體驗有更多的創意與可能性；最後，是國家「文化與經濟政策」的轉變，由於世界是平的（The World is Flat），世界的競爭是越演越烈，全球化的當下提升國家競爭力更不能忽略文化，亞洲許多國家已經進行多年的文化大戰略，台灣政府也相當明白，因此近年來與民間單位共同推動了許多重要政策─稅制改革、國發基金投資、藝術銀行、

註㉑：「新媒體藝術」（New Media Art），是指以新媒體創作的藝術作品，包含：數位藝術、電腦圖形、電腦動畫、虛擬藝術、網路藝術、互動藝術、聲音藝術、電玩遊戲、AI 藝術、3D 列印、賽博格藝術與生物藝術等。

博物館法、國際參展補助、北中南美學館、各項比賽與媒合、MIT新人推薦、台灣美術史爬梳、大內藝術特區、藝術節慶活動、藝術進入街區活動、藝術行銷與媒合專案……，這些政策的施行，也讓台灣畫廊感到備受重視，更提升台灣對於海島國家文化的重視性。

　　畫廊的經營有許多類型，有世界一流的頂尖連鎖畫廊，也有在地深耕多年的地區型畫廊；有企業化分工專業的多功型畫廊，也有家族式經營的傳承式畫廊；有類似於精品百貨廣場式的畫廊，也有單一品味的專精畫廊，無論畫廊的經營型態是何種分類，這個特殊的產業最需要的是一種參與的過程，畫廊為藝術家搭橋、畫廊為收藏家開窗、畫廊為藝術品守門，這些都需要眾多的夥伴角色參與，這些畫廊經營的歷史與事蹟，也同樣是畫廊經營最甜蜜的回憶，畫廊為文化的傳承者、畫廊為文化的推動者、畫廊也是文化的見證者，所有的藝術角色皆在文化的傳承、推動、見證中有著參與的過程，即是說畫廊必須要讓藝術作品與社會產生連結，並且賦予一個時代下的社會義務，讓產業史能夠協助到藝術史，因此歷史悠久的畫廊，承載的是眾人的共同回憶與文化的共同積累。

一、畫廊的功能

　　畫廊作為藝術市場開拓的第一線，所有藝文資訊與市場情報皆在這個藝術圈內產生，而畫廊經營的越久品牌也越老，認識的人面也越廣，透過人脈網絡的經營，如：藝文愛好者、收藏家、學術界、業界機構、拍賣會、美術館體系、藝評家、策展人、藝術社團組織、媒體、政府單位、研究單位等，逐漸有越趨緊密的合作產生，透過畫廊各方管道與資源運用下，藝術家在藝術領域的開拓也順勢而上，更多的藝術殿堂作為一種標竿也逐一達標。

　　藝術市場分為一級市場（Primary Market）與二級市場（Secondary Market），「一級市場」也就是俗稱的一手市場，即是畫廊直接與藝術家（創作者本人）接洽，並代為經營銷售其作品之行為，也就是畫廊的作品來源是直接取自原創者手

中，屬於一種行紀行為；「二級市場」也就是俗稱的二手市場，並不是直接取自於藝術家（創作者本人），而是透過收藏家或收藏單位的釋出，並透過作品銷售權的取得，而進行的仲介買賣行為，舉凡：藝術掮客買賣、藝術品交流社團、拍賣會等，都屬於二級市場的範圍，畫廊除了在於產、官、學、研、藏的開拓外，也要在一、二級市場多花心力著墨。

　　商業畫廊在營運上通常也會有著「畫廊保護主義」，除了要體認到畫廊體質現況、階段性目標與永續經營，還要對於股東負責，畫廊不僅是要獲利才能夠長久經營，也因為獲利才能夠照顧到旗下的藝術家群，而唯有長期又持續的經營藝術家，才能讓早期購藏者得到保障，而更願意長期的投入收藏，成為一種正向的收藏循環；而在經營市場的部分，細心的推薦好作品給適合的藏家，不使作品淪入投機、炒作客的收藏，藝術家的未來性才會茁壯，因此畫廊的長期經營，不僅是為過去的藏家負責，同時也要為未來的藏家負責；而畫廊最在乎的除了本身的風評與立場外，也在乎旗下藝術家的名聲維護與收藏家的保障，旗下藝術家若是遭遇圈內的惡意批評與造謠聲浪，通常畫廊也會站在藝術家的身邊，共同為藝術家維護名譽，而長期經營的收藏家，畫廊通常也會成為其顧問，為收藏家推薦好作品並建立有系統的收藏規畫，畫廊不僅有專業的客戶服務，同時也成為收藏家的知心好友；整體而言畫廊的功能大約分為以下幾種：

（一）展覽策劃與學術經營

　　展覽策劃是一個畫廊活動力的基本評估指標，藝術家要進入美術史，則勢必要在美術史的廣大洪流中安插自身的位置，其中最重要的應為學術性的經營，因此如何在展覽中透過策展人、藝評家與畫廊自身學術性，將展覽的呈現效果與活動舉辦做到位，則至關重要，而商業畫廊如何在品牌經營與獲利成效上達成平衡，則有賴展覽屬性的規劃比重，商業畫廊舉辦展覽的目的主要有三方面，其一為取得「實質獲利」，其二為取得「好口碑」，也就是品牌的建立，其三為取得「好資源」，因此基於以上三點，畫廊會推出不一樣面向的展覽，而好的畫廊則

會在這三者間，取得一個巧妙又聰明的平衡。

　　一般而言，商業畫廊舉辦展覽的種類，分為以下幾種：「美術史的爬梳展」、「實驗性作品的展覽」、「國際藝術家展」、「名人創作者展」、「市場熱銷藝術家展」、「策展型主題展」、「公益展」、「年輕藝術家發掘展」、「比賽獎項合作展」、「代理藝術家展」、「活動配合展」、「機構合作展」與「收藏展」，而這些展覽依其策略性來說有不同的目標。

　　商業畫廊希望展覽能提升畫廊品牌評價，因此會舉辦較為「學術性」、「實驗性」、「國際性」或「策展型」的展覽，以期能增加畫廊的深度與高度；為了能夠永續經營，也會舉辦市場較為「熱銷」的作品展覽，以提高畫廊之營業額；或者為了打通學術關係、提高畫廊來客數、拓展藏家群，而舉辦「名人創作者」展，畢竟這些學術界、企業界或名人圈的創作者，本身就擁有許多影響力，展出學術界泰斗可以帶動學術圈的能見度，而展出名人或企業界創作者，則能直接地帶動參觀人數或拓展新的藏家族群；至於公共關係與企業責任的經營，則有賴「公益性」展覽，來做到回饋社會；「代理藝術家展」可清楚且明確的呈現畫廊的代理風格，與旗下藝術家創作發展；基於發掘優秀的新銳藝術家，則會舉辦「年輕藝術家的發掘」展與「比賽獎項合作」展，並且透過一些「活動的配合」展覽，來達到整體行銷；想要跨領域的業界合作，則可以透過「機構合作」展來達成跨界多贏的局面；「收藏」展則能夠對外展示畫廊的收藏實力或收藏家緊密的關係，明白了商業畫廊展覽安排的策略性，就能夠清楚的分辨每一間畫廊偏重的屬性，與畫廊主的經營理念。

（二）收藏結構拓展與市場盤掌控

　　藝術市場的經營開拓，首重的是收藏家的耕耘，即是「收藏結構」註㉒的拓展，其拓展目標為又廣又深，「廣」指的是在不同地區別、產業別、年齡層、收

註㉒：「收藏結構」係指一位藝術家作品的被收藏狀態，透過收藏的分布與收藏者屬性，可判斷出目前累積的市場盤狀態。

藏品味層等，將各種分類、屬性、功能別的藏家都能夠觸及，並且有著實質上的收藏交易，透過市場上不同分眾的交易產生的幅廣散布，即是上述所稱的廣；而「深」則是讓每位收藏藝術品的藏家，都能真正如實地瞭解藝術品，珍愛所收藏的藝術品，如此一來就能長遠的保有對收藏品的熱情，未來才不會輕易的把作品拋售到二級市場。

「市場盤」註㉓的掌控就是要慎選收藏家，尤其是小心短期的投機客把畫廊正在經營的藝術家鎖定為炒作目標，投機客將藝術品視為金融商品來投資，很容易打亂畫廊的經營節奏，或被群體組織的炒作客給打壞市場，這些投機者會與畫廊（公司派）進行市場上的對弈行為，很容易提早結束藝術家的生命週期，簡而言之，畫廊歡迎的是具有影響力，並能夠為藝術家或畫廊提供資源的收藏家，害怕的是會傷害代理藝術家之藝術生命的投機與炒作客。

（三）媒體行銷與公共關係

現今的社會資訊傳播快速，擁有傳播力與話語權才能取得關注度，透過媒體來行銷藝術家與作品概念，進而將藝術家本身就具有的價值給完整包裝，有別於過去電視、廣播、平面媒體為主流，網路時代的數位行銷佔據著日益重要的位置，透過電子報、網路媒體、部落客、社群媒體等的經營，將藝術家推薦出去，並透過觸及率、轉化率、黏著度等的績效指標，來持續調整行銷內容；除了媒體行銷外，畫廊平日的公共關係也是極為重要的，透過公關的關係建立，為畫廊的藝術家建立橋樑，並整合產、官、學、研、藏的多方資源。

簡單來說，畫廊的媒體行銷著重的焦點，在於藝術作品的價值塑造與產品面的行銷，屬於業務端的上游，能夠協助到畫廊獲利；而公共關係著重的焦點，則在於為畫廊搞好關係並建立好的資源管道，且讓這些有關聯性與利益性的角色，都能對畫廊產生好感，即是與大眾建立關係；除此之外，媒體行銷與公共關係，

註㉓：「市場盤」代表的是藝術家作品在市場上的交易狀態，市場盤越大越穩，則藝術家作品在市場上的交易會越順暢。

所有的工作活動應該是要串連在一起的，且與畫廊整體的品牌形象、公司願景及經營理念是一致的，這些串連在一起的工作，能夠讓畫廊對外的經營效益最大化，而公共關係建立得好，則可以幫助行銷更成功，並且讓行銷的效益更深刻也更長遠。

（四）策略合作與行銷企劃

　　透過平日的各方公共關係之建立，找尋適當的合作對象，並發展經營藝術家與畫廊的策略，由於畫廊不僅存在著收割期也存在著休耕期註㉔，因此做好整年度與未來年度的規劃，才能安心定志，而藝術創作不是工廠製作，畫廊因應著藝術家的創作腳步，而有著展覽與典藏的適當性安排，對於藝術家的經營腳步時常要考慮到的是，這項規畫是否適合這位藝術家？這項規畫是否是藝術家所期望的？抑或這項規畫是否是藝術家所能負荷的？也因此畫廊不僅要能夠企劃出經營上的執行辦法，也要預估這些計畫所能產生的效益。

　　其實畫廊除了要與他方單位策略合作外，近年來國內外規模較大的畫廊或藝術機構也產生了一些轉變，以畫廊而言，對於行銷與策展上更趨於專業，過去畫廊自力籌辦展覽，頂多成立一個策展部門或與外部策展人合作，但現今卻是聘請專業策展人全職進駐，畫廊內部的策展部門與專業策展人進駐的差別，即在於內部的策展部門過去通常是聽命於老闆，並且依照老闆的經商理念來籌劃展覽，但專業策展人的全職進駐，更依賴的是策展人高度的專業性，並且提供畫廊主更廣闊的視野，畢竟畫廊負責人長年經商事務繁忙，關注市場動態與趨勢發展的同時，有時候也需要更專業與高瞻視野的策展人，來給予長期的展覽策略，因此由於專業面向上的不同，畫廊負責人更多時候是給予策展人授權與賦能，充分的讓內部策展人發揮，而並非是策展人依從畫廊負責人的想法；以藝術典藏機構而言，許多的收藏機構與資深收藏家，近年來也聘請專業的收藏顧問，針對美術史與市

註㉔：「畫廊的休耕期」，指的大部分是暑休期間、梅雨季節、報稅月或重要藝術盛事結束後的休養期。

場進行分析，並且搜集藝術圈內的情資，將藏品做一個更有「美術史觀」與「市場依據」的收藏，而這些機構或藏家同樣也是相信專業，因此許多收藏的最後決策權也是要尊重內部專家。

（五）資料庫建立與市場資訊研究

所有的藝術大師在最一開始時，都是從默默無聞的新進創作者開始起步，而所有拍出天價的藝術作品，在最一開始的市場價格，也不過就是一般收藏大眾都買得起的普通價位；藝術家並非一開始就能成為大師，也並非一開始就能夠進入美術館中展覽，但在藝術家功成名就之前，畢竟會有很長的時間會是在市場環境中打滾，因此藉由每段時期合作的藝術機構，共同參與、陪伴及見證歷史，則是藝術機構的一種重要參與，這種參與同時也是一種藝術家發展的紀錄。

商業畫廊肩負的文化責任，除了參與藝術活動的經營並陪襯藝術家的發展，還需要將藝術家的創作生涯完整地記錄，透過各種與作品相關的藝術行政，來將創作脈絡完整儲存，並且將內部及外部學術研究的成果呈現予藝術大眾，平時作為培植藝術家的功能，也必須將每場展覽、活動與平時的創作生活，進行完善的紀錄，將重要資訊正確、真實且完整的收錄於資料庫內；這些資料是相當重要的，有朝一日可作為對接美術館系統的橋樑，這些歷年來資料庫內累積的文獻與資料，不僅對藝術家與畫廊產業是重大的貢獻，對於整體的歷史爬梳也將具有文化貢獻，有鑑於此中華民國畫廊協會（TAGA）近年也積極的以「後設欄位」建立台灣「畫廊權威檔」。

除了資料庫的建立之外，平日畫廊作為藝術家對於產業瞭解的管道，也可以定期的分享產業資訊予藝術家瞭解，畢竟以產業鏈的觀點，藝術家與商業畫廊也是上下游的合作夥伴，擁有相同的環境理解知識，對於彼此的溝通及經紀規劃，皆有更高的潤滑度與契合度提升。

二、畫廊的重要性

　　藝術品有別於一般商品，其並非是「剛性需求」（Inelastic Demand），而畫廊作為藝術市場中的核心角色，並且扮演著藝術家與收藏家的中介角色，有其重要性，大部分的畫廊經營者都是以理想與商業參半的方式來運營，但倘若畫廊經營者不珍惜收藏家，以話術或套路來掏空藏家的口袋，久而久之藏家感到被蒙受拐，發現所收的不是珍稀又傑出的藏品，而是畫廊銷售不出的庫存次級品，則信任感蕩然無存，不僅不再願意支持藝術家，甚至感到自己有被割韭菜般的感受，認為被市場機制給消費了，這樣的行為無疑是把市場做小，因此唯有善意又真誠的推薦作品，並且站在客戶端的角度思考，才是畫廊長久經營並維繫好客戶關係的不二法則；藝術家尋找合作夥伴，首重的也是畫廊的誠信，而收藏家透過畫廊認識藝術，瞭解藝術欣賞的趣味，進而找到喜愛的藝術家，並最終收藏藝術品，這一連串的過程也是因為認同與信任畫廊的表現，因此畫廊如何扮演好各種角色，並取得各方的信任，則是畫廊能經營長久的重要原則，現將畫廊的重要性列舉如下：

（一）守門員角色

　　收藏大眾針對作品的購買為何會想透過畫廊呢？其實畫廊的作品買賣，不單是簡單的商業行為，更是透過自身的畫廊品牌認同度，來為藝術家保證與加值，畫廊是藝術市場的守門員，除了作品真偽的鑒定外，畫廊還要對於藝術家的未來性進行研究，這些美學與市場的研究屬於畫廊的基本功，基本功越扎實的畫廊也能夠經營越久，至於為何只代理優質藝術家，無非是因為畫廊要對收藏大眾負責；除了只推薦認同的藝術家與作品給藏家，也要說服藝術圈的各方人士，讓藝術圈認同畫廊的眼光與品味，針對展覽之藝術家與作品要經過精心挑選，才不會讓人以為畫廊的展覽僅是利益導向的商業行為。

（二）藝術經紀商

　　畫廊同時也是藝術家的經紀公司，畫廊透過與藝術家的簽約，而成為藝術家

的幕後推手，透過為旗下的藝術家開拓更多舞台，使藝術家發光發熱，是所有經紀商的共同目標，因此有在經營自身藝術家的畫廊，除了舉辦商業展覽與美術館接洽外，也會規劃藝術家的經營事項，並且透過外部合作夥伴的尋找，試圖在經營模式上創新，找出更順應時代的藝術家經營之道；藝術經紀有許多重點，而如何在合作期間內達成四贏，讓藝術家、收藏家、畫廊與合作夥伴都能受益，則是藝術經紀的重中之重。

（三）售後服務

針對銷售出的藝術作品定期追蹤，並提供作品收藏後之服務，舉凡：運輸、藝術品安裝、定期的清潔保養、換框換架、藝術倉儲服務、藝術家發展匯報、市場資訊整理、藝術家活動推廣、藝術主題聚會、賞畫會、藝術會展旅遊、美術館借展等，其實收藏家在收藏藝術品，並非只是當下的一個衝動，而是希望藉由不一樣的藝術品，能帶給自己更多的生命回憶與意義，因此藝術的經營並非只在銷售時，而是讓收藏家與藝術家能因為作品的收藏，而產生更多的回憶，深度愛好藝術的收藏家，其實是透過藝術的收藏行為，徜徉在藝術的環境中，並使自身的生命價值得到昇華。

（四）價值與價格的發展

藝術品的保值與增值性，有賴畫廊對於價格曲線的掌控，而價格的調漲實際上是一門學問，它並非可以因為市場搶市就產生一日三價的暴衝，而是需要在各個面向的階段性達標，也就是讓藝術家的作品產生價值上的提升，如此調漲價格才能說服藝術市場，並擺脫錨定效應（Anchoring Effect）；收藏家購買作品時會透過畫廊或是藝術商，但基本上畫廊與藝術商是極為不同的，許多的藝術個人商只是作為交易的仲介，他們主要的工作是推銷而不是推廣，畫廊的目標是藝術生態中價值的創造，同時讓藝術作品的價格上漲，但藝術商他們有時與畫廊是對著作價，甚至是削價競爭，他們的主要目標是利潤最大化，而且他們與藝術家本人也沒有情感的連結與責任的承諾，因此在藝術市場的合作結構中，畫廊僅會找

信任的頂級收藏家合作，而不會找藝術商人合作。

（五）品牌保證

　　經典的藝術作品之所以成為經典，正是因為它歷久不衰的雋永價值，收藏家由於畫廊的推薦而收藏了藝術作品，其購買的行為不僅是因為純粹的喜愛，同時也因為相信畫廊的眼光，收藏家總希望能夠收藏到雋永之作，並期待畫廊會持續的經營這位藝術家，因此畫廊主在銷售行為上不僅是藝術價值的認可，也成為了藝術發展趨勢的預言，這也是以畫廊的品牌來保證藝術家的未來性。

　　除了對於藝術家未來性的保障外，畫廊為代理的藝術品開立「原作保證書」註㉕，並杜絕贗品買賣，因此保證書上除了有作品的相關資訊外，也一定會有負責人的親筆簽名及鋼印，而文字內容上也會具附法律責任之保障，因此畫廊願意為一手市場經營的藝術家開立保證書，除了是一種對於藝術家的認同，同時也是作為買賣行為的信譽保證。

（六）藝術品顧問

　　藝術顧問有三種，第一，是針對收藏家推薦可供收藏之藝術品，關於收藏規畫有分為脈絡收藏與藝術投資，因此不單只是在一級市場找尋藝術家，時常也透過二級市場上的作品尋找，來代理藏家收購藝術品；第二，是提供藝術鑑賞之相關教育及藝術圈內資訊之整理，此顧問時常以私人之小型聚會或公眾之大型演說等方式來提供服務，除了為私人客戶提供市場分析外，有時也在各單位進行藝術推廣教育；第三，是針對收藏家進行空間配置或提供合作之企劃，其服務之範圍主要以視覺及品味顧問為主，希望在業主、藝術家與畫廊間找到三贏模式。

（七）藝術家發掘者

　　定期關注藝術圈新秀，並推薦給優質收藏家，是畫廊產業永續發展的根本之道，藝術市場上最害怕的就是斷層，少了承先啟後的藝術家銜接，則容易讓國內

註㉕：「原作保證書」是由畫廊開立給藏家的作品真偽保證文件，內容除了有作品圖檔、作品資訊、簽名、章印、開立時間與開立機構，還需要有法律相關的責任文字，是一種由畫廊機構開立的第三方認證。

的收藏人口轉為收藏國外藝術家，而一個地區的內需市場，畢竟是鞏固一個地區藝術發展的最重要力量，透過扶植年輕的藝術家成長，讓藝術家的世代銜接沒有斷層，就能對產業產生貢獻；除此之外，年輕藝術家的藝術之路還很漫長，若能在藝術家剛起步時，就給予正向的市場回饋，能為這藝術家建立更強的創作信念，且資深收藏家也明白，畫廊的經營所費不貲，如果畫廊願意發掘優質的新銳藝術家，則說明這個畫廊對於藝術家起到培養與扶植的貢獻，圈內畫廊的認同度也會較高。

三、畫廊的種類

　　台灣畫廊產業近 40 年來蓬勃發展，隨著眾多畫廊不同的發展方向，因此在畫廊的規模、空間規劃、經營面向、收藏面向、活動力、版圖拓展、藏家耕耘、展場空間規劃，皆有極大的差異性；畫廊經營型態不同，也依照其各自畫廊的價值體系來運營，而藝術的市場環境是變化非常快速的，收藏的品味、模式與環境改變，帶動了畫廊運營的轉變，新畫廊與舊畫廊各自擁有其經營上的價值信念，這畢竟是由經營者的背景專長、眼界與趨勢發展的認知來決定，且文化事業在經營定位的過程中，也在經營一種認同，要得到圈內各種角色的認同是不容易的，這不單是理念上的實現自我，還需要透過豐碩的成果來證明理想不是空談，因為文化事業的理念不是喊口號，也並非靠理想就可以成就，有良善運營的畫廊才能夠照顧旗下的藝術家，在經濟發展與藝術地位的基礎都能鞏固的前提下，也加深了大眾對於其獨特商業模式的信心，因此畫廊必須以經營上的成就來發言，以目前台灣市場多元的營運模式來看，畫廊大約有以下幾種類型：

（一）雜項藝品型－聊天泡茶交朋友

　　台灣有些中型老畫廊，會在畫廊擺放各種價位的藝術品，也會把空間規劃成不同區塊，除了買賣各類型的擺飾品也經營古董、茶藝品、陶藝、金工、雜項等各類型的鑑賞品，讓收藏家可以有種來尋寶的感覺，其特別會規劃一個較隱密的

泡茶室，其目的就是為了花長時間跟收藏家談天說地，慢慢地引導培養客戶的未來性，此種經營模式較為花時間，但可以跟收藏家建立較深的交情，其前提是要讓藏家喜歡這個空間與人，喜歡來這裡聊天，才會常常來走動，平常多少會捧場買一些作品，因此如果畫廊有些價位較低的作品，也可以當成開拓收藏家的敲門磚，慢慢把收藏家的胃口養大。

（二）空間出租型－場地管理二房東

此種展覽空間是以場地租借的租金收入，來維持空間的營運，它雖然也稱為畫廊但大部分是透過二房東的模式，來分段出租其每個月份的時段，作為場地的管理者，除了會維持展場的整潔，也會看顧展間作品的安全性與負責作品的導覽，但唯獨其沒有親自經營展覽的內容，也沒有代理自有的藝術家，因此較難主動向外拓展，大部分能維持開銷或賺取基本的人事成本就已經不容易了，這類型的展覽空間雖然稱不上是公益性質，但多少還是要申請政府補助或執行政府專案，以賺取支持其他計畫的收益。

（三）複合式經營型－多元產品與服務

這類型畫廊經營的方向除了藝術品銷售外，時常會結合咖啡簡餐、文創商品、創作教學與展演空間，透過不同的經營面向來增加畫廊收入，以彌補畫廊空間的租金及人力費用，也期望透過這種複合式的經營方式，來吸引大量的人潮，將普羅大眾視為目標客層。

但此種複合式經營的畫廊，其作品的金額較難提高，高端客群也較無法集中火力進行開拓，偶爾還會遇到大客戶消費時，不好意思收取餐費的狀況，容易造成收費的雙重標準；經營餐飲或文創概念的空間，一定要有商業機制與收費原則，若沒有良善且長遠的商業機制，則太過理想化，經營再久也無法突破。

（四）二手鑑價型畫廊－純粹買賣的畫商

此類畫廊透過幫老收藏家們鑑定與鑑價作品，並提供清潔、修復與換框服務，來賺取專業顧問與服務費用，但因為私人畫廊較不具鑑定與鑑價上的普遍公

信力，因此大部分他們僅是作為一個二手交易的平台，時常會有老藏家或已故藏家的家屬，將其作品置於畫廊做寄售，這種類型的畫廊負責人通常在產業內的資歷頗深，具有雄厚的收藏家人脈與獨具慧眼的藝術鑑賞力，有時遇到高價位的精彩作品出現，也常會需要大金額的購買資金，因此收藏與變現規劃則是此類畫廊的經營學問。

　　二手鑑價型的畫廊其實比較像純粹買賣的畫商，這類型的畫廊不太舉辦展覽與藝術活動，而是透過一對一的購藏洽商來進行作品的買賣，也由於畫廊著眼在賺取價差，因此殺低賣高的心態，或視情況與客戶的差別報價行為，也時常發生，因此與專門經營一手市場的畫廊，所倡導的公開定價也會有所不同，當然二手市場的仲介買賣，靠的都是買賣雙方的眼力，必須各自負責成敗，因此也不會開具畫廊的買賣保證書。

（五）收藏型畫廊－藏家心態

　　有許多藏家因為透過多年的收藏，而得以進入藝術市場，最終也成為了畫廊經營者，這類型的經營者通常都有著慧眼獨具的眼光，其畫廊代理的藝術家也通常會有某種偏好，這種偏好往往與他過去所收藏的藝術類型有關，他們會開畫廊通常是憑藉著對於藝術的熱情，因此若能夠在藝術的領域上為藝術家深耕貢獻，如此也是美事一樁，但如果畫廊只進不出，又不經營推廣所買進的藝術家，就容易讓人誤會其是透過畫廊之名義，來與藝術家殺價購買作品，或以同行的名義，來要求其他畫廊給予同行優惠價。

　　收藏家轉為畫廊經營者，首先要面對的是角色上已經與過往不同，昔日一同收藏作品的同好，今日變為自己畫廊的潛在客戶，如何在藝術評論上秉持著客觀與前後一致，實屬關鍵重要，而如何不陷入孤芳自賞的藝術喜好，才能夠在眾多品味的收藏市場上有好的收穫。

（六）賣畫的店－複製畫買賣與永設展的畫廊

　　賣畫的店其本身與藝術家是沒有連結的，或者連結性較低的，其大概分為兩

種經營模式；其一，是以複製畫、外銷畫、裝飾畫及裱框服務為主要經營項目，其畫作大部分為工廠製作或由油畫村來生產，立體類作品則由雕塑工坊製作，並不是由專業藝術家來創作的，此種畫廊比較偏向於批貨的買賣業，因此於其展示空間內通常會將牆面上下左右的空間全部掛滿畫作，甚至地上及走道也會擺滿作品以求坪效的有效發揮，這類型的畫廊並不會在意作品的展覽呈現品質；其二，則是靜態經營的畫廊，雖是以原作為主要之經營品項，但由於畫廊永遠在常設展就好似一種永設展般，透過作品上的落塵量來判斷，牆上的作品應該擺了好幾年都還沒換過，其主要以店面經營的形式為主，必須等候客人上門又或是依賴附近的客源，屬於小規模的地區型畫廊，其並不會固定舉辦展覽且對外活動的能力較弱，因此民眾參與的頻率不高，也難以進入主流市場，而由於畫廊的定位較不明確，因此功能性也較難以發揮，推廣藝術家能力有限，但好處是沒有品牌包袱，所以經營靈活且成本低，不需背負藝術家的未來性保證，在經營上壓力較小，但此種經營容易造成客戶流失因此無法長久，且與藝術環境脫離太遠無法與時俱進。

（七）會所型畫廊—會員制的俱樂部

　　會所型畫廊又稱俱樂部型畫廊，通常是必須加入會員身分，才能享受專屬的藝術活動與其他服務，通常這種畫廊的經營模式也近似複合式畫廊，除了藝術之外可能還會有酒水飲料、雪茄點心、私廚餐點、遊艇及私人飛機俱樂部，或結盟國內外飯店與健身中心，並定期於會所內舉辦特殊活動；想加入此種較為隱密的會所並成為會員，通常需要舊會員的推薦，或會所單位主動邀請，而會員人數限定與會員品質篩選，主要也是希望能提供更優質與高級的產品與服務;除此之外，此種會所不僅作為藝術推薦的媒介，更注重會員之間的商業仲介與聯誼，且會所內由於需要舒適及放鬆的環境，因此展覽的規劃與佈置，比較需要配合場地的光線與空間，並非能滿足於每位藝術家，而至於藝術推廣的部分，由於主要經營高端客戶，因此較欠缺普遍性的各層作品與藏家推廣，而是以推薦高端精品型的藝

術作品為主，此類的畫廊也不一定會代理專屬藝術家，而是透過資源管道找尋有利潤的藝術作品來展出；會所型的畫廊有些會設立在鬧區，有些會設立在郊區，鬧區的會所交通較為便捷，也會有較多商務性客層，而郊區型的會所，則需要特別安排時間與交通，但由於環境較靠近大自然，也會令人更為放鬆。

（八）展覽型畫廊——一級市場的經營

　　此所謂的展覽型畫廊是指定期舉辦展覽，且積極向外參與藝術博覽會及藝術活動，此種畫廊大部分皆是被審核進入各國之畫廊協會的成員，並會長期的關注國內外傑出的藝術家，及藝術市場的趨勢走向，由於並非是非營利機構，因此商業畫廊的長期經營會以推廣藝術家，與商業利益的雙重考量下進行營運規劃，而展覽型商業畫廊主要的營收來源，即是依靠一級市場的藝術作品銷售。

　　由於此類型畫廊每年會於畫廊內部與外部舉辦多場的展覽，以及國內外藝術博覽會的參與，這些藝術的推廣都需要付諸實際的行動，因而被認為較具有藝術貢獻與使命感，國際知名的畫廊主—保羅・羅森伯格（Paul Rosenberg, 1881-1959）在其藝術生涯中代理過為數眾多的藝術家，這些藝術家現今也全是國際最頂級的藝術大師，他曾經也對畢卡索說：「你是創造者，而我是行動者！」畫廊的功能對他來說，就是以行動來為藝術貢獻，藝術家負責產出作品而畫廊則負責行銷與推廣作品，這也說明了，此類畫廊與藝術家是極為緊密的合作關係。

（九）經紀型畫廊—以培養藝術家為使命

　　經紀型與展覽型性質相似，但與藝術家的關係又更為緊密，其經營型態是以扶植藝術家為使命，經紀型的畫廊選擇隱藏在藝術家背後，並努力為藝術家獲得更好的發展前景為目標，其畫廊內部通常會有多位獨家經紀的簽約藝術家，無論是藝術家資料庫的建立、創作的學術研究、收藏市場的行銷拓展、學術定位的奠基、美術館的搭橋對接、媒體與跨界的合作、全球化的品牌經營等，都會是其經營上的主軸；若要深度經營藝術家與畫廊品牌，則畫廊代理藝術家的面貌與展覽策略要更清晰，再透過長時間的經營才能有成效，因此積極在經營品牌的畫廊，

通常會以老、中、青的年齡分段去經營藝術家，且期望透過過去的積累來帶動未來的信任加值，因為經紀型的畫廊只要過去曾經營出大師，並推薦好的作品給收藏家，其在收藏市場的信譽就會加值，由於過去藏家手中的收藏增值，並在收藏界中取得了滿足感，畫廊未來要再推薦藝術新秀或預言下一代的明星，則相對容易成功。

（十）研究型畫廊—以研究中心的概念來呈現作品

　　由於藝術產業越趨專業與學術化，也出現了許多學術背景的畫廊主，並且以美術史及全球市場脈動的觀察來挑選藝術家，此類的畫廊通常會選用有專業背景的專業人士加入畫廊團隊，並且在畫廊內部成立研究中心，不僅研究藝術發展也關注市場訊息，其對於畫廊的品牌經營上較著重在學術深度與前瞻眼光，而其呈現展覽的方式通常也別具品味，展覽空間未必就是非常具有規模，而是著重在展覽的脈絡爬梳與提出的展覽觀點，因此常會在內部空間舉辦學術或市場觀察的論壇，也常會被媒體邀約提出自身見解，大部分藝術產業對於此種未必賺錢，但具有學術堅持的畫廊，通常會給予較高評價。

（十一）國際連鎖型畫廊—講究全球佈局與國際策略

　　國際連鎖型畫廊又稱為「巨頭畫廊」，當畫廊發展的規模非常大時，通常會往跨洲際或跨國際的方向來發展，這類型的畫廊通常會獨家經紀一些國際級的重要藝術家，並且他們擁有了國際佈局的能力，講究的也是全面性的國際策略，這些有著極深資歷與財力的畫廊，通常也具有改變市場環境的能力，可以引領市場潮流，並常與拍賣公司合作；若是一個地區或國家的畫廊，已經出現了國際連鎖型畫廊，則代表著這個地區或國家的畫廊產業發展已經有一段歷史，並且在收藏的成熟度也屬於文化已開發的階段。

四、畫廊規模的檢視面向

　　收藏家在逛畫廊時，會自然而然地以觀賞時的感受來評估畫廊的屬性，無論

是挑選作品的品味、展場呈現的氛圍、人員接待的態度等，處處都顯示出這間畫廊的經營風格，而藝術家若被某間畫廊簽約時，我們就會開始想像這名藝術家未來的展覽舞台、創作計畫的規模、畫廊的經營策略、畫廊能投入的資源多寡、會被什麼樣屬性的藏家收藏、未來藝術家的高度與評價、學術性發展等，因此無論是收藏家或是藝術家對於畫廊的規模，都希望有所瞭解，下面我也針對畫廊規模的評量指標進行說明：

（一）資本額

　　即是畫廊一開始登記的初始營運資金，這直接影響到畫廊剛開始做推廣行銷的錢可以燒多久，畫廊要成立其實門檻也不高，租個空間找些藝術家寄售作品，也就開始了畫廊的功能，但要能做出品牌並成為藝術圈認可的指標性畫廊，其技術門檻及資本額就相對提高了，而畫廊假使也持續的收藏藝術品，更需要大筆的資金來支付給賣家，而倉庫裡的作品出售通常是有規劃性的，因此想在好價錢時售出，需等候好時機，除了庫存時間成本及售出後收得款項的等候時間（買家延遲付款），也是畫廊的一大成本，且大部分的作品銷售都並非是客製化或預購的，因此進貨之後的「存貨週轉率」（Inventory Turnover）也是很難預估的，而參加博覽會或跟熱門藝術家預定作品，卻是需要預先支付款項，因此種種的原因也顯示畫廊的預備資金還是得要相當充裕，才不會有捉襟見肘的窘境。

　　其實畫廊除了資本額的多寡外，股東結構與經營態樣也是一大影響關鍵，以「股東結構」而言，最直接地是影響資源的多寡與決策的速度，獨資公司對於決策上的獨斷力較強，但需要更準確的判斷，合股公司雖然可以參與討論，但如果股東意見相左時，也容易導致畫廊營運走向不明確，左右搖擺讓員工與藝術家無所適從，尤其是針對長期性的經紀藝術家方針與展覽策略是需要累積的，如果沒有持續一段時間的堅持貫徹與整體行銷，較難讓藝術大眾留下深刻印象；而畫廊的「經營態樣」主要有幾種：家庭式、企業化經營、學術研究型、導師式經營，「家庭式」的經營通常頗具人情味，且畫廊的空間規模通常也不大，也會有許多

是屬於夫妻或家人一同經營,「企業化經營」則是較具規模與組織功能性的經營方式,強調分工與企業流程,「學術研究型」的畫廊通常像個研究單位般,深度的分析藝術發展及市場趨勢,並選擇推薦給藏家的作品,通常這類型的畫廊會吸引到許多專業型的收藏家,「導師式經營」的畫廊通常有著藝術專家的經營者或藝術家本身投入經營,會帶有專業又理想的方式來營運畫廊,通常負責人也會以老師的身分自居,強調新趨向的藝術類別推廣;這些的股東結構與經營態樣,其實都會間接地影響畫廊的規模發展。

(二)營業額

畫廊每年交易的總營業額是支持畫廊進行各項計畫的先決條件,若有穩定又可觀的營業收入,則畫廊想要具備旺盛的活動力則不是難事,並且執行各項計畫將無往不利,但由於全球之畫廊的規模差距甚遠,因此畫廊真正賺錢的大約只有 50%,且畫廊產業內大部分的營業收入也集中在少數的巨頭畫廊,根據巴塞爾藝術展和瑞銀共編的《全球藝術市場報告 2019》之統計數據,於 2018 年少於 5% 的國際巨頭畫廊之營業額加總,佔據了全球 50% 的市場份額(2018 年全球藝術市場銷售額達 674 億美元),光是國際頂尖的高古軒畫廊(Gagosian),於 2018 年全球 16 家畫廊的帳上營業額加總,就高達 10 億美元,而全球超過 95% 的畫廊營業額加總才是另外的 50% 市場份額,這樣讓人不難想像,為何全球真正賺錢的畫廊大約只有一半。

(三)畫廊空間規模

其實到過歐洲旅遊的人會發現,在歐洲有許多歷史悠久又聞名的畫廊,他們畫廊的空間規模也不大,但卻由於過去的經營歷史,讓這些畫廊手上握有大量的美術史等級的重要大作。

近年來擴展迅速的一些國際巨頭畫廊,陸續也將展覽規模提升到美術館等級,因此擁有一個美術館級別的畫廊空間,也成為了評量畫廊規模的重要指標之一,根據 2018 年於 artnet.com 的統計資料顯示,高古軒畫廊(Gagosian)

以 17,000 平方米（全球加總）的畫廊空間高居榜首，其次是佩斯畫廊（Pace Gallery）以 10,000 平方米（全球加總）位居第二，並於紐約的旗艦畫廊內，建造一個容納超過 11,000 本書冊的圖書館，並開放公眾預約使用。

近年來國際上的巨頭畫廊紛紛跨足重要的國際城市，並在重要的地段上也開設據點，這也說明了除了畫廊的空間規模外，地段的選擇也是相當重要的，畫廊的空間不僅要大，格局也要好，且地段更是直接影響來客數的關鍵。

（四）代理藝術家的品牌定位

藝術機構所挑選的藝術作品及展覽的呈現，代表的是一個機構的品味，尤其是畫廊長期以來的品味呈現，也是其收藏家與旗下藝術家所在意的，畫廊每年在內部展覽與國際藝術博覽會上所經營的展覽政策走向，也是受到藝術觀眾所關切的，因此假如畫廊忽然之間代理了一個品味不夠、調性不合、品牌有問題的藝術家，原先代理的眾多藝術家們可能也會有相當的反彈聲浪，連帶在收藏界中也會被議論紛紛。

何謂藝術家品牌？泛指的是藝術家的才氣、人品、勤奮程度、影響力、美術地位、面對創作的態度、創作型態、作品的程度等，綜合前述所反映出的一個大眾觀點，而這個大眾觀點產生的一種評論價值，就是這個藝術家的品牌；自古而來文人相輕，藝術家們總是意氣相投且互相欣賞才有機會時常往來，若藝術家品牌層次相差甚遠，不僅影響到畫廊的觀感形象，就連經營走向也會受到影響；這裡的品牌層次良莠不齊，並非指的是資深藝術家與年輕藝術家同處於一間畫廊，而是創作走的道路及藝術地位，是否在各個方向都是同輩層的箇中翹楚，只要是優秀的藝術家無論他們是資深或資淺，理應都會受到彼此的認同。

一個畫廊的藝術家品牌定位多元，有時候可以吸引不同的收藏家族群，有些藝術家作品深受國際飯店與建設案所喜愛，有些作品適合作為學術展覽的敲門磚，可以嫁接畫廊與美術館的合作關係，而有些作品則受到媒體與拍賣公司的熱切關注，這些不同品牌定位的藝術家，都能讓畫廊有更多的拓展管道。

（五）員工人數

以目前的現況來說，台灣畫廊幾乎皆為中小企業，超過95%的畫廊員工人數皆在5名以內，與國際級的巨頭畫廊全球員工數動則上百人相比，可見台灣的畫廊發展階段還甚少有巨頭畫廊的誕生，而以高古軒畫廊為例，高達75%的畫廊員工為女性，因此在產業內稱這些女性員工為畫廊女孩或畫廊小姐（Gallerina），這個名詞是畫廊（Gallery）與芭蕾女舞者（Ballerina)這兩個名詞的結合，指的是這些氣質出眾、面容姣好、身材窈窕的畫廊女性員工，這種名稱的形成，好似也暗示著要在畫廊做好展覽銷售，並與藝術家相處融洽的前提，不僅是要滿足藝術內涵，連外在儀表也要成為藝術品一般。

畫廊的規模通常也會反映在人員組織的編制上，以國際級的連鎖畫廊而言，它的營業額與成本是互為因果的關係，而市場在哪裡？市場有多大？其實也取決於畫廊本身的活動力與藏家結構，經營國際市場當然需要經營國際級的藝術家作品，才能夠參與全球性競爭，且規模大的畫廊為了維持高成本的負擔與規模經濟，需要高單價的作品來達到營業額之目標，而經營這些高單價的作品，其所相對應的活動規格與目標客群，當然也都是高標準的，簡單來說要經營大師的作品，其展覽品質、行銷策略與客戶關係管理，都是需要細膩的門道與商業上的專業，否則大師級作品將無法代理，且重量級的藏家也不會為作品買單；經營國際藝術家的各項專案，無論是美術館接洽、國際巡迴展覽、重要機構合作、大型創作專案協助、高端藏家拓展與服務、國際貿易及運輸、公共關係與品牌經營、內部後勤管理、國際資源的獲取等，這些所有的複雜經營過程，無一不是需要專業分工與龐大的前後勤單位來支撐，因此專業與龐大的人員編制，雖然不如小組織來的有彈性與機動，但卻能有更複雜與專業的工作呈現。

總體而論，雖然畫廊的員工人數可以反映出一間畫廊的組織規模，但無論畫廊組織的規模大小，藝術產業畢竟是一個需要高度專業與經驗的工作，員工的質量畢竟優先於數量，有專業人才的畫廊也才是有生存能力的畫廊，沒有高度專業

與執行能力的畫廊，有再多的員工數量也是難以存活的，因此專業人才的注入成為了畫廊要規模化的優先考量。

（六）畫廊數量與拓展地區

　　畫廊的拓點數量與市場佔據的地區，會直接地影響到藝術家與收藏家的取得，因此要能在國際藝術市場上稱霸，也必須借重不同城市的畫廊據點，來達成全球市場佈局，目前全球藝術市場有四大巨頭畫廊：高古軒（Gagosian）、佩斯畫廊（Pace Gallery）、卓納畫廊（David Zwirner）與豪瑟沃斯畫廊（Hauser & Wirth），其中高古軒（Gagosian）的全球展館數量，於 2020 年的紀錄即擁有了 17 個展場數，規模稱霸全球。

　　隨著國際化的到來，也讓這過去 20 年間的亞洲區畫廊，開始拓展藝術的版圖至海外，雖然目前以台灣出發的國際畫廊大部分居於亞洲城市，但相信在不久的未來會有地域範圍上更大的突破；其實要成為國際遍布的連鎖型畫廊，不僅需要有好的體質，對於經營面與收藏面都需要實力，且國際佈局的畫廊對於每個國家與地區的文化、法律、保險、民俗、消費品味、商業習慣、風險管控、業務發展、媒體在地化等方面，都是迥異且複雜的，因此能夠在國際重要城市立足的畫廊，就象徵其市場上的競爭力夠強，而畫廊分公司的數量越多、地區越廣，則象徵著這間畫廊的規模越大。

（七）過去的歷史沿革

　　談到畫廊歷史，藝術圈第一個想到的應該就是瑞士巴塞爾藝術博覽會的創辦人—恩斯特‧貝耶勒（Ernst Beyeler, 1921-2010），這位傳奇畫商原本是賣書為主的小書店經營者，後來發現藝術商機而改為賣畫，後來成為頂尖的藝術經紀人，並穿梭於藏家、藝術家與各大重要美術館間，幫許多藝術家推薦搭橋，讓藝術家有市場銷路也同時有學術定位，貝耶勒隨後參與籌組瑞士「巴塞爾藝術博覽會」註㉖（Art Basel，世界最具指標性且歷史最悠久的藝博會），也影響了後世幾十年的藝術發表舞台，其與妻子共同創立的「貝耶勒基金會美術館」

（The Fondation Beyeler），每年吸引超過 35 萬人次參觀，也成為最具指標性的藝術機構之一，在貝耶勒的一生也與眾多美術史上重要的藝術家們合作，如：畢卡索（Pablo Ruiz Picasso, 1881-1973）、賈克梅蒂（Alberto Giacometti, 1901-1966）、羅斯科（Mark Rothko, 1903-1970）、托比（Mark Tobey, 1890-1976）、杜布菲（Jean Dubuffet, 1901-1985）等，其成功遊走在頂尖藝術圈與美術史大師之間的故事，也成為貝耶勒最傳奇的部分。

畫廊的歷史越長，也越容易見證美術史的過程，在營利事業的背後若也能成為美術史與畫廊史中重要的貢獻者，並在藝術發展的進程中貢獻一份心力，則畫廊的文化價值也就越高，此點無疑也是每位畫廊主的夢想，貝耶勒這位偉大的畫廊經營者，也正是許多畫廊主心目中崇拜的偶像。

（八）收藏實力

藝術作品的出售若是不包含增值空間，那麼這就僅是畫廊與藝術家之間的分成問題，藝術家拿得越多畫廊可抽成的比例也就越低，也就是說所有的利潤來源僅是依靠抽成上的比例分配，但是藝術品若是能夠創造價值，則情況就完全改觀了，因為不斷能夠創造價值的藝術品，在藝術市場上的價格就能節節攀升，這談的就不再是比例分潤的「成數問題」，而是翻了幾倍、乘上數字並加上幾個零的「乘數問題」，因此在畫廊界有句老話：「畫廊真正賺的錢，是透過收藏，而不是銷售」，好的畫廊著眼的不是眼前的分潤，而是長遠規劃的增值幅度。

一般而言，在尚未成名藝術家的經營過程中，大部分畫廊的獲利皆會被經營上所產生的費用給攤平了，若是畫廊積極地想要在短期內將藝術家推至一定的高度，則光看眼前的銷售抽成是無法填補經營上的財務支出，因此畫廊針對新銳或尚未成名的藝術家，比較是抱持著培育未來新星的態度，並且隨著時空環境變化

註㉖：「巴塞爾藝術博覽會」（Art Basel）是全世界最著名、歷史最悠久的藝術博覽會，是由三位畫廊主恩斯特‧貝耶勒（Ernst Beyeler, 1921-2010）、特魯‧布魯克納（Trudi Bruckner, 1916-2018）及巴爾茲‧希爾特（Balz Hilt）於 1970 年代共同創辦，目前於瑞士巴塞爾、佛羅里達邁阿密海灘與香港皆有展會。

下而進行的策略執行，這種滾動式、且戰且走的決策，不能為畫廊短期內帶來多大的營收，因此近期內培育藝術家的開支，就要透過銷售早期的收藏來填補；未來某日當早期經營的藝術家也成熟後，價格翻了數倍的收藏，又可再一次的作為畫廊財務缺口的大補丹，因此沒有早期收藏或新創立的畫廊，經營上相對而言是辛苦的，畢竟畫廊不能只看經營面，也要看收藏面！

（九）收藏界的影響力

　　畫廊從事藝術產業的資歷與經營模式，是影響其收藏家人數、品質與地位的關鍵，在藝術界風評良好又擅於經營的畫廊主，通常會有廣大的收藏家人脈，畫廊主不僅從事藝術品的商業行為，其看到好的藝術作品也會納入自身的收藏，因此資深的畫廊主本身往往也是重量級的收藏家，透過藝術的推介與收藏，優秀的畫廊主在收藏界也會具備一定的影響能力，而這影響能力也將影響了藝術品的銷售專案成效。

　　著名的金融與慈善家—唐納德‧馬龍（Donald B. Marron, 1934-2019）在國際收藏界是頗負盛名的收藏家，其於 2019 年 12 月因心臟病去世，並遺留下 850件的頂級藝術品，隨後各大藝術拍賣行與商業機構，開始爭相搶奪這批藝術品的銷售權，最後是三間國際知名的巨頭畫廊：阿夸維拉畫廊（Acquavella）、高古軒畫廊（Gagosian）和佩斯畫廊（Pace Gallery）搶得了這份銷售合約，這批超過 4.5 億美元的收藏品為何是畫廊搶得了銷售權合約？主要是因為這三間巨頭畫廊，對於這批作品的評估價值較高，並提出更為完善的出售計畫，加上這三間巨頭畫廊背後所擁有的收藏界影響力，成為了他們爭取合約的助力；因此畫廊在收藏界的影響力，不僅是可作為評估畫廊規模的指標，也成為了藝術銷售專案的考量之一。

（十）藝術圈人脈資源

　　當代藝術的發展本身是一場運動，透過藝術理念的種種實踐方式，來宣達這場運動，擁有著相同理念的藝術家或商業機構，自然而然的會聚攏並組織成團

體，在這個運動的發展中，有許多的觀念價值是透過：社會輿論、專家意見、收藏大眾、學術研究者與產業角度等，反覆的辯證與梳理下才會有一個論定，而最終的結果會反映在藝術史或藝術市場上。

藝術家成功的過程就猶如羅馬建築的搭建，每根羅馬柱都成為了奠定藝術家的成功基石，要到達成功彼岸的藝術家，並非是僅靠創作就可以成就，還必須經營藝術世界這個外部環境，歷史悠久的畫廊其人脈不僅在收藏界，同時在藝術的學術圈、藝術家及藝術機構等，皆有一定程度的交情，畫廊為藝術家搭橋，也同時為藝術家串連資源，這種資源的需求，不僅是藝術家追求學術與歷史地位的問題，這也是藝術市場競合策略的問題。

人脈資源的重要性，並非是指認識誰最重要，而做什麼事卻是次要，藝術家的創作與畫廊的經營當然才是核心的關鍵，這裡談的是一個「成功關係網」的概念，沒有核心競爭力卻圖有人脈關係，是沒有助益的，但具備核心競爭力的人，卻是需要周圍的人們協助才可成功的，擁有了越多圈內資源的畫廊，同時也會是具有規模的畫廊。

（十一）大型專案能力—過去合作案例

由於收藏家大部分屬於擁有高資產，並對生活品質有高標準與高品位，因此近年來也有許多知名畫廊或藝術家，與高級精品、時尚、超跑、遊艇、高端房地產、高端金融機構、品牌酒商、私人俱樂部等有跨界合作，藝術產業的行銷範圍已經擴及到各種高端產業，即使是停留在藝術產業內的展覽活動，也有日趨專業、大型與新穎的走向，畫廊過去只要把展覽辦好，用心的推薦藏家圈，就可以算是功德圓滿，但與時俱進的畫廊產業已經與以往不同了，不僅在實體與線上的門市都要經營，還要重視藝術產業的內部與外部關係，台灣近 20 年來也發展了，以大型專案來經營畫廊的模式，而是否能夠執行大型專案的能力，及過去曾經有哪些大型專案的背景，則是評估大規模畫廊的重要指標。

（十二）旗下經營或代理過的藝術家

　　每間畫廊都夢想著旗下簽約了眾多的明星藝術家，將畫廊旗下的藝術家群打造成夢幻明星隊一般，但明星藝術家卻是萬中選一，且需要長期的經營才能夠成就，假使畫廊過去所曾經營過的藝術家，有朝一日成為大師並被圈內人士所景仰，而曾細心經營藝術家並推展作品的畫廊，不僅可以享受光榮的名譽，也可以享受辛勤耕耘的成果，這一切的經營歷史，也將成為了藝術圈內廣為流傳的美談。

　　對於藏家而言，曾經因為畫廊推薦而收藏的作品，如今身價翻了數十倍，不僅在經濟上獲得收益，跟畫廊的關係也就好像共同見證者般，不僅見證了時代下的大師誕生，同時也證明了彼此的眼光，未來畫廊只要以眼光保證藝術家的未來性，收藏家肯定也是有極高的意願來收藏，這種與畫廊互動的良善循環，同時也是藝術推動信念上的循環論證，不僅因為經營出好藝術家而成功，也因為成功而能再次的經營出好藝術家，這正是為何畫廊的事業經營如同倒吃甘蔗般，越吃越甜的緣故，透過早期的耕耘就可以讓後期的口碑，不僅得到應證，還可以回饋到經營面向。

（十三）畫廊品牌價值

　　品牌（Brand）指的是名稱、標誌、圖案、精神象徵與價值理念，相互結合下所提供的商品與服務上品質的體現，每個品牌都需要找到其定位，因此畫廊的品牌價值就是透過定位與長期的耕耘而誕生的，品牌價值屬於無形資產，它與市場領導能力、發展穩定性、全球發展性、藝術圈地位、熟悉度、忠誠度、品質感知度與品牌聯想等有關；一個畫廊長期的展覽與藝術作品給人的感受都是有品質的，就會讓人覺得畫廊的品牌富有價值感，畫廊的知名度與風評都受人讚許，也同樣是代表畫廊的品牌良好，甚至是合作端的藝術家與顧客端的藏家忠誠度高，也象徵著畫廊的品牌價值，因為這些所有的一切不僅是經營面向上的反應，同時也是代表著畫廊的文化理想。

　　藝術的商業行為無疑是一種「品牌戰爭」，收藏家看重的不僅是藝術家與作

品牌價值，也看重畫廊的品牌價值，近年來藝術圈出現了一個新名詞—「藍籌畫廊」（Blue Chip Gallery），類似於金融圈的藍籌股一般，代表著市值高、獲利能力好、活躍度高且有著重要支配能力，而藍籌畫廊也就是類似於藍籌股的公司，這些畫廊因為品牌優良且具有指標性，因此成為了藝術圈關注的對象，無論是經營上的創新能力，抑或藝術理念推動的使命感，都讓藍籌型的畫廊掌握了藝術圈子的話語權，並且成為了畫廊經營的理想典範。

（十四）經營畫廊的創新能力

　　畫廊事業之營運若以永續經營之觀點，實在是需要經營與收藏並重，現代環境的藝術市場與早些年相較，模式不斷的改變，而營運上的進入障礙也不斷地被拉升，市場潮流變化的敏感度與畫廊主的直覺性及經驗值有關，趨勢先機的主導權則與行動力與企劃發想能力有關，如同武俠小說般的劇情，若能獨得倚天屠龍則「號令天下，莫敢不從」，在過去藝術內涵的豐足程度，可能是畫廊經營成敗的關鍵點，而今日的畫廊除了要熟識過去的經營之道，對於營運模式的創新能力，也成為了永續競爭力的關鍵。

　　其實在各行各業都存在著一些遊戲規則的制定者，透過他們在商業模式上的設計，去影響到整個產業的營運生態，舉例來說：遊戲產業中的「虛幻引擎」（Unreal Engine）巨頭公司 Epic Games，因為擁有了眾多的核心技術，因此成為了遊戲產業的「規則制定者」，許多重要的遊戲與動畫公司，都是使用他們的虛幻引擎來開發產品，這些公司運用了 Epic Games 強大的 Nanite 與 Lumen 運算技術將複雜的場景、幾何造型與移動光源的運算發揮到極致，而這些遊戲與動畫公司不僅仰賴其技術，也願意讓 Epic Games 對於其推出產品的市場收益進行分潤。

　　在畫廊的產業中，也有類似前述所說的商業模式或規則制定者，有些「具有歷史背景」的畫廊，透過過去的收藏與經營歷史，來與藏家深度合作；有些「具有科技背景」的畫廊，透過資料庫、系統的建置與網路行銷，來增加核心運營的

能力；有些「具有媒體背景」的畫廊，則透過以往媒體宣傳的模式與資源，來進行藝術家與畫廊的傳播；過去是「藏家背景」的畫廊，則透過以往的收藏人脈，建立自我畫廊的品味與影響力，無論這些畫廊的核心價值為何，勢必也希冀在現有資源的優勢上，影響這個產業的結構，提高營運上的進入障礙（Barriers to entry）以避免被競爭者模仿，並透過創新能力與競爭優勢來改變產業結構與營運模式。

　　畫廊的經營模式有屬於多角化的經營，如：展覽、文創、餐飲、實驗空間、經紀、創作體驗、講座等，經營面向的綜合運營，但也有屬於垂直整合的經營，如：畫廊、美術社、裝裱商、拍賣公司、藝術經紀公司、藝術策展公司、藝術運輸與佈展公司等，一條龍式的垂直整合，當然大部分的畫廊還是以純粹又專一的經營模式為主，畢竟畫廊平日的工作除了館內展覽，還有許多的藝博會與外展，除了藝術行政外，還有出版與藝術經紀，時常要注意與藝術家及收藏家的互動關係，而工作的範疇又多元又細膩，畫廊不僅要顧好傳統上的工作項目，還要具備創造與突破的創新能力，實在是不容易。

五、畫廊與藝術家的合作關係

（一）默契約

　　在台灣發展藝術產業的茁壯過程中，早期的藝術圈大部分的藝術家雖與畫廊長期合作，但大部分皆是沒有正式的紙本合約，藝術家與畫廊之間的互動與承諾關係，時常處於一種一言九鼎、互相協調的狀態，藝術家與畫廊間都以文化人為榮，雖有商業行為，但雙方也恪守本分，演變至今日也有許多藝術家與畫廊間的長期合作關係，是本著雙方對於彼此藝術理念追求的互相尊重與信任，而許多畫廊與藝術家間的緊密合作，最初期也是從默契約開始，在保有彼此的彈性過程中，彼此磨合個性並且找出合作模式；而在尚未簽訂任何正式契約前，也可以透過藝術展覽、博覽會、藝術活動、寄售作品等合作關係，來擬定合作意向書，若

是一些小項目的合作皆順利，則經過雙方協議後轉為正式的合約。

（二）一般代理約

　　通常藝術家要將多數的作品委由畫廊作為銷售之代理，會簽訂「寄售合約」或「寄售單」，約定多久時間內畫廊擁有此批作品之銷售權，此即為一般代理約，只是一般代理約並沒有在合約內容約定，對於藝術家某段時間的市場銷售擁有獨家權，因此藝術家有時候會與多間畫廊簽訂一般代理約，此種合約方式給予了藝術家較多的自由度，也可從中找出適合長期合作的畫廊，但同時間與不同的銷售通路合作，比較容易在遇到收藏家特殊比價時，由於通路間的客戶衝突而產生削價競爭，進而破壞了藝術家作品的市場行情，因此一般代理約需顧慮到跨地區別的通路分配，以保障畫廊及藝術家的商業利益平衡。

（三）期間展覽約

　　此種合約的內容通常是限定藝術家未來某段時間的作品，皆必須為指定的展覽而進行創作，因此限定作品必須累積至一定數量以供展覽或銷售，且尚未曝光之新作的比例應該要佔比多少，都會詳細記載於合約內；通常合約內容會明訂：展覽時間、展覽場地資訊、目標件數／尺寸／媒材／系列、相關的活動執行義務、抽成比例、成本分擔比例、圖錄文宣製作、媒體宣傳、運輸保險、包裝模式、裱裝與台座、行銷模式、付款約定、智財權授權、延長銷售權等，此種合約的精神即是為了保障展覽之品質，並符合預期規畫，基於維護雙方之財產與名譽上的保障。

（四）獨家代理約

　　即是獨家的代理藝術家之合約，除非有特別約定外，否則在合約期間內所有創作的作品皆必須透過簽約之畫廊代理銷售，且若是合約內容有涵蓋到過往舊作，則於合約期間內也不得私自銷售過去之作品，以免造成銷售權的爭議；獨家代理介於一般代理與獨家經紀的模式之間，可以避免通路衝突所產生的削價競爭，也讓藝術家獲得長期且獨家的市場推薦機構，這對於畫廊與藝術家雙方，是

一種共同的保障。

（五）獨家經紀約

　　獨家經紀與獨家代理的合約，都稱為「行紀契約」，即是畫廊擁有獨家的銷售權利，只是通常代理的部分，只限於作品的銷售權利及行使銷售時會需要的權利，但經紀約則是以經紀藝術家的精神而擬定的合約，其中不僅是包含作品、智慧財產，還有包含藝術家個人品牌的經營，因此藝術家的形象包裝、活動出席、IP 授權、出版、藝術活動經營、媒體採購、品牌經營、市場定位與市場營銷等大小事宜，都是透過經紀人代為洽商。

（六）項目性合作

　　除了藝術家代理外，通常藝術家也可以選擇與其他機構單位，進行不同種類的項目性合作，國際上最頂級的藝術大師，通常也比較難與畫廊簽署獨家的經紀約，因為這些藝術家的創作計畫遠大，如果被畫廊綁死了，容易產生創作上的束縛，且頂尖的藝術家內部工作室人員眾多，創作計畫的預算也非常巨額，通常也不是一間畫廊所能夠承擔的。

六、藝術市場四大特性

　　藝術作為一種商品而形成的市場結構，以馬克思（Karl Marx, 1818-1883）資本論之觀點，藝術品具有兩種價值，使用價值與交換價值，其中「使用價值」可以被認為成：美學欣賞、裝飾美化、身分象徵、品味暗示、研究分析等，多種用途；「交換價值」則指的是透過市場的交易而產生的金錢價值，因此藝術品有種行情價格，會隨著藝術市場的特性而有著金錢價值的兌換；基本上藝術市場是經濟與文化的相應行為，針對藝術市場的四大特性分別說明如下：

（一）資產配置

　　資產配置即是將資產分配在不同的領域上，其目的可能是提高報酬、避稅、資產管理、降低風險與拓展資產領域，而「金融商品」、「房地產」與「收藏品」，

此三大項目則是從古自今，高資產份子進行資產配置與投資的重要項目，其不僅是一種合理的資產分配，同時是一種投資面向的廣度，尤其是高資產份子在高端社交圈中，這三大領域的觸及是相當必要的，其中收藏品代表的不僅是高資產象徵，也是高文化象徵。

　　資產配置主要取決於四種因素：投資目標、可承受風險、投資期限與投資者年齡；以藝術收藏品而言，其投資的標的即為藝術品，而藝術的產品之獨特性，使同樣的藝術家，作品價格卻在二級市場上有高有低，因為每件作品都是獨一無二的，因此選擇藝術家的精品之作，就是收藏的不二法門；藝術投資不僅要研究市場交易數據，還需要對於藝術作品之內容與環境上有著理解，因此藝術市場較適合研究型的投資者，而投資期限也是需要針對藝術家的「市場生命週期」，來進行分析，因此投資期間是按照每位藝術家，在市場與創作上的節奏，而有著不同的投資決策；至於風險的追求與趨避，也會反映在收藏作品的選擇上，追求高報酬的投資者，可能會選擇高價但風險較高，同時也高報酬的國際級作品，而追求穩健型的投資者，可能會希望發掘新銳或單價較低的藝術作品收藏，就算未來沒有上漲，也不至於跌價太多；而投資者的年齡較大者，有時也會以藝術品作為避稅（遺產稅）的管道，中國早期的古董收藏界有句老話：「爺藏孫賣」，即是針對這種傳世之寶的收藏概念。

（二）人民素養與品味

　　一個國家人民的素養與品味，會決定這個地區的市場口味，當然也有人認為特別風格作品之市場持續性供給，能藉由審美價值與品味的強烈宣傳，達到刺激市場並且帶動潮流，但這件事也並非是人人可做到，而大部分藝術商業機構都是順應當地的市場傾向，而決定供給的產品類別，當然有時候跨文化的神祕性也會成為一種購買的刺激，因此我所謂的市場口味，並非就一定是選擇目前在市場上

註㉗：「藍海市場」是由《藍海策略》一書中所提之觀念，「藍海市場」意指突破傳統行銷模式而開創出的新興市場，此市場區塊較不會面臨惡性競爭，而與之相反的「紅海市場」則是壓低成本、搶市佔率與大量傾銷等傳統商業模式，就猶如在紅海中廝殺一般。

大量出現的作品類型，有時當然可以另闢「藍海市場」註㉗，選擇相異文化的作品，透過文化距離的吸引力來帶動市場行銷，並做出差異化的市場區隔。

通常一個國家的人民習性，也會影響到創作與收藏品味，以日本而言，由於住宅空間普遍不大，且受到過去極致的手工藝歷史，因此小巧又精美的作品，成為了市場上大眾的喜愛焦點，人民普遍也可以接受小作品中，單位價格較高的定價方式，而膠彩、生漆等媒材也同樣受到大眾喜愛；而韓國的藝術家，則喜愛以突破性的材質來進行創作，因此鐵釘、木料、輪胎、紙質、水晶等過去較少用於雕塑或繪畫上的材質，也大量地被視為作品突破的重要媒材；中國過去由於文化大革命影響，因此政治波普與傷痕藝術之類的作品表達，也成為了 1970 年代末期之後的藝術家創作流派；一個國家人民的素養與品味，除了直接的影響到創作與收藏外，就連藝術活動的參與態度也會差異許多，當一個國家中產階級的經濟富裕時間越長，越能夠培養出國民大眾面對藝術的尊重態度。

由於國家的人民素養會影響到國家的文化競爭力，而現代的社會必須追求精緻與品味，才能夠在美學經濟上獲得成功，因此美國教育界也提出 STEAM 教育，其中 S 為科學（Science）、T 為科技（Technology）、E 為工程（Engineering）、A 為藝術（Art）、M 為數學（Mathematics），其教育目的是順應現代化社會之潮流改變，強調全人教育並且不被機器人取代，因此跨領域、動手做、解決問題的能力、五感學習、生活應用則是其主要的教育精神，這也說明了世界強權的國家，也較過往更為重視藝術教育，台灣目前積極推動文化創意產業，扶植國內軟實力，因此除了導入 STEAM 教育外，各個產業面臨轉型或升級的過程中，也把美學要素列為重要的突破點。

（三）反映國力之變化

藝術市場反應國力變化的主要原因有兩點，其一，係因為國家的經濟起飛而造成了大量的熱錢流入了藝術市場，其二，是因為國家的各方面都在全球中佔有一定份量時，就會希望國家本身的文化也成為全球聚焦的重點，是一種民族精神

與國家競爭力的使然。

　　前述所說的第一點，由於經濟剛起飛的國家過去經濟尚未繁榮，因此只有少部分的高資產族群會收藏藝術品，但經濟起飛後大量的新富階級賺到了錢後，也開始想提升家族的文化涵養，因此開始投入了藝術品的收藏市場；這些新富階級由於過去的收藏歷史並不長久，因此看到精彩、代表與稀缺的作品，較願意以高價來收藏，是一種以金錢換取時間的概念，因此可以在短短幾年內收集到大量的重要作品，甚至其收藏品的廣度與精度，更是超越了30年以上老藏家的收藏，也因為新富階級願意以更高的價格收藏過去藏家手裡的藏品，因此也產了滾雪球效應，有更多精彩作品被第二級市場交易，而收藏品會增值的這件事情，也加速了收藏藝術品的風氣。

　　至於第二點，民族精神與國家競爭力的使然，有些是國家政策的文化大戰略，基於國家的經濟、軍事、政治等方面，有強盛的地位，因此於文化面也希望能強盛，因此努力的鼓勵進行文化輸出，同時帶動了本國藝術家被國際市場接受；而有些則是企業家的愛國精神，對於本國藝術家的支持與情感連結，造成了對於本國藝術作品的喜愛，不僅大量的收藏有共鳴的藝術作品，部分的大收藏家也成立私人的美術館或專業收藏空間，不僅於國內收藏有在地性連結的藝術家作品，甚至也到海外各地，將具有國家文化與歷史的重要作品給買回，將散落的海外重要作品逐一帶回家鄉。

（四）反映國家民族性

　　在藝術的領域常被探討的兩個議題，「全球主義」與「國家主義」是兩種不同的觀點，在藝術的領域中全球主義是較為開放而又自由的全球觀點，而國家主義則是以各自國家為主軸，並以獨自的國家利益為優先；其實在收藏的領域來看，我們會發現某些國家的民族性較為開放，類似全球主義的觀點般，喜愛收藏各國文化的藝術作品，然而，有些民族的觀點則類似於一種國家主義般，較排斥異種文化，只願意接受本國藝術家的創作內容；以台灣而言，因為過去的歷史有受到

多種民族的統治，因此在文化基因上就較容易接受外來文化，加上海島型國家本身依賴貿易及國際互動，加上台灣人的民族性較為熱情、友善，因此對於異國文化也會抱持開放的心態。

除了買回自己國家的文化外，有時候某些民族也會透過收藏美術史上重量級的作品，來提升自己國家的文化地位；歷史上 1980 年代末期，日本經濟高速成長後開始停滯，當時世界第二大經濟體，正面臨經濟泡沫化的擔憂，許多富豪開始把資金轉買歐洲的印象派作品，並且因為搶購而造成了許多天價的交易紀錄，其實當初印象派發源的法國，當時正趕上一股日本文化的熱潮，許多的印象派畫家也恰好是日本迷，因此印象派作品中也常有日本的器物與文化元素，日本與法國這兩個東西方的國家，在文化上互相欣賞，而文化產物的擁有，也同時為自國的民間收藏提高了文化地位。

七、藝術品四大特性

藝術品是藝術家的創作產物，同時也是整體文化的高度凝練，藝術家將濃厚的文化、複雜的情感、無形的意識與深刻的回憶，去蕪存菁的存置於作品中，使其永久凝結於藝術世界，並手法老練地觸動人心，由於藝術品不僅存在物質性，也存在精神性，因此關於藝術品與一般工業產品的差異性，一直都是為人所探討的，而藝術作品憑依於藝術家，與古董類別又有些許不同，許多的古董類別強調藝術性與歷史性，但卻不強調創作者；針對藝術品的四大特性，分別介紹如下：

（一）獨特性

人類與生俱來就存在著審美上，追求相似與相異的兩種傾向，低單價的藝術作品通常會有著人收亦收或品味模仿的收藏行為產生，但高單價的藝術作品卻是因為每件作品的獨一無二及稀缺性，而讓人著迷的想收藏，而因為極度想收藏的渴望，也讓收藏家願意負擔更多的價格，來換取收藏作品的門票。

藝術創作本身追求的就是一種突破，基於這個精神創作它必定就是追求絕無

僅有的作品誕生，在造就絕無僅有的作品過程中，藝術家的價值性才會彰顯，因為要追求創作上的突破不僅煎熬還需要天賦，在生活上藝術家有別於世俗的生活型態，是令人嚮往的，在創作上藝術家有別於世俗的堅持，是令人尊敬的；有別於工業產品的制式規格與單調統一，人們更喜愛收藏獨特的手作藝術，因為少了大量性引發的單調感，會讓人特別的想珍惜，因此特別又獨一無二的作品尤其是令人喜愛。

（二）稀少性

　　稀少性又稱為稀缺性（Scarcity），其在於經濟學上的概念，是指個人或社會上的資源供應無法滿足多數人類的需求，因此產生了無法普及與需求大於供給的情況，而藝術品由於是人工製品，因此難以量化，也因為追求突破，更是讓產能大量縮減，由於是透過人工或縝密思緒的創作過程，因此藝術品與其他的工業產品相較，是極為稀缺的。

　　英國政治經濟學家—大衛‧李嘉圖（David Ricardo, 1772-1823）認為：「有些商品的價值僅僅是由它們的稀少性決定的。勞動不能增加它們的數量，所以它們的價值不能由於供應的增加而降低。屬於這一類的物品，有罕見的雕塑和繪畫、稀有的書籍和古錢，它們的價值與原來生產時所必需的勞動量全然無關，而只是隨著希望得到它們的人們，不斷變動的財富和嗜好而一起變動」，藝術品並非是按照材料、工錢與時間成本來定價，而是以藝術的價值來換算，但二級市場的作品，卻有著不同的市場機制，因為越稀少且越多人想要的作品，會因為供給與需求的極大差距，而反映出成交的高價。

（三）無形性

　　藝術作品雖然有形，但藝術的價值卻是無形，藝術作品的價值透過媒材與形式的手段而得以顯現，且藝術家在作品中注入了技術，也注入了情感內容，作品的整體不僅可分為表層與深層、形而下與形而上、有形與無形、可量測與不可量測等，作品的部分與整體更是不可以分割，因為少了這些表現與創作手段，藝術

作品的內涵就無法被承載，因此內涵的無形性實際上是依附在有形之中。

　　藝術作品的欣賞，可以透過分析、思考、體悟、感知等種種方式來認識作品，但越深層的欣賞作品，則越容易發現作品內涵，並真正深度感受作品的內容，且越是深度感受，其感受的對象越是無形，舉例來說：一幅具象的繪畫作品，透過媒材與藝術家的表現而傳達出一種美感，這個美感可能來自於畫中的用色、構圖、物件、光線氛圍等，以形式層面來呈現，但另外的一種美感，可能是來自於一種畫面背後的情境與故事背景等更深層的內涵，因此光談一種美感的呈現，可能就有不同的層次，而通常越是深層，則越是有藝術價值的部分，並且是存在於無形之中。

（四）流動之特性

　　藝術作品在於市場上的特性，有別於一般的商品，金融商品也許是在交易所中完成交易，但藝術作品的交易與移轉不僅可以透過公開的平台（如：拍賣會）來交易，也可透過私下的轉售而交易，其作品交易的監管與流向較為神祕，同時也需要買家的專業素養。

　　前節所說的幾項投資物的變現與流動速度，普遍來說金融商品比房地產要快，房地產又比藝術作品要快，這是由於參與市場的人口比例造成的，且藝術作品的價值認定較為主觀，交易基準也較少公開，並非是人人都有門路可以參與市場，尤其又牽涉到收藏家的個別屬性，例如：收藏意圖、收藏的情感與意義、收藏回憶、個人的意象生成等，因此難以用公開透明又具有指標的方法，來進行嚴謹的價格認定，只能夠以一種類比的方式，配合市場價格波動來進行估價，而買賣雙方的交易成立，也並非就可以套用到其他交易而成為參考，畢竟前述所說的獨特性，也代表著每件作品的價值都不一樣。

八、藝術體驗四大特性

　　談論到藝術體驗這件事時，我想先引述科特勒（Philip Kotler, 1931-）與安

瑞森（Alan R. Andreasen, 1934-）提出的「產品的五個層次」來解釋藝術體驗，其提出的五個產品層次分別為：核心利益、基礎產品、期望產品、附加產品與潛在產品，透過其提出的不同層次，我們發覺藝術的體驗也能夠有四層：藝術體驗的本質、有形層次的體驗、延伸性體驗與潛在性體驗；「藝術體驗的本質」即是藝術內涵所富含的價值，能夠撼動觀賞者情感的部分，比如作品內容的觀念與情感，而這些價值的所在，則取決於觀賞者的興趣及情感取向；「有形層次的體驗」即是用來包裝或輔助傳遞前述所說的藝術內涵，比如作品的表現形式、框架的搭配、策展的概念、展覽的呈現、現場氛圍、人員接待、場地因素……，其實也就是關注於品牌的經營；「延伸性體驗」即是讓藝術體驗者留下更深刻印象的體驗方式，比如展覽的文宣、圖冊、票根、紀念章、文創商品、展覽之影音、作品之討論、藝術餐飲、購買作品的賞析、作品的外箱……，透過包羅萬象的延伸體驗，讓觀賞者能夠讓藝術體驗的感受更延長、更持久，以加溫藏家對於畫廊旗下之藝術家的熱愛程度；「潛在性體驗」即是更為延伸的升級服務，也是許多畫廊／藝術機構在經營高端客戶時，會特別著墨的部分，例如：收藏家俱樂部、藝術旅遊團、鑑賞會、收藏交流會、藝術公益活動、獎項活動、組織協會、尊榮會員服務……，透過一種非核心的藝術活動，來創造更高的附加價值，也透過這種附加價值來加深客戶的忠誠度。除了上述提及的藝術體驗的四種層次外，藝術體驗也有著四種特性，分別介紹如下：

（一）無形性

　　藝術的體驗並非所有都是建立在藝術收藏上，也包含展覽參觀與其他的藝術活動涉入，因此藝術的體驗可能僅是一種單純的藝術參與，並無商品的買賣行為，但即便是藝術的收藏，也並非是以秤斤論兩的價值觀去評析一件藝術作品，因為藝術作品最核心的內容是無形的，也就是作品的精神與靈魂，也許一件精雕細琢的寫實雕塑，讓人感受到藝術家的鬼斧神工，但僅以作品的技法與投入時間來評估一件作品的價值，卻是偏差的，因為許多作品蘊含的內容都是無形性的，

也並非是以材質的成本來估算，所以即使是在收藏一事上，藝術的體驗還是無形性的體驗。

（二）不可分割性

作品的核心價值雖然是無形的，但它卻必須與作品相依，如同之前章節介紹過的藝術作品三種層次：材料層、形式層與意蘊層；以一件平面繪畫來說，沒有材料層的承載是無法表現作品的形式，雖然作品是依靠眾多的材料（視覺材料、媒材）組構起一個完整的形式，但沒有最後的形式，去組構出具有獨特個性的完整之象，個別的材料也將不具有價值，而沒有材料層與形式層作為一種創作表達的手段，更是無法傳達出藝術家的深刻情感，因此作品的意蘊也會索然無味，在作品中的各種部分不僅是不可分割，藝術的體驗與作品的價值也是不可分割。

（三）異質性

世間萬物的本質存在著同一性或相異性，此種所稱的本質上之相異性即是異質性，也就是說每件作品或每個藝術創作者，獨一無二的本質特性，會造成我們藝術體驗的相異，每件作品的特性與內涵不同，我們當然就會以不同的審美角度去感受作品。

除了每一件作品或藝術家都不相同，每一個欣賞者的過去背景、個性特質、知識水平、品味傾向等，都不會完全相同，因此儘管是一個相同的展覽中，不同人在其中所進行的藝術活動參與，藝術體驗的部分皆會不相同，此即為藝術體驗的異質性，而當同樣的一批作品與不同的策展人合作時，當然因為有了不同策展人的概念參與，帶領大眾進行藝術活動的方式也會不同，因此主／被動的藝術體驗也更是不相同。

（四）易滅性

由於藝術體驗時常是一種價值的傳遞，透過「作品」與「藝術活動」兩者合一的整體過程，使人得到一種藝術體驗的獨特感受，這種感受會使人愉悅，但這種愉悅的感受，卻有別於飲食、運動、競技等，且同時這種愉悅的藝術體驗感受，

因為與「藝術價值」的不可分割，也造成了藝術體驗的易滅性，尤其是在與作品無法對話時，或與作品對話的管道失去時，即會中斷了與作品內涵價值相遇的過程。

在此小節最開頭所介紹的藝術體驗四種層次，以「有形層次的體驗」為例，藝術的體驗除了作品本身，與周圍環境、展場氛圍、人員接待、策展概念等，也有著強烈的關聯性，即使是有好的作品，也並非就能給予藝術體驗者完美的審美經驗，還需要靠著前述的這些有形層次體驗的要素，才能夠給予藝術大眾，一個完美又富足的藝術體驗過程。

以藝術作品的收藏來說，許多藏家在展場內相中的作品，購買後帶回住家欣賞，但由於場域改變，當初作品令人怦然心動的感受，也許也會因為時間距離而開始淡化，因此許多的藝術機構除了開立保證書外，其他輔助的行銷工具或作品的賞析文案，也會一併給予收藏者，以幫助作品的擁有者持續地，保持對於作品喜愛的程度，更方便讓作品的主人可以向其他的朋友介紹。

九、體驗的藝術與價值的傳遞

以產業行銷學來說，企業著重於產品的價值，一般而言產品分為兩種，即是商品與服務，以畫廊而言，其主要的營收來源為藝術品的銷售，而藝術品卻有著前述所說的四大特性，尤其是價值無形性的部分，這與其他產業的產品差異最大；美術史上的藝術價值雖然有泛普遍性的定論，但也有個人主觀的鍾情因素，無論價值的產生與認定為何，藝術品都不會是一種以有形計價的普通商品，且藝術也同時伴隨著高度的服務價值，無論這服務的價值，是欣賞者透過審美藝術品而得到的享受，又或是畫廊人員於導覽中帶領欣賞者去體驗作品的旅程，它都需要一種不被打擾，專心投入的體驗過程，當觀賞者沉浸在藝術的體驗中，才能夠充分地感受藝術的價值。

畫廊帶給人們的藝術體驗中，最重要的項目主要有三種：首先，是「藝術作

品的導覽」，即是針對展出的作品及藝術家，進行一種帶領式的藝術體驗，這不僅是畫廊對於藝術愛好者提供的服務與回饋，導覽也成為推薦作品中最重要的環節，導覽者有時就像是導遊一般，好的導遊能夠讓旅途充滿回憶，並讓人盡情的享受，不好的導遊卻能夠讓旅人如坐針氈，給人一種不舒服的體驗，導覽的目的就是要讓人們帶著美好的藝術經驗回去，這如同我們聽到一首歌曲，會憶起第一次聽歌時的當下心情，因此在給予客人藝術體驗時，我們也要讓他有美好的回憶，無論是在導覽的精彩度、策展的專業說明、解答疑問或環境的舒適度上，都要給予最完美的感受；其次，是「藝術世界的樣貌呈現」，這不僅是透過展覽的作品呈現，也包含了藝術的各種活動體驗，許多人之所以熱愛逛藝術展會，是因為唯獨藝術展會，能提供他有別於工作及日常生活所帶來的滿足感，透過參與了藝術的展覽、論壇、開幕、鑑賞會、民眾活動、藝術交流等，皆能帶來前所未有的新奇體驗，藝術是一種無形卻能夠深植人心的體驗，當體驗者欣賞到美，或瞭解到藝術的真正內涵時，會有一種通體舒暢、淨化心靈的感受，若是持續的往精神層面去領略，則有可能達到一種極致的藝術體驗—「高峰體驗」，這是一種有別於其他事物的體驗，是一種趨於頂峰、超越時空、超越身體、超越自我滿足的完美體驗；第三，則是「圈內資訊的交流」，藝術是一種體驗式的產品，無論是實質上收藏的作品，或是藝術機構提供的一種藝術服務，它都需要透過體驗來完滿，以收藏行為而言，藏家不單是考慮到作品的藝術內涵，也同時想瞭解市場機制與發展性，因此透過藝術圈內資訊的傳達與交流，也成為了一種參與藝術形塑的過程，收藏家透過藝術圈子內的作品收藏與資訊傳播，實際的參與了這個藝術世界。

專業的收藏家，把逛藝術展會變成一種美好的「生活風格」（Lifestyle），讓藝術的環境充分地滲入到生活，佔據他人生中一大部分，同時也期望著這個美滿的環境中，帶給他獨一無二又愉悅的感受，在這種生活形式的追求中，藏家享受到了舒適的藝術互動環境，並且透過收藏也成為了富有使命感的文化份子；在

我們瞭解到專業藏家的想法時，我們似乎就不難理解，為何許多的社會菁英即使在事業上非常有成就，卻還是希望能沉浸在藝術的環境中，因為藝術的環境是那麼樣的舒適且動人，似乎就是現代人最佳的理想天堂，藉由體驗而認識了藝術，也藉由價值的傳遞而參與了藝術。

Chapter

2-2

藝術經紀人的工作內容

克林姆（Gustav Klimt）的名言說：「藝術是個人思維周邊的線條；我想加一句『藝
術是把大家齊聚一堂的方式』。我認為當代藝術就像一則愛情故事，始於熱愛。」

—伊萬・沃斯（Iwan Wirth），知名畫廊主

藝術家創造作品，畫商創造魅力；這麼說有點幼稚，卻非完全不實。

—約翰・卡斯敏（John Kasmin），英國著名畫商

隨著台灣藝術產業的成熟，結構化的分工與產業機制的完善，逐步提升台灣的文化競爭力，以產業面而言，需有各種行業角色，使產業鏈的各項價值活動專精化，並提振產業經濟力；過去只有畫廊才有簽約藝術家的範式，如今產業內有著眾多獨立的經紀人誕生，甚至也產生了藝術經紀人的協會組織，因此隨著台灣藝術產業在國際上，規模化、高度化、成熟化、結構化與專精化之下，藝術經紀人的工作內容也越顯重要，此章節與各位讀者分享，藝術經紀人的工作內容。

一、藝術經紀人的定義

藝術經紀人─顧名思義是以經紀藝術家為本職工作的行業，依照 1995 年 10 月 26 日，國家工商行政管理局頒布《經紀人管理辦法》指出：「本辦法所稱經紀人，是指依照本辦法的規定，在經濟活動中，以收取佣金為目的，為促成他人交易而從事居間，行紀或者代理等經紀業務的公民，法人和其他經濟組織」，因此，個人可以是經紀人，藝術團體可以是經紀人，畫廊也同樣可以是經紀人。

但藝術經紀人與金融、保險、證券、期貨、科技、房地產等經紀人不太一樣，首先，上述幾項行業的經紀人皆有專業培訓與專業考核，但目前國內較缺少具公信力的藝術經紀人「認證制度」，而大部分的國際知名藝術經紀人，都是因為其出奇制勝的經紀能力，把默默無名的藝術家經營成大師，而後才開始變得知名；其次，他不只是單純地以市場交易商品，或為買賣雙方提供服務如此的單純，他比較類似於藝人經紀或體育明星經紀，需要處理藝術作品以外的相關事宜，也就是有全方位的「經紀工作」內容，例如：活動出席、作品授權、策略合作、藝術家品牌經營、大型專案執行……，簡單來說藝術經紀人除了代為處理藝術家創作相關的商業行為，也負責藝術家本身品牌的經營；第三，除了商業行為外，更需要有「文化使命」，畢竟文化產業為何在社會上受到大家的尊重，是因為這群文化產業的貢獻者，有著承先啟後的重要使命，他們將生命貢獻給文化，而文化與經濟、政治相互作用，他不僅凝聚民族性，也展現民族的生命力，因此有文化使

命的藝術經紀人，努力開拓的不只是自身的藝術家，也帶動整個本土文化圈受到
國際的認同。

二、藝術經紀人所需具備的十大要素

相較於藝術市場的悠久歷史，藝術經紀人的重要性提升與行業崛起大約
是在 19 世紀，當時新型態的藝術經紀人在經營面向上，與過去的傳統畫商有
著很大的差異，而西方藝術經紀的發展形成時代，恰好與行銷學的發展時代
也相去不遠，他們透過行銷策略與品牌經營的方式，成為了「品味創造者」
（Tastemaker），並成功的在藝術產業席捲風潮，較為著名的藝術經紀人有：
雷奈‧詹泊爾（Rene Gimpel, 1881-1945）、康維勒（Daniel-Henry Kahnweiler,
1884-1979）、利奧‧卡斯蒂里（Leo Castelli, 1907-1999）、保羅‧杜朗‧盧埃
爾（Paul Durand-Ruel, 1831-1922），這些新型態的經紀人，不僅將印象派與其
他現代主義推向了頂點，同時也開啟了經紀要素與策略的發展時代。

以創作者的長遠目標而言，藝術家要在藝術的世界中存在，則必須在創作上
投入心力，且同時經營藝術之生態環境，藝術分成內部環境與外部環境，以內部
環境而言大抵是與創作有關，而外部環境則是與藝術圈的生態有關，這兩者是必
須同時經營的，如此一來才會被藝術世界所接受，藝術家與其作品才會被認可；
藝術經紀人經營的不僅是藝術市場，同時也經營藝術價值，藝術在傳播上就如同
宗教或信仰，在實踐貫徹時就如同意識形態，而在經濟實現上就如同企業運營，
因此不僅需要目標也需要經營手段，針對經紀藝術家並達到長遠目標，所需具備
的要素有以下十點：

（一）眼與手的能力

全世界所有傑出的藝術家，無論其是學院派的藝術家或是無師自通的素人畫
家，也無論他是在幼年即展現高度天賦或是大器晚成的藝術家，所有的藝術家必
定經歷市場初期剛萌芽且價格低廉的時候，無心插柳柳成陰，許多的收藏家以無

欲則剛的收藏心態收藏了物美價廉的藝術品，有天大眾的審美品味忽然覺醒，過去所收藏之藝術家作品，變成了人人爭相追逐的市場尤物，人們開始追尋藝術家出道的源頭，因此當初發覺藝術家的經紀人，也成為了著名的藝術星探，代表這位經紀人具備了「眼」的能力；能夠在藝術的世界中證明自己的眼光，是所有經紀人的共同目標。

至於「手」的能力，則是把好的藝術家經營至顛峰的狀態，其需要有短、中、長期的階段目標，不僅要在產、官、學、研、藏打通關，且這種能力還需要不斷地創新，也許過去只要在美術館及一、二級市場上的經營，就能夠得到一定的成果，但藝術圈內人才濟濟，經營藝術家的模式很容易被複製，而當大家都在做同一件事情時，藝術家就難以跳脫出來，因此持續地在經營模式上創新，並累積關鍵資源，發展能把關鍵活動做到位的技術，才能充分發揮「手」的能力。

畫廊同行之間不僅會有二級市場的作品流通，同時很多畫廊也會互買彼此正在經營的藝術家作品，由於同行間信賴彼此經營藝術家的能力，因此互買主力經營的藝術家作品，不僅可以促進同行的公關情誼，還可以省去自主經營的成本與心力，畫廊不僅是藝術市場的經營者，本身也是不可忽視的收藏機構，因此一間畫廊如果可以做到同行都要來跟你買作品，則這間畫廊也證明了自己眼與手的能力。

（二）對於藝術的熱情

每位創業者在投入一個產業前，勢必會問自己一個問題，為何我要投入這個事業，是什麼樣的一個起心動念，導致了我們對於一件事物的熱情與使命感，熱情就如同信仰般，他能激發正面思考，掃除我們所有負面的情緒，讓我們能夠珍惜每一次的機會，熱情能夠讓我們有更高的抗壓性，即使遇到挫敗的事情也能使我們心境轉念；藝術工作者想要成就一件事物的感覺，就像是每日辛勤工作的蜜蜂，所有巢內巢外的勞務工作全都是由工蜂所負責，外勤工蜂除了要採集花粉、花蜜，還要抵禦外來的侵犯者，內勤工蜂則要建造巢房、清潔蜂箱、飼育幼蜂、

搬運死蜂、清除廢物、裝卸花粉、釀製花蜜等，所有的雄蜂、蜂后與工蜂，共同的目標皆是生命的傳承，也如同藝術的從業者共同去成就一份志業的感覺，是種文化的傳承，其實藝術的經紀人不僅要有工蜂精神，還要有一顆對於藝術熱情的心與破釜沉舟的決心，透過熱情與使命感來驅動工作，讓工作也成為一種志業，並且設定屹立不搖的決心，這種決心如同藝術家選擇走上創作之路般，是沒有退路也沒有其他選擇的，而創作路線的設定也就猶如古代的海洋探索，在沒有科學儀器也沒有航海圖的時代，海洋的探尋就是航向未知的航線，從來沒有人走過的路線，才能夠造就獨樹一格的創作，但孤身的航線是孤獨且驚險的，唯有破釜沉舟的勇氣及堅定不移的信念，才能在遭遇挫敗與猶豫的時候，具備高強度的勇氣來進行困難的決定，藝術家尚且如此，而成為藝術家的經紀人，更是需要如此的信念與勇氣，且憑藉著對於藝術的熱情克服每一個關卡。

（三）懂得如何經營藝術的圈子

　　所謂的圈子就是同樣類別屬性的一群人，可以透過聚會的方式或共同參與活動，來達到資訊對接、相互合作與友誼聯繫的團體，在參與藝術圈的過程中可以即時感受到圈子內的文化環境變化，而業界人士也會在參與的過程中瞭解最新的藝術脈動與市場情資，同時將近期的消息散播到業界，因此圈內人士無論是創作者、學者、媒體、商業單位、研究單位、社團組織、收藏體系等，都可以透過圈內來傳遞訊息以達到傳播之目的；而藝術圈其實有些迥異於其他圈子，它更重視文化的涵養，因此在圈內的各種角色，其共同語言與共同素養都脫離不了文化的內涵，以商業單位而言，無論是畫廊抑或拍賣公司，在進行商業活動的同時，也必須具備文化的涵養，因此客戶經營、展覽呈現、商業運作等，除了細膩度外也重視文化的注入，如此一來在圈內的風評才好，個人品牌也才具有價值。

（四）能掌握藝術圈核心資訊的來源

　　藝術的產業從生產端、經營端到收藏端，除了金流與物流面，還要能夠創造一種文化的價值，而所有的藝術活動都可被囊括在一個國家的文化資產內，這種

文化的資產是部分有形而部分無形的，就好比藝術作品是有形而作品內容是無形，也好比藝術的活動是有形而活動產出的價值是無形，不同地區的文化競爭力，就是從這些一點一滴的藝術活動中累積出來的，而無論是生產、經營與收藏端，對於圈內資訊的掌握則是成功的關鍵，以創作生產面來看，藝術的眼界不夠寬廣則養分不夠，且閉門造車的成果也較難有跳躍式的突破；以經紀與經營藝術家的面向來看，沒有暢通的資訊管道即是沒有資訊流，因此也無法有良善的金流與物流的交換，更遑論是創造文化價值；而收藏大眾在收藏面的資訊來源，可以確保自己的收藏清單有良好的脈絡，並且與時代接軌，吸收美術館與市場的情資後，更可以交換收藏的心得，使得收藏的境界也同步提升。

作為經紀人要理解的就是整個產業鏈的上、中、下游，各層面、各分工的資訊流，如此才能對於同行活動理解，也能讀懂同業們的商業模式，也更好地與藝術家溝通，更能夠滿足收藏家的資訊渴望，這一切的資訊參與，不僅能夠讓經紀人有即時彈性的策略佈局，也滿足創作者與收藏者的關係經營。

（五）要建立經紀人的權威性

藝術經紀人要建立自身的權威性，這裡指稱的權威性，並非是以一種高壓、強勢的溝通方式來與藝術家相處，其實大部分的藝術家都是非常隨性又沒有時間觀念的，所以很難像商業人士般分秒必爭、時時刻刻準備提槍上陣，因為大部分的藝術家隨時隨刻要使自己處在最適合創作的狀態，而職業藝術家平日的創作就已經夠焦慮了，如果不把生活中創作以外的部分放空，則很難把所有的精神集中在創作上，因此藝術家更需要經紀人來為自己做好職業規劃；那麼經紀人要如何建立自身的權威性呢？

首先，必須先建立好經紀人的個人品牌，也就是要具備前面的四種要素，你非但要對於藝術有熱情，還要會挑選藝術家，並且知道怎麼經營不同特質的藝術家，時刻保持著開放系統，發展出藝術圈的情報網絡，並在藝術圈內廣結善緣，如此一來藝術家「認同你」，你才會具有權威性；其次，你必須對於自己的每一

個決策有著精準的判斷，因為經紀人的每一個決策都會影響到藝術家往後的發展，如何在如此競爭的藝海中，讓自己的簽約藝術家脫穎而出，這不只是藝術家的競爭，同時也是經紀人的競爭，如此一來藝術家「相信你」，你才會具有權威性；第三，要有把企劃的內容轉化成實際行動的能力，有句老話說得好：「有想法＋找到方法＋執行力＝成功」，光有著一個念頭，卻無法縝密地規劃好整個策略藍圖，是沒辦法說服藝術家的，而有著良好的企劃，卻找不到執行的方法，也只是紙上談兵罷了，經紀人必須要有著策略面與技術面的支持，排除三心二意才能貫徹目標，如此藝術家「信服你」，你才會具有權威性；簡單來說，經紀人的權威性來自於藝術家認同你、相信你與信服你的三個過程關係。

藝術家追求成功之路與一般的事業不同，大部分的藝術家是沒有退休的一天，也沒有事業交棒的一天，藝術家的事業即是他終其一生全力投入的藝術追尋，並留下許多好作品供後人作為模範，因此藝術家若要成功需有眾多條件必須成立，就猶如一個羅馬建築，底下有著眾多的支柱，每條支柱就象徵一個成功條件，每一個支柱都起著支撐的作用，若缺少其中一支則無法支撐起屋頂，且這每一根羅馬柱都必須同時撐起，若是無法同時滿足每一個成功的必須條件，藝術家就無法進入這美麗的藝術殿堂；沒有辦法建立權威性的經紀人，就像是無法同時建造起每一根羅馬柱的建築師，他是很難幫助藝術家成功的。

（六）並非是助理的角色，而是有高度的領航者

我有個知名的藝術家朋友，多年來一直找不到合適的經紀人，之前曾經有跟一些單位合作過展覽，機會也從來沒有缺少過，但卻始終沒有聽他說起過合作愉快的案例，後來跟他詳談才發現，他跟經紀人相處時常找不到共同的目標，經紀人幫他做的規畫，他雖然不反對，但也時常不安地到處詢問意見，而當有人給他不同的建議，他又會更不安地尋求更多的建議，這種反覆詢問意見的模式，並不能為他下定決心，而人多口雜的結果，也導致他更不知道自己要的是什麼，因此有很多的大好機會都錯失良機，後來我還發現他有個現象，就是時常跟周圍的人

抱怨經紀人沒為自己貢獻過什麼，因此時常把經紀人當作自己的助理來使用，認為經紀人就是要幫藝術家解決生活上的瑣碎雜事，才能讓自己專心創作。

關於這位朋友的情況，其實就是誤把經紀人當成助理的案例，其實經紀人他要做的事情是其他人無法取代的，這樣經紀人才有價值，如果藝術家需要有人代為處理生活上的瑣碎事情，大可以僱用助理或找學生代理，而重要的事情若沒有高度視角的領航者，則藝術家與經紀人合作多年後，還是一樣在原地打轉，藝術家市場拓展沒有擴張，藝術地位沒有提升，經紀人因為沒有把藝術家經營起來，因此儘管損益兩平，卻造成彼此多年的白做工，雙方都沒有獲得彼此想要的東西，這令人氣餒的結局，甚至造成了藝術家與經紀人的互相埋怨。

我認為藝術家既然選擇將自身與作品託付給經紀人，就一定要相信經紀人的策略與執行技術，而經紀人相中藝術家，就要相信自己當初的眼光，在藝術家創作不穩定時也要堅定彼此的信念，持續領航突破困境，要知道上天不會一開始就給每個人一副好牌，而是不管目前拿到的是好牌還是壞牌，你都可以按照目前的現況，給予最適解答（世上永遠沒有完美解答），所以不管目前經營的環境如何，藝術家的創作近況如何，都別浪費時間在抱怨彼此、抱怨環境上，這世上永遠沒有最完美的藝術家與經紀人，只有默契良好、相知相惜的藝術拍檔。

（七）培養藝術家，重要的是給予好的環境

藝術經紀與演藝經紀雖然相似，但演藝經紀對於簽約藝人有歌唱、演戲、表達等的培訓，藝術經紀則較難教授藝術家如何創作繪畫、雕塑、裝置等作品，藝術家並非學習中的創作者，尤其是已經被簽約的藝術家必定是萬中選一的佼佼者，學有所成又已經發展出個人風格的藝術家，要如何能更深一層的突破創作的藩籬，只能透過環境的激發。

首先，經紀人要給予藝術家較不同的觀念，藝術創作者並非總是生活雜亂無章、沒有條理、個性古怪、吹毛求疵、缺乏計畫、不修邊幅等，才叫做有藝術家性格，才能代表藝術家有才氣，如果要成為一個專業藝術家，除了需具備專業的

創作能力外，還需要有提升自己的環境，以創作而言，工作室的規畫是一個直接影響到創作產出質與量的第一要件，一般而言工作室要有：創作區塊、觀賞區塊、圖書區塊、電腦區塊、手稿整理區塊、媒材工具、備料區塊、作品放置、拍攝與倉儲區塊等；工作室空間並非一定要非常大，而是以現有情況把空間的坪效發揮到最大，不同的工作室也會有不同的特性，郊區的工作室接近大自然環境使人放鬆，空間取得成本較低，但交通上的路途遙遠，每次要買材料或參與藝術活動，來回的交通時間會比較浪費，反之，在市區的工作室雖然交通方便，卻較缺乏寧靜放鬆的環境，空間取得成本也較高，較難有大空間可以創作，因此創作產量與尺幅也會受限，工作時空間壓力也會較大；針對藝術家的創作協助，經紀人如果本身情況也允許，可以協助藝術家有良好的創作環境，更能提升產能與產值。

我們畫廊經營過的藝術家，也曾經有訂定一項制度，為我們的藝術家每年設定一些關鍵指標註㉘（KPI），如：創作的質量與尺幅目標、展覽目標、市場銷售目標、藝術活動或講座次數、同／異業合作次數、藝術專案執行、藝術授權合作註㉙等，如果設定的關鍵指標中 10 項能達到目標 6～7 項，且其中有 3 項是基本必須達標項目，我們畫廊就會每年贊助一趟出國旅行，只要你的旅行目的是以藝術精進為目標，畫廊就贊助旅程所需費用，因此無論是觀看藝術博覽會、美術館之旅、藝術駐村、藝術交流活動等，我們都全額贊助；我們企圖以一種正向循環的激勵制度來給予藝術家更好的創作激發，透過旅行來讓藝術家沉澱，同時體驗異國文化，藝術的養分無形地滲透藝術家的心靈，回國後經過反芻，藝術家的創作通常能有更高的突破。

經紀人在給予藝術家好的物質條件時，難免還是會遇到藝術家的低潮期，有

註㉘：「關鍵指標」（Key Performance Indicators, KPI）又稱績效評核指標，是一項數據化的管理工具，透過客觀的衡量目標達成程度，來判斷工作成效與規劃願景。

註㉙：「藝術授權合作」屬於智慧財產權（Intellectual property, IP）的範疇，根據國藝會藝術授權手冊的定義：「藝術作品的擁有者將其所擁有的各種權利授權給想要使用該藝術作品進行複製、衍生生產、再製、銷售等商業應用的契約關係」。

些事情是經紀人無法給予協助的，所以平時經紀人可以透過自己的人脈網絡，為藝術家找尋一些心靈導師，如同性質創作的前輩或其他創作領域的前輩（如：繪畫創作者有時候可以請教舞蹈或音樂創作者，如何醞釀創作的情緒）有時候甚至會讓一些專業級或學術型的收藏家跟藝術家交流，其實透過收藏家的眼光在看作品與市場關係，也能讓藝術家不再陷入單一視點的糾結中。

（八）能文能武，多重角色

　　光鮮亮麗的展覽廳與藝博會，時常是社交名媛與藝術愛好者共同喜愛的舞台，時尚的開幕酒會與眾多的藝術活動，常常讓人嚮往這個產業，總讓人覺得只要穿著體面，且善於交際與分享藝術，就能在藝術市場上得到漂亮的成績，殊不知其實在每次展覽的佈置與事前工作，總是讓人灰頭土臉又心力交瘁，在藝術的展出我們追求高品質的呈現效果，因此使命感催使我們將展場佈置的精美，且於展覽時以專業的儀表、清晰的口條來推薦藝術作品，而展後的撤展、包裝、運輸、倉儲管理與客戶服務，也同樣是一份不輕鬆的工作，藝術家經紀人需具備能文能武的特質，不僅要有專業也要身兼多職，舉凡：行銷企劃、合作洽談、接洽藝術家、尋找資源、洽談贊助、策展、佈展、運輸保險、倉儲管理、藝術行政、業務銷售、演說推廣……，都是無法置身事外的工作，這些工作理解起來是一回事，實際做起來又是另外一回事，如何扮演多重角色並且能文能武，是考驗經紀人的關鍵。

（九）藝術家與經紀人的革命情感

　　台灣的藝術產業透過這30多年來的發展，上下游產業鏈已形成，有別於產業發展初期時，連較特別的美術材料都要從國外帶回，如今各式專業的產業分工也產生了不同的行業，如：佈展包裝公司、專業運輸、專業燈光師、展場設計、平面設計、藝術數據庫、藝術活動公司等，越趨專業分工，且藝術家過去的產銷合一，到今日的產銷分工，代表著藝術產業漸趨成熟。

　　畫家很會「畫畫」，畫廊從業人員或經紀人則需要很會「讀畫」，甚至很會

「說畫」，藝術經紀人的先決條件，是要成為簽約藝術家的知音，因此懂得如何讀畫不僅是客戶在乎的專業內涵，也是藝術家在意的部分，而很會說畫的部分，則是指將藝術家藝術涵養與藝術理念傳播出去的能力，其實經紀人就像是在扮演一個橋樑的功能，也同時扮演一個翻譯的角色；藝術創作是孤獨的且對於未來規劃是難以分心的，要能夠全心力的投入創作，同時又要做好藝術經營的規劃，是相當困難的，此時若是能有使命感相同的經紀人可以互相陪伴、互相扶持，則在藝術奮鬥的路上便不會寂寞。

（十）敢夢、敢想、敢得到

　　藝術經紀人代理藝術家之個人品牌及其作品，時常需要為其創作能量、藝術市場與藝術地位打底，而藝術家品牌形塑的成功，背後是需要團隊與夥伴的後勤支援，且好的經紀人需要具備幾種角色特質：教練、激勵師、分析師與精神伴侶；「教練」的角色可以讓年輕藝術家具備市場機制的基本知識；「激勵師」能讓藝術家於創作與市場上遭遇挫折時，擁有堅持下去的勇氣；「分析師」不但能夠解讀創作，同時具有市場面的分析能力；「精神伴侶」則是以一種精神上的交流與陪伴，來產生一種與藝術家緊密相連的關係，無論藝術的經紀人扮演的是什麼樣的角色，經紀人對於藝術家的經營目標要能夠發揮想像力，並相信自己也相信藝術家；時代是人創造出來的，有才氣者是不會被埋沒的，但首先需具備敢於得到的勇氣，任何經紀人都須認同自我是獨一無二，就如同經紀人挑選藝術家時的信念，而這種相信自我會成功的信念，不僅能說服自我與藝術家，同時也能夠說服藝術大眾。

三、藝術經紀人的三層工作

　　藝術經紀人與藝術掮客，都以藝術品作為交易的標的，但藝術掮客以作品的二級市場買賣為主，而標的主要為已經成熟的大師之作，反觀藝術經紀人主力經營一級市場，且目標為推動藝術家成為大師，於本質上的理念確實是有所不同；

通常藝術掮客主要的工作重點為：經營信任的藏家客戶、國際化的貨源管道、作品行情的資料庫與市場情資的來源、培養優於競爭者的能力、買低賣高的談判能力、物流與金流的確保流程、值得藝術界認同的個人品牌、為交易與買賣雙方創造價值的能力，基本上藝術掮客大部分的買賣雙方都是藏家，或是透過同行間來達成交易，與藝術家的經紀人貨源取自創作者，且經營作品的第一手（未發表）之性質不相同。

　　前面的章節也介紹過畫廊的功能，其實畫廊的功能與經紀人的工作內容頗為相似，畫廊的功能是以其組織的功能性為發展，因此具有營運公司與經營藝術家的各種面向，而畫廊如果也具備經紀人的角色，則更需要強化經紀人的角色功能，無論藝術經紀人是公司法人或是自然人，其工作內容大概分為下列三大部分：

（一）內部協調—設定共同願景與成功模式

（1）藝術家目標管理

　　有明確的目標可以讓創作時有個使命感，除了展覽目標外，創作的質／量與尺幅目標、創作系列規劃、市場銷售目標、藝術活動或講座次數、同／異業合作次數、藝術專案執行、藝術授權合作、品牌合作等，即是透過關鍵指標（KPI）來進行目標管理，其實目標管理（Management by objectives, MBO）的概念是管理學者—彼得・杜拉克（Peter Drucker, 1909-2005）於 1954 年提出的，其概念即是透過目標的設定，來確認要進行的工作與達成的期望值，也就是透過一種較為有規畫的方式將主次目標拆解，並透過經紀人與藝術家的共同討論，擬定出彼此同意的目標願景，而找出能達成目標的步驟與方法，最後寫成一個具體的企劃案，當然這種目標的設定還是要評估可行性，而不是創造出一個空中樓閣的幻想，卻無法在合約期間內達成目標；這種目標的確定方式使得藝術家與經紀人，感覺上像是一種事業上的夥伴關係，不僅有同在一條船上的緊密感受，更可以讓彼此的溝通更為順暢。

（2）相處模式建立

有了與藝術家的共同目標後，第二個階段就應該找出彼此之間的相處模式，由於每個人做事情的習慣不同，雙方不妨可以聊聊彼此在乎與希望可以避免觸及的地雷是哪些，例如：大部分的藝術經紀人最忌諱，在展覽開幕前才告知創作產量來不及，因為讓籌備良久的展覽開天窗，不僅會讓先前投入的所有金錢與心力變成「沉沒成本」註30，更會讓經紀人的所有規畫被打亂，同樣的很多時候藝術家也希望經紀人不要過多的干涉藝術創作，或在創作能量大爆發的時候，給太多瑣碎又繁雜的工作，讓藝術家處於焦慮的心情而間接影響創作。

其實相處模式的建立是需要花點時間的，畢竟相處的過程中除了信任感的建立外，還需要培養彼此的熟悉度，有些事情可以透過溝通，但有些時候還是要經歷過彼此的陪伴關係，才能夠真實的認識。

（3）創作計畫協助

前面小節曾經提及，要培養一個好的藝術家，必須要創造一個好的環境讓藝術家自我成長，實際上經紀人是無法親自地去指導藝術創作者，只能適時地整理一些圈內的反饋聲音，讓每次的作品發表都能夠得到迴響，面對藏家、藝術家、業界人士及學術界的意見，適度的讓藝術家得知，不僅可以客觀地取得一些藝術大眾的意見，也可以讓藝術家同步的檢視其藝術表達，是否能夠成功的傳遞，避免一廂情願或自我滿足的創作態度產生；當藝術家有大型的創作計畫時，經紀人不妨可以關心創作執行上，是否有特別需要協助的部分，例如：一個藝術家若是想要從事一種社會調查的方法，來累積創作上的素材，經紀人則可以共同來思考人脈庫內是否有合適的人選，可以來協助研究調查的執行，而研究過程中的相關行政與聯繫事宜，若是可以協助的部分，也不妨提供適時的支援，畢竟藝術經紀人的貢獻越多，藝術家越是依賴經紀人，久而久之就離不開經紀人，這樣不僅提升了經紀人的重要性，也不用擔心競爭對手的挖牆腳行為。

註30：「沉沒成本」（Sunk Cost）又稱既定成本，屬於商管與經濟領域之名詞，常被用來與可變成本（Prospective Costs）相較，可變成本可改變，但沉沒成本則不能被改變。

（4）協助藝術家經濟穩定

　　經濟的穩定是一個藝術家實踐創作規劃的基本條件，大部分的藝術家要求的不多，只要能夠有安穩的基本物質條件，並且能夠有足夠的資金可以購買材料與執行創作所需即可，而功成名就與生活優渥，則是待成為藝術大師之後的事；藝術經紀人可以透過市場銷售或作品購買的方式，來協助藝術家改善經濟層面，當然如果遇到特別有潛力的藝術家，也可以採用月薪制或藝術創作贊助等方式，來協助提升藝術家的經濟穩定度，進而間接地幫助藝術家的創作面。

　　除了上述的支持藝術創作之論點外，隨著藝術家對於創作追求的年資越來越高，他們同樣會希望自我的事業成功，並且能夠使家人的生活環境提升，畢竟創作不僅是自我理想的實踐，同時也是一個事業，經濟的提升不僅是物質生活的滿足，同樣也是事業成功者的判斷標準，因此身為藝術的經紀人不能不瞭解這個道理，只要是人總是會追求成功，而經濟面的提升則是其中一種判斷標準。

（二）中層管理—市場分析與策略發展

（1）藝術家資料庫建立

　　資料庫（Database）又稱為資料管理系統（Database Management System）即是電子的檔案櫃般，並且將所建立好的資料透過共享與再處理，而產生資訊價值，並且能夠隨時新增或修正，因此藝術家的資料庫建立是一件持續性的累積過程，其實大部分的藝術經紀人若是要幫合作或研究中的藝術家建立資料庫，大概會分成三個層面來進行；第一層為「基礎資料層」，例如：通訊資料、簡歷資料、作品圖庫、創作自述、歷史紀錄、作品賞析、美編設計之素材、活動紀錄、作品履歷與修復紀錄、媒體曝光搜集等；第二層為「資訊分析層」，例如：藝術評論、研究期刊、出版物、相關數據與圖表、創作脈絡研究、相關之研究專案、拍賣指數分析、市場情資量化分析等；第三層為「價值連結層」，即是透過資料庫某些部分彼此的連結關係，進行交叉的分析，例如：商機的紀錄、市場週期的提醒、量化後的市場情資分析、市場交易資訊、藝術觀眾分析、風格系列與市場

關係等，讓不同區塊的資料彼此關聯性強化，並且可以不同的視角觀看資料。

上述所介紹的第一層基礎資料，透過藝術家的提供或人員整理，都不是難事，但第二層資訊分析層，則需要專業的研究人員制定不同的研究專案，才不會流於形式而不夠深入，而第三層則需要借助專業的資訊人才，願意理解分析的工具與模型，才有可能於系統的內部架構上開始編寫程式，並讓使用者體驗良善，才有可能持續性的累積資訊內容。

（2）市場資訊提供與定位分析

整理好藝術家的相關資訊後，可針對藝術家的作品屬性進行市場調查分析，這種分析除了事前的分析外，更可在開始代理藝術家後，持續地累積市場資訊，以實際的市場反應來做判斷，因此市場資訊的分析主要針對：同類型的競爭藝術家、目標的客層、市場的規模、通路的經營、策略與優劣勢、收藏家反饋、推廣模式分析……，舉例來說：一個新媒體藝術創作者，若是風格走向偏重前衛與創新媒材，他的市場競爭藝術家相對較少，但大部分都是屬於學術性與實驗性較為強烈的創作者，因為作品的媒材與風格特殊，也較重視觀念性，因此市場規模不如一般的裝飾型作品，但卻是較為「利基市場」註③（Niche Market），且可以被較為前衛與國際觀的大收藏家青睞，因此通路上的經營由於作品尺寸規模與作品脈絡屬性，較適合與大型公共空間結合，且銷售通路不見得是一般性的畫廊內部個展形式，可以透過其創作上新穎的優勢，與大型機構以提案的方式，結合重要建築與活動來進行定製，而每一個專案都需要進行結案的內部資訊彙整，與收藏家反饋意見累積，如此一來在未來的推廣模式上可以更為精確，並且找出創新的營運模式。

將上述一些藝術家本身相關的市場資訊，配合整體環境的市場情資，彙整給藝術家瞭解，不僅可以幫助藝術家能夠對於當下的藝術環境更為掌握，也可以協

註③：「利基市場」（Niche Market）也稱小眾市場，一般是指市場佔有率強勢的品牌或企業所忽略的細分市場，由於此市場的供應尚未完善，因此有持續發展的潛力。

助藝術家的目標使命確認，理解了市場資訊就更能夠進行藝術家的定位，藝術家一般而言會依據創作型態、作品風格與目標市場來進行定位，畢竟大部分的藝術家都希望有朝一日被寫入美術史，因此定位的部分也分為藝術地位與市場兩區塊，透過經紀人的手段能力，分別對於學術性與市場性耕耘，將藝術家的定位做明確。

（3）行銷企劃與策略合作

　　藝術家的資料庫建立完整，有了足夠的資料去進行市場與定位分析後，則開始可以著手行銷的相關企劃，或許可以善用一些行銷分析的工具，如：3C 分析、STP 擬定、4P4C 的檢視、SWOT 與 TOWS 矩陣等，來強化分析的精準度，並且完善地將目標落地成執行的步驟，將可行性發揮到最大，並且同時尋找策略性的合作夥伴，近幾年許多的藝術經紀人，大部分會與知名的國際品牌進行聯名、活動發表、圖像授權、藝術置入等合作方案，其主要目的也是為了拓展彼此知名度與價值感，強強聯手的相乘效應不僅在媒體的關注上，更在藝術呈現的可能性也提升了不少。

　　許多人也許會有個疑問，即是藝術的經營不是長期的用心耕耘，殷實的慢慢累積就會有成果嗎？為何還需要撰寫行銷企劃或找策略夥伴？其實回顧過去成功的藝術家們，他們好似也都慢慢地埋頭創作，直到有一天被大家所談論時，表示一切的累積都成熟了，但面對現代化與全球化的社會，我們逐漸發現影響到市場競爭的關鍵主要有三種：「藝術品本身的價值」、「藏家與圈內關係經營」、「藝術家與經紀人品牌」，因此專注於創作上或專注於經營上，卻少了縝密的規畫與行銷策略，在如今資訊暴漲又快速的時代，確實是容易被淹沒在云云大眾的藝術人海中，藝術的經營只靠作品本身的對話能力，並不是錯誤觀念，但由於社會形態的轉變，讓人目不暇給的視覺與影像充斥下，許多人的觀看方式也漸漸從「凝視狀態」改變為「瞥視狀態」；針對這種觀看方式的改變，可能是因為藝博會的興盛或是網路媒體的發達，圖像的大量傳遞使每個人觀看作品的方式變成了

總覽、概況性瀏覽、先入為主的分類，因此處於這個時代下的作品發聲，實在是更需要完整的規畫。

（4）展覽策劃與學術經營

學術性奠基與美術館嫁接，是藝術家通往藝術聖殿的必經之路，因此藝術家除了贏得市場上大眾藏家的喜愛以外，也要能夠樹立自我的藝術與學術定位，才能夠成為一個如同恆星般，屹立不搖的重要藝術家，英國著名策展人—尼可拉斯·賽洛塔（Nicholas Serota, 1946-）曾說：「策展是 20% 的天賦與想像力，加上80% 的行政、協作與管理。」亦即除了有藝術領域的專業能力與創新能力外，絕大多數的重點在於藝術行政、團隊組織與內部管理，因此藝術家中層管理的部分，需要先建立資料庫，而後進行分析與行銷推廣，最後再藉助內部管理的各項要素，來進行展覽策略的執行與學術地位的經營，以策劃展覽而言主要的工作內容有：展覽的核心價值傳遞、學術性的策展論述、行銷與宣傳執行、銷售與業務重點、場地設計與佈展事務、作品之運輸保險、文宣與製作物開發、贊助及財務規劃、貴賓與資源的連結、藝術行政、團隊協作與管理等。

在藝術的領域中，無論市場的發展與當代文化氛圍的走向如何，最終都須回歸到學術性的藝術地位，經紀人透過自身與尋找的資源，為藝術家搭橋牽線，將作品送入美術機構，也讓藝術家的學術性被加以研究探討；藝術家自足性的藝術內涵若沒有良好的管道去宣達，則藝術的理念就難以貫徹，因此有經驗的經紀人在經營商業市場的同時，也會經營藝術家的學術地位。

（三）外部開拓—藝術世界的經營與奠基

（1）藝術市場開拓

針對藝術家作品的市場開拓，看重的是藝術經紀人的驅動力，而這種想把藝術市場開拓成功的驅動力有兩種，即是藝術經紀的「推力」與「拉力」；透過內部的推力與外部的拉力，就可以成為藝術家市場開拓的完善驅動力。

「推力」指的是勢必要把藝術家的市場銷量提升的驅動力，這種驅動力是透

過畫廊自身的「內部壓力」所產生的，舉例來說：首先，因為獨家代理了藝術家，所以每件作品等同於變相買斷，因此有作品的庫存壓力；其次，優質的藝術家也會期待畫廊的業務開拓能力，因此畫廊必須交出市場上的漂亮成績單，才能夠在合約到期前再次續約；最後，針對畫廊長期支持的客戶，因為信賴畫廊會持續經營藝術家，因而在早期就收藏支持，畫廊當然也應該要對於這些客戶負責並滿足他們的期待，將藝術家的市場發展好，以上這三點是普遍的經紀人對於市場開拓的內部推動之驅動力。

「拉力」指的是能夠激勵畫廊，使畫廊能夠主動又積極地去開拓市場的驅動力，是種「外部誘因」所產生的驅動力，舉例來說：首先，因為長期代理且所有營運與行銷的相關費用由畫廊負擔，因此藝術家給予較高的抽成利潤，若是作品銷售量大，畫廊較有機會獲利也較願意加碼投資藝術家；其次，認真經營藝術家的經紀型畫廊，通常在藝術圈會獲得較高的評價，使得商業的過程也同樣作出了文化上的貢獻，對於畫廊的長期品牌加分不少；最後，長期經營的藝術家，假以時日成為了萬眾矚目的藝術大師，這段藝術家的經營歷史也會被記載於藝術產業史，且會因為「磁吸效應」註㉜使畫廊獲得更多的優秀藝術家與更多藏家，以上這三點則是驅動畫廊持續市場開拓的外部拉力；透過這些推與拉的驅動力，畫廊對於市場開拓除了獲利外，也更多了文化經營的成就感。

（2）媒體包裝與公共關係

藝術家除了以作品做為自我的藝術內涵投射，其自身的藝術涵養也是屬於個人品牌的一環，中國偉大的書畫家─江兆申（1925-1996）曾說：「人品即畫品，要畫格高必須人格高，高尚的品德揮灑於筆墨間，所流露出的境界，常常能使人涵詠不盡」，因此藝術家本身對於藝術的見解與內涵，必須事先在本身的藝術修為上有高度，才有辦法在藝術的創作上產出傑出的藝術品，而針對人之所以內涵

註㉜：「磁吸效應」（Magnet Effect）係指如同磁鐵般的吸引效應，而磁性越大者吸力越強，以藝術經營而言，績效越成功者，越容易吸收到更多藏家與藝術家。

了高度的藝術才氣，或稱知識結構又或是藝術涵養，要如何以公共關係（Public Relations）的方式去經營，透過媒體廣宣或人際間的口耳相傳，是經紀人需要思考的，如何將無形的藝術內涵外顯化，使大眾可以得知與感知到藝術家的深度，同時能夠信服於藝術大眾，因此藝術家的形象經營不僅是針對其藝術作品，也針對藝術家的個人。

公共關係（Public Relations, PR）又稱為公眾關係或機構傳訊，其實公眾關係的定義，就是針對我們經營的藝術家、經紀人或畫廊，樹立良好形象並且取得公眾的理解、認識、研究與支持，也就是必須進行一種正向的品牌強化，因此唯有正向的強化被藝術大眾所接收，才有機會進而喜歡所經營的對象；其實藝術圈子的經營，無論是客戶、創作者、同業或其他角色，要能夠有良好的交流或交易，都必須先建立在信任感上，因此公眾關係的經營則是在這個圈子存活的基本工作。

一般來說畫廊需要對外進行資訊傳播的內容主要有三種：畫廊品牌定位、藝術家宣傳與達成銷售的傳播；「畫廊的品牌定位」透過一種大外宣的手段，以媒體或口碑行銷的方式，來傳達畫廊的價值主張與經營理念，使大眾對於畫廊的經營方向與規模程度有一個既定印象；「藝術家的宣傳」則是因應藝術家的背景屬性，來進行知名度提升與重要性強化，使圈內與圈外的人都聽過、看過、聊過代理的藝術家；「達成銷售的傳播」主要是透過畫廊活動中無形的品牌塑造，或是對於客戶的推薦話語，來達成藝術家作品銷售的使命，其實透過不同層次與廣度的公眾關係經營，不僅有助於營業面，也有助於品牌面。

（3）藝術家經營策略執行

經紀人針對藝術家的類別屬性，而制定不同的目標，並且階段性的聚焦於目前的發展目標上，即是確保策略能夠貫徹的方法，因此我們可以參考前人的成功模式來作為當下經營的典範，有趣的是在藝術界很多人會試圖的去找尋其他藝術家成功的原因，但卻不瞭解這些大師之所以會成功，背後付出的努力有哪些，常

常有藝術家認為學習過去大師創作之模式與形式，就同樣能獲得成功，這就是忽略了藝術創作需要開創性與獨特性；而藝術經紀人也常認為學習前人經營的成功模式，就可以經營出第二位藝術大師，這也同樣是忽略了商業環境是會改變的，況且經營模式就像是創作一般，第一個誕生的才會是價值最高，當藝術機構都用同一套經營模式，則這套經營模式也就不存在差異化了，因此過去的成功模式不見得可以套用在當下的時空環境，好的經營策略也必須是與時俱進且順應時代的。

（4）藝術家品牌與定位的奠基

　　藝術市場的品牌奠基，重視的是產品、市場與傳播的定位，也就是將對的藝術產品放在對的藝術市場，去進行對的傳播與銷售，藝術家與其作品就是藝術的產品，作品與作者本人是難以分割的，藝術家的目標市場是本土還是國際、是小眾還是大眾、是中端還是高端、是單元還是多元受眾等，這些都會是影響到市場的因素，而根據藝術產品的定位，去尋找適合的藝術市場，並規劃對的「傳播模式」與「銷售管道」，使藏家對於藝術作品有情感依戀，也長期關注藝術家的發展，進而認同經紀人對於藝術家經營上的理念；好的藝術家透過好的學術與市場定位，並且持續的品牌加值，最後引發藝術大眾的認同，就能夠在收藏市場與藝術地位上雙重奠基。

藝術經紀策略

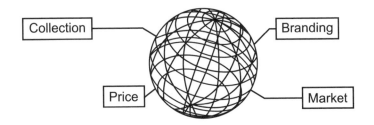

要使文化產物能夠保留下來的唯一條件,就是讓它們具有商業價值。

—紀錄片《萬物有價》

金錢與藝術現在就像是連體嬰,你無法將他們分開,所以今日藝術的目的已變質,但我覺得藝術本身也不知道怎麼從這種狀態下脫身。

—加文·布朗(Gavin Brown),紐約知名藝術經紀人

市場是一種獨立於藝術創作的實體。

—喬治·康度(George Condo),美國當代藝術家

　　此章節是以藝術家經紀的策略與推廣的模式來介紹，首先，要理解藝術經紀，必須先認識藝術作品進入到藝術市場的生命週期，而經紀人希望將藝術作品推動至哪一個階段，則與經紀的模式有關，因此藝術經紀的策略也大概分為四個面向，這四個面向關注的重點分別是收藏家的結構、作品價格的發展、品牌地位的建立與市場的掌控，除了瞭解藝術經紀的策略，在章節的最後也介紹了產業鏈內，創造價值的工作內容有哪些，並分別介紹產業內各種合作策略上的角色。

一、藝術作品進入市場的生命週期

　　藝術品若只為成就創作的滿足感，並於展覽時僅供觀賞，或成為人類文化的貢獻，不作為交易買賣，則藝術品具有藝術價值但不具有商品價值，我們不否認許多的藝術品並非需要成為交易物，也理解職業藝術家有些作品偏重展覽與發表，有些作品則偏重收藏與交易，而藝術品作為市場的買賣物，即是藝術市場交易的產品；哈佛大學教授—雷蒙德·弗農（Raymond Vernon）於 1966 年提出「產品生命週期」（Product Life Cycle, PLC）之概念，即是指一個新產品開始進入市場到離開市場的整個過程，當然任何藝術家都不希望本身的藝術作品，有一天要面臨被市場淘汰的困境，因此作為藝術品的創造者更應瞭解，產品的市場開拓過程；弗農教授認為產品與人類的生命雷同，都會經歷四個階段：萌芽期（導入期）、成長期（加速期）、成熟期（收成期）、衰退期（退出期），但唯獨藝術市場與一般商品於本質上有著諸多差異性，且與市場特性及審美特性互有連結，因此筆者認為除了上述第四階段外，還有另外一種情況即是不衰期（鞏固期），在此分別針對這五種階段介紹如下：

（一）萌芽期 / 導入期（Introduction）

　　當一個新商品研發並問市後，消費者對於商品十分陌生，且對於商品的品牌價值不太清楚，因此較常處於觀望的態度，而一個新銳藝術家剛出道時，也同樣面臨類似的情況，由於藝術家知名度較低，且藏家無法確定藝術家的創作可以堅

持多久，加上沒有過去的收藏反饋意見可以參考，因此都希望多觀察幾年，等藝術家創作穩定且成熟後再入手購藏，偏偏剛出道的藝術家資源匱乏，正是最需要支持的階段，只是由於市場開拓的初期階段，藝術家沒有名聲也沒有品牌累積，因此要將一個初出茅廬的年輕藝術家打響名號，花的成本與心力是更多的，但得到的回收效益卻是低的，因此也較少有畫廊或經紀人在藝術家年輕時，投入大量的資金與資源，因為經營剛出道的藝術家即使有藏家入手購藏，大部分也是基於支持藝術家或作品值高價低的心態，這也使得畫廊無法透過這些藝術家的經營，來累積畫廊的品牌高度；藏家會收藏年輕藝術家作品除了期待未來性外，也可能是因為作品的性價比高，相較於價位已經高昂的藝術家作品，算是划算許多，也因此大部分的新手藝術家剛接觸市場時，皆會採用較為低廉的定價策略，待市場穩定後才逐步調高市場定價，也避免因為初期定價過高，而使得畫廊或經紀人，必須透過促銷手段來私下銷售作品。

上述所說的先以低價方式來進入市場，等時機成熟後再逐步調高的市場策略，是屬於大部分年輕藝術家所採行的模式，但若是藝術家已有學術定位與創作年資時，則不適合採用此種模式，儘管資深藝術家過去只專營學術區塊，沒有個人藏家的收藏，但由於過去藝術家在學術區塊的經營累積，勢必要以其相對應的作品價值與學術地位來進行定價，甚至進行野心定價（Ambitious Pricing）的高價策略，因此這種類型的作品較適合採用「市場滲透策略」註㉝（Market Penetration Strategy）來進行市場開拓，畫廊或經紀人需研究作品的屬性並找出利基市場（Niche Market），針對學術型的收藏家來進行市場開拓，也許學術型的收藏家在整體收藏母體中屬於小眾市場，但卻可以在這種專業的收藏區塊中另闢藍海，並且同時打出畫廊的學術定位與品牌價值。

（二）成長期／加速期（Growth）

註㉝：「市場滲透策略」（Market Penetration Strategy）是指逐步擴大市場的策略，行銷學上有許多可以提升市佔率的策略，皆可以幫助市場滲透成功。

　　當藝術家的作品於市場上開始交易後，即可逐步地累積收藏資歷，不管是公部門的美術館典藏或是私人藏家的收藏，對於藝術家而言都是有助益的，透過這些收藏市場的開拓，逐步地累積出藝術家專屬的收藏結構，當收藏結構打穩後藝術家就會因為學術與市場雙向的耕耘，而開始有了市場的成長，在此時若是一般商品則會開始大批量的生產，以供給市場的成長需求，但由於藝術品的產品屬性與一般商品不同，因此雖然市場上想收藏的藏家變多，導致市場份額變大，藝術家卻必須更謹慎、更努力的創作出好作品，才能夠讓藝術作品有更高的評價，透過作品的高水準與收藏的需求上升，也許年產值固定，交易量也固定，但卻能夠透過一、二級的市場，將作品的定價與成交價格逐步調高。

　　當藝術家的作品進入市場的階段性到達成長期後，會發現藏家的喜愛度、媒體的關注度、展覽的邀約、藝術圈的重視程度，都會有明顯的成長與加速，藝術家也開始發現自己成為同輩中的指標人物，說話的份量也更有話語權，人們開始研究這位藝術家是如何的成功，因此藝術圈的一切就在這種氛圍中不斷地加速；此階段的藝術家由於關注度極高，因而時常被拿來與其他也被關注的藝術家比較，這時畫廊或經紀人需要注意的也不僅是市場的營銷，而是更加的著墨於藝術家的品牌經營，在此階段的藝術家只要品牌經營的成功，就會連帶的引發營銷的成功。

（三）成熟期／收成期（Maturity）

　　分辨藝術家的市場是否達到成熟期有幾種方式，例如：曲線發展法、類比判斷法、普及率判斷法、再銷售率判斷法；「曲線發展法」即是觀察作品的市場價格發展曲線與圈內關注熱度的曲線發展；「類比判斷法」則是透過藝術家過去與現在的比較，還有藝術家與其他藝術家的比較，來類比的判斷此藝術家是否達到成熟期；「普及率判斷法」則是一種類似市佔率的估算，但更著重在是否大部分的重要收藏家都有收藏，並且關注這些重要收藏家的評價，簡單來說在市場開拓的初期不需這麼重視重要藏家的觀感，但若是一個藝術家的市場已經發展到成熟

期後，則必須要得到藝術圈的專家及意見領袖認可，才算是進入成熟期；「再銷售率判斷法」，則是觀察市場上是否因為一級市場的產值固定，而導致許多藏家等候不到作品，進而引發二手市場的大量搶購，當藝術品不斷地被轉手，藝術家的作品行情也會因為這些不斷轉手的成功交易，而導致市場行情不斷攀升。

當藝術家的市場開拓到達成熟期後，就是代理人與藝術家開始可以收成的階段了，由於早期對於市場及學術的開拓，投入了大量的成本與資源，因此市場階段抵達成熟期後，就是開始真正獲利的階段了。

（四）衰退期／退出期（Decline）

通常一般商品的市場週期，大概根據時間及銷售規模的曲線變化會形成一種圖形，此圖形通常為山丘型或 S 型的曲線變化，這些較為普遍的市場週期較近似於一種常態分配，但有時候也有一些特殊型的市場週期，較特別者分為以下幾種：風格型（Style）、流行型（Fashion）、熱潮型（Fad）、扇貝型（Scallop），通常在藝術市場我們會發現有某些區塊類型的藝術作品，會引發某部分類別的藏家喜愛，此即為「風格型」市場特徵，而這種喜愛的熱度可以較為延續，儘管市場熱度有起伏，但總是不會消失；「流行型」與「熱潮型」的市場特徵則是市場熱度較為短暫，熱潮型又比流行型的購買集中度更集中，一窩蜂的購買但浪潮退去後，又瞬間的市場流通凍結，我們時常稱呼藝術家像「流星」一樣，瞬間劃過天際燃燒出耀眼光芒後殞落，就是屬於這兩種類型；「扇貝型」的市場發展則是波浪狀的不斷向上攀升，這類型的產品生命週期能夠不斷延伸，且此類的藝術家通常能夠有多面向的指標，在這些指標中皆為翹楚，也許是美術史的地位、大收藏者的支持、藝術公眾影響力、藝術家獨特魅力、作品的創新能力等，因此其作品總是能夠不斷地受到市場青睞，而持續地延伸再延伸，我們時常談論的藝術家像「衛星」一般有著週期性，市場的低潮過後又會有高潮出現，就類似於此種扇貝型的市場發展週期，其實大部分成功藝術家都類似於這種類型，在市場上總有高高低低的波動，有時在二手市場的價格也上上下下，以長期觀察而言，無論成

交價格與數量高低多寡，拍賣公司卻是持續的徵件並持續的成交，就代表市場還沒退燒，而二手交易市場的藝術掮客也持續地尋找作品，為藏家做此藝術家的收藏規畫，等到有一天市場的時機成熟、因緣俱足時，藝術家的市場行情就會一躍而起。

除了少數特殊型的市場週期，許多藝術家的作品在市場開發上確實如常態分配般，透過前峰收藏者（品味前衛）、早期收藏者（品味領先）、大眾收藏者（廣大收藏群）、晚期收藏者（落後收藏）與尾端收藏者（資訊缺乏）這五個時期的收藏群，而產生了不同階段的收藏盤，但唯獨藝術產品隨著時間的增長，基本上市場定價皆會調漲，以至於有時漲幅超過市場的期待，會有一種市場鏤空的危險性，因為收藏大眾對於藝術家的期待性與熱愛度不夠時，或許就寧願選擇較可期待或價位較低的作品收藏，此時藝術家的作品會產生交易數量遞減或停止的狀態，並且與替代藝術家的市場銷量呈現死亡交叉，這就是遇到了市場的衰退期，有些藝術家年紀大了作品漸漸賣不動時，則會選擇退出藝術的自由市場，當然有時候也是受到二手作品成交價格，大幅低於市場定價的關係，最後導致市場行情混亂，而被迫地退出藝術市場，這種情形就如同「隕星」般的藝術家，雖然曾有過高點但未來卻是不斷地衰落。

（五）不衰期／鞏固期（Unfailing）

任何藝術家都不希望經營市場多年後，卻要面臨市場衰退，甚至完全退出藝術市場，因此每位藝術家都期待在市場到達成熟期後，能夠邁入不衰期讓自己不僅在藝術地位上鞏固，也連帶地鞏固了市場地位，就如同「恆星」般永遠的在藝術史與市場上具有恆久不變的位置，並坐擁著成功與頂級的地位，儘管時空變遷卻能夠恆久耀眼；然而要真正能夠進入不衰期的藝術家，不僅需靠努力與策略，有時還需要一些機緣運氣，話雖如此，但透過經紀人的早期規畫與藝術家努力，通常越認真的藝術家運氣也會越好，針對市場發展週期如何抵達不衰期，可能要先理解藝術經紀的內容，因此接續的章節將進行經紀策略的詳細介紹。

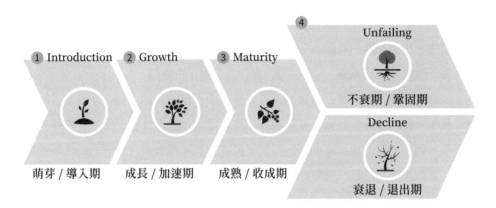

圖：藝術作品進入市場的生命週期

二、藝術經紀四大構面

　　藝術家的市場週期要成功地進入不衰期，並非易事，除了在市場的經營上不可有重大差錯，對於收藏結構、價格發展、品牌形塑與市場掌控，都需要好好的經營，針對藝術經紀的策略發展有四個方向，在此介紹如下：

（一）收藏結構的拓展

　　全球化的現今資訊傳播快速，藝術家不再像以往般去世後才能成名，藝術家需以其作品之「藝術性」、「學術性」及「市場性」來觀察，有藝術性及學術性才具有前瞻性，而畫廊勢必要走在潮流的前端，挖掘許多優質但卻還未被關注的未來明星，假使這些未來明星的作品也同時能被市場所接受，則藝術家就能達到正向循環。

（1）橫向與縱向收藏

　　藝術環境不斷改變，經紀藝術家的技術與商業模型也不斷更新與突破，好在藝術品並非有時效性之商品，不會有商品過期的存貨危機，且除了隨著時間與品牌累積所產生的作品增值外，藝術家不同時期的作品也皆有收藏價值；一般來說藝術家作品之收藏，分為「橫向收藏」與「縱向收藏」，這兩種收藏的概念，在

不同的範圍上，會有不同的定義，在此以三種收藏的範圍來舉例：

　　首先，以最宏觀的收藏視野來看，橫向收藏即是收藏不同類別的藏品，好比一些廣泛收藏的資深藏家，其在古董、雜項、水墨、油畫等，古今作品皆進行「廣度」的收藏，而縱向收藏的藏家是指專精於其中一種類別，來進行「深度」的收藏；其次，從純藝術的收藏領域來看，橫向收藏即是收藏多位藝術家之作品，也許是某一個「地區」或「時期」的同輩藝術家，或某種藝術「風潮」的代表性藝術家，其收藏的目的即是完整的擁有某個地區、時代與藝術風潮的代表性，而縱向收藏即是收藏單一藝術家的作品，屬於看好某位藝術家，因此針對這位藝術家從早期到晚期，不同階段不同系列的作品，皆進行完整性的脈絡收藏；第三，當然可以把範圍縮更小來思考，以收藏單一藝術家作品來說，橫向收藏即是收藏此藝術家同時期或系列的作品，係屬專精且特定的「橫切」收藏，縱向收藏則是收藏此藝術家不同時期或系列的作品，係屬貫通與脈絡性的「縱切」收藏，例如：畢卡索其創作的系列有早期現實主義、藍色時期、粉紅時期、非洲雕刻時期、複合媒材、立體派等，不同時期、系列與類別的作品，當美術館要進行其縱向的完整性收藏，就必須將每個時期、系列與類別皆納入館藏，才可以完整地呈現此藝術家之創作樣貌。

（2）廣且深的收藏拓展

　　收藏結構的拓展有兩個方向—即是「廣」且「深」，如果一個藝術家的收藏群是跨國際的，則不單是在不同區域有不同的影響力，且能避免受到地區性的經濟景氣所影響，因此經紀人有義務將藝術家推向國際，又或者說藝術家的收藏家是跨不同產業、年齡、社團、族群等，則更能夠透過口耳相傳的影響力，做到口碑行銷，此即為收藏群的「廣度」帶來之優點，且不同年齡層的收藏家都具備，則將來要做收藏盤的移轉就更容易，這點容我稍後解釋。

　　若一個藝術家的經紀人能不斷地深耕藏家，並使藏家不斷地期待藝術家的新作與品牌提升，且使每位藏家皆能深入瞭解其作品之內涵，相信藏家愛不釋手的

作品,只會引發更多的良性循環,帶動其周圍人脈進入收藏,如此藝術家的粉絲群則開始匯聚,此即為收藏拓展之「深度」帶來的優點,透過藏家的死忠程度,可以預見藝術家的未來發展,反之若收藏家不能真正的瞭解作品內涵,則容易受到旁人左右,過不了幾年則開始想藉由二級市場來脫售作品。

（3）收藏家分類

　　由於藝術家每年的產量是相對固定的,因此經紀人同時必須要掌握作品之分配,並以不同的因素來將收藏家分類,如:收藏意圖、收藏年資、年齡、地區、產業別、族群、社團、影響層面等,並以比例原則進行作品分配,且取得各種分類藏家的資源;雖說藝術品的交易只是買賣行為,但由於作品稀少,因此透過買賣的過程「創造更多的價值」,則是經紀人必須思考的,尤其台灣之收藏群有不同的社團,如何使頂級藏家的意見領袖認同,並帶動中層的藏家,最後影響收藏大眾,如此一來藝術的收藏結構則更堅固。

　　收藏結構的樣貌卻與畫廊推薦的藏家,有密不可分的關聯性,有的畫廊以「投機客」為主,其財力不夠雄厚也不夠沉穩,並著眼於短期小利,導致賣不對藏家,往往後悔莫及,因此畫廊業者應該要勤跑藝術活動,除多認識藏家以外,也要記錄下市場上惡名昭彰的炒作客,列為黑名單並拒絕往來,近年來有許多藝術掮客,常帶新入門的藏家到每間畫廊與藝博會參觀,從中介入購買過程並向買賣單方或雙方索取仲介費用,對此現象,畫廊也需要仔細觀察,若是遵守行規的掮客,畫廊當然十分歡迎,但有些藝術掮客與投機客合作,在展覽開始時搶頭香把最好的作品先選走,隔沒幾天連展覽都還沒結束,就已經在網路上直播拍賣,將其訂購的作品圖檔上架供人搶標,或隔沒幾個月就直接送拍賣會想從中套利,這種搭便車者註㉞（Free Rider）,正是想透過畫廊與藝術家平日的努力,來讓自己有謀利的空間。

註㉞:「搭便車者」（Free Rider）係指不負擔成本,而透過公共、他人之物品或資源使用而獲得利益,實際上就是把成本轉嫁到他人身上。

（4）不同世代的承接盤耕耘

「年齡」同樣是一個收藏群指標，有些藏家在超過一定年齡以後，面臨收藏品無人傳承，且子女對於其收藏品沒有情感的尷尬處境，因此收藏品往往流向二級市場與拍賣會，此時市場供給湧出後是否有新世代的藏家「接盤」，則是藝術家能否屹立不搖的關鍵。

「承接盤」註㉟的出現象徵著藝術家在市場上的熱度並沒有退燒，同時他們的作品風格能夠被下個世代的收藏家所接受，畢竟每個世代都有著這個世代的收藏品味，如：近年來流行的潮流藝術即是新世代收藏家的收藏品味，姑且不論藝術性的高低，以及是否每個潮流藝術家都會進入美術史的殿堂，其實潮流藝術在藝術市場的崛起，就代表著新藏家（New Collector）與舊藏家（Old Collector）在於收藏價值上的認定不同。

雖然有些藝術家的作品能夠傳承且雋永，並適合新／舊藏家的收藏，但有時新藏家也想建立起自身世代的收藏價值觀，他們擁有新一代的收藏習性、收藏觀念、收藏態度、收藏回憶，甚至有時會想提出與舊藏家截然不同的收藏價值觀，不同的收藏價值觀也造就了不同的收藏分眾，這也就說明了藝術市場有新的活水進入了，由於近年的藝術市場有許多年輕世代的藏家進入，因此「潮流藝術」註㊱與「萌系藝術」註㊲，這兩種與年輕藏家擁有著相同世代語彙的作品，也順勢而漲。

（二）價格曲線的發展

藝術在市場上的價格發展是一種培養，透過早期的奠基，可以讓藝術家的市場生命週期抵達成熟期後，在價格上可以有跳躍式的成長，而價格發展的過程

註㉟：「承接盤」即是指作品拋售到二級市場的市場承接能力，藝術作品的一二級拓展過程，如果持續性的有新買盤出現，則藝術家的未來市場發展將會較穩健。

註㊱：「潮流藝術」是近年市場崛起的新收藏區塊，引發了新興與年輕藏家的青睞，其商業活動時常跨界與聯名，內容結合街頭文化、卡漫、娛樂、時尚、遊戲等流行文化元素，其中不乏有許多的網路社群明星藝術家。

註㊲：「萌系藝術」在此泛指甜美可愛並帶有萌味的藝術作品，近年日、韓與台灣皆有此類創作風格走向。

中，與產品組合、定價法、市場機制與買／賣方市場有關。

（1）廣度、長度、深度與一致性的創作走向

　　藝術品誕生後進入到市場，則開始具備了產品的屬性，雖然藝術之市場、作品與審美有別於一般商品的特性，但成為了藝術市場的標的物後，則與某些產品組合的概念有些類似，一般而言產品組合的四大構面為：廣度、長度、深度與一致性，雖然藝術品並非一般商品，但要理解藝術行銷學時，不妨先把藝術家產出作品的概念，看成是產品線（Product Line）的概念，我所謂的產品線概念並非是生產線之意，也並非是暗示藝術家產出作品如同工廠生產，而是指出自同一位藝術家的作品皆稱為同一個產品線，而不同的作品類型、媒材、系列與價格等差異，則稱為不同的產品項目，我透過一個類比與挪用的方式來進行說明。

　　以產品線之「廣度」而言，藝術家的創作若是能夠不限於媒材與類型，如：立體、平面、觀念、錄像與科技藝術等，多重又多元的產品項目皆具備時，則代表藝術家的創作能力與廣度極高，也就是有著眾多的產品線，而產品線的數量代表的正是產品線之廣度。

　　以產品線之「長度」為例，藝術家的創作若是集中於某一類型、媒材或題材的走向，則集中創作能量下，可以將單一的產品線之長度累積，如：以古典寫實繪畫為創作主軸，且題材只有靜物類型，則屬於集中且較單元性的創作走向，而其累積的單一性作品數量，即是擁有較長的產品線，可以滿足喜愛古典寫實類別的眾多藏家。

　　以「深度」而言，可以想像成藝術家專精於某一創作走向，由於藝術家深入的研究，因此雖然在一個較窄的創作走向內求變化，但卻能夠探討得更完整、更全面，這就是深度型的創作研究；這類型的藝術家通常會受到縱向型的收藏家青睞，因為作品系列全面且完整，所以適合脈絡型的收藏。

　　以「一致性」而言，探討的是創作面、畫廊合作面、收藏面、藝術資源面等的相似程度，舉例來說，同時創作立體與平面的作品類型，或同時經營不同種類

或工序的創作，就是屬於一致性很低的創作模式，因為立體或平面等的創作工序與型態差異很大，因此這樣的創作是屬於辛苦且難度較高的；而藝術家只與專精從事當代藝術經營的畫廊合作，不隨意與其他類畫廊合作，則是屬於合作對象一致性較高的模式；藝術家之藏家分布在不同地區與年齡層，則屬於收藏分類一致性低，但市場拓展較為廣的分布現象；藝術圈內期望能取得產、官、學、研、藏的資源，但由於資源的取得來源一致性低，因此取得難度也較高，但若能整合多方資源，則是藝術世界中如虎添翼的重要發展；以行銷學的方式看待藝術市場，並且理解藝術市場的產品線概念，對於日後分析藝術市場將會非常有助益。

（2）藝術品的定價法

　　正規的藝術市場有其規則與脈絡可循，因此定價有其策略，簡單來說藝術品是由藝術家所創造的，因此會與藝術家的「創作能力」及「品牌地位」有關，廣義來說藝術品之定價策略分為兩種：即為「比較定價法」與「供需價格法」。

　　「比較定價法」是依照公開市場與藝術家資歷的各式條件，進行參考而擬出的價格，如：藝術家年齡、出道年資、學經歷、展覽資歷、作品累積量、創作展現、得獎紀錄、市場知名度、媒體曝光度、收藏結構成熟度、收藏家人數、美術館典藏紀錄、藝評家觀點、策展人認同、學術出版、作品集累積、藝術家品牌、藝術大眾認同度、美術史地位、藝術家影響力與活躍度等，此種定價法較為相對，是以一種同級別的藝術家比較，並在作品屬性差異與相似間，找出一種比較行情，此種定價在國內通常是由藝術家自行訂定，並且取得畫廊與經紀人的認同，才會在市場上公開市場定價，因此大部分屬於藝術家還在世的定價法，而藝術家過世後的行情價格，通常由繼承者轉透過市場方的建議進行市場定價，或直接透過供需市場來決定。

　　「供需價格法」大部分適用在已有一定地位，且作品稀有的藝術家，或者是已過世的前輩藝術家，並且是如同經濟學的市場供需，來反映市場價格走向，因此不是一個由藝術家公告的價格，而是由藝術市場的交易大眾來決定，舉例來說：

已去世的藝術家，其作品數量固定且稀少，而作品的不同系列在二級市場上的反應也不相同，故其價格較絕對，當然這也跟買賣方的美學素養、品味傾向、共鳴度、整體作品水準、作品的依戀、市場預測、買／賣方市場、藏家分布與市場吸收量有關聯，總而言之，同一位藝術家的作品，創作者雖然可以有一個自我訂定的市場價格，但還是會反映在市場是否買單，作品銷量是否可以打開的問題；儘管作品曾經創造高價，但是否具有普遍性的價格水位提升，而不是市場的偶發事件或檯面下的人為操作，作品流向若是進入第二市場時，則會與二手市場流出的作品數量與市場吸收能力有關；供需價格法其實與股市的量價關係有點類似，相似之處在於如果「供給大於需求」，通常會導致「價格下滑」，但相異之處即是在於藝術作品每件的「獨特性」與「稀缺性」，因為藝術作品有其特殊性，因此也並非就如同股市的量價關係般，呈現一個互為拉扯的市場現象，反而藝術作品本身的精彩度與重要性，才是市場上是否會搶購，或造成價格飆高的因素。

值得一提的是，目前國內油畫的價格與尺寸的定義問題，大陸市場的定義方式目前與台灣也不相同，大陸普遍的當代油畫市場是以平米，也就是平方公尺為定價標準，例如：一平米定價 10 萬人民幣，則 90x90cm 的油畫市場定價即為 0.81（平米）x10 萬 =81,000 人民幣，因此大陸的油畫尺寸定價，係以面積的比例級數來定價，同藝術家的油畫作品面積越大則價格越貴，而部分藝術家依照作品的特殊比例或特別小件作品，也會以平米定價乘上某個介於 1～2 倍的係數，因此特殊尺寸與小型作品的平均單位價格較高，而國內的油畫作品定價通常有三種模式：

第一種，油畫尺寸表定價，這與購買標準畫布的定價方式相同，畫布尺寸越大價格越貴，且油畫布的尺寸比例分為：F 型（人物型，Figure）、P 型（風景型，Paysage）與 M 型（海景型，Marine），其中 F 形畫布最大 M 型最小，可以透過查表的方式得知作品的尺寸，雖然是同樣的號數，卻有可能是三種不同的畫布比例，如果說作品尺寸為 30 號，則有可能是 30F、30P 或 30 M。

　　第二種，面積除 200 以換算號數，其實這是一種「概算法」，主要是因為很多時候我們手邊沒有油畫尺寸表，所以較難以查表得知尺寸，且因為 F、P 與 M 是長邊的長度固定，但是短邊長度不同，因此有些時候藏家也會因為 F 型的畫作面積較大，而對於 P 與 M 型的畫作想要求折扣；而畫家如果常畫非標準尺寸，則大部分會採用這種方式來定價，但因為油畫尺寸表並非等比級數，每個級距的每號之面積（單位面積）其實是不同的，因此有些號數的面積是特別划算的，舉例來說：100F=162x130cm，其面積為 21,060 平方公分，其每號面積為 210.6 平方公分，而至於 150F=227x182cm，其面積為 41,314 平方公分，其每號面積為 275.43 平方公分；兩者間每號的面積竟然差距 30%，且 150F 若以面積除 200 的方式來計算，（227x182）/200 = 206.57 號，明明油畫尺寸表上寫 150 F，但卻無緣無故多出 57 號，因此面積除 200 的算法只能算是概算法，雖然每號的平均面積皆相等，但與實際的油畫尺寸表也差異頗大。

　　第三種，則是將油畫尺寸表進行面積換算，再將畫布的面積，於面積版的油畫尺寸表中進行查表，但由於保障藏家的考量，大部分的面積查表會以最大面積的 F 型為依據，以保障買家的面積不吃虧；以實務經驗上來說，除了少數以作品精彩度定價，以及尺寸區間不同訂價（歐洲計價法[38]：小畫作的平均單價較貴，大畫作的平均單價較低）外，大部分都是按照藝術家的自訂行情價來制定市場價格。

　　目前這三種的油畫尺寸計算方式，都有藝術家在使用，且目前尚未統一，針對作品尺寸認定與市場定價上，藝術家有許多需要考量的要素，除了市場行情的調漲外，定價邏輯的一致性與價格不可逆性，也必須要嚴格遵守，舉例來說：長期的定價方式要統一、展覽與私下之定價要一致、定價一旦公開就不可隨意改變、小畫不可以比大畫貴、不可隨意降低行情定價等，如此一來才能確保藝術交

註[38]：「歐洲計價法」即是不同尺寸的油畫畫作，給予差異化的單位定價，使小畫單價較高，而大畫的單價較低，通常會設定號數的價格區間，以方便區分不同價位。

易市場的穩定。

（3）市場供需機制與市場吸收能力

　　藝術家作品數量有限，即是每年「供給」固定，以經濟學的角度來視之，「需求」越多時，價格即可提高；唯獨藝術品並非一般之商品，其有一定的特殊性，成功的藝術家其「價格曲線」註㊴的發展，較近似於指數分配的圖形，在青年時期價格成長較為緩慢，但隨著資歷與市場熱度提升後，價格開始攀升，並在成熟期後價格會大幅的成長，因此在藝術家市場發展之「生命週期」上，經紀人必須費心經營與打底，未來的價格反彈與上漲空間才會大。

　　如同前面章節所說，藝術品進入市場之生命周期分為：萌芽期、成長期、成熟期、衰退期與不衰期，但好的藝術家並不會經歷到衰退期，因此在不同的階段，經紀人必須要發展出長遠的策略，如此才能在經紀人、藝術家與收藏家之間建立三贏局面。

　　一個在藝術市場活躍的藝術家，最後總會在拍賣市場展現身手，嚴格來說拍賣會僅是二級市場的其中一環，因為藏家收藏作品的流向有其「神祕性」，許多藏家不願意在公開市場曝光，故有時會不透過拍賣會處理收藏，但拍賣會近期內的價格發展，卻是二級市場交易的重要參考指標。

　　經紀人除了把每年的作品分配給不同的藏家，更應該考量到未來發展，並非有作品才去作推廣及銷售，即使沒有剩餘作品也應該積極的去刺激「市場的飢渴度」，並培養出「承接買家盤」來作為市場潛在的買盤準備，這些被培養出來的買盤，一來是可以等候一級市場的新作購藏，二來是看到不錯的二級市場作品釋出，也可以進行購藏，避免成交價格低落或流標比例過高；因為藝術市場總會有波動，如何在市場溫度稍減時去鞏固市場熱絡，如何地為藝術家的品牌加溫，並且影響大眾藏家，使藝術家作品照樣搶手，就是藝術經紀人的市場操作手段了，總之「市場吸收量」優良的藝術家，才不會成為隕星型的藝術家。

註㊴：「價格曲線」係指藝術作品的市場價位發展曲線，隱含著一級市場的定價與二級市場的行情波動。

（4）買方市場與賣方市場

　　一級與二級市場看似有不同的區隔，實際上卻彼此牽連，二級市場熱絡必帶動一級市場之銷售，反之若一級市場隨處可買，作品的「稀缺性」較低，不僅擔心市場通路上的削價競爭，也會擔心因為一級市場的買盤虛弱，而影響收藏家的心理層面，使較少人願意至二級市場以更高價格購買；而二級市場的價格混亂或低於市價許多，也可能使一級市場遭遇瓶頸，因此藝術經紀必須「有捨才有得」，並非人人可賣，而是挑選收藏動機純正、具有「收藏家精神」的客戶來進行推薦。

　　把作品推薦給「美術館」及「基金會」收藏，除了對藝術家的品牌加值外，其收藏機構只進不出的特性，也可把市場上流通的作品數量再次減少，當藝術家的作品一件難求時，藝術家的作品已正式由「買方市場」升格為「賣方市場」，除了作品不可打折外，還因為供不應求，而需要排隊等候新作品的誕生，這類型的藝術家許多都是屬於零庫存的藝術家，不僅美術館級別的展覽邀約不斷，連藝術經紀商或畫廊都不容易購得其作品，當然也甚難洽談到展覽合作，這都是因為在市場上開始火熱的藝術家，早已有許多嗅覺敏銳的畫廊在競爭了，畫廊除了自行收藏外，甚至只開放給 VIP 客戶收藏。

（三）藝術家品牌形塑

　　針對藝術家的培養與經營，除了作品在藝術市場的拓展外，也要經營藝術家在藝術大眾的評價，其中尤為重要的是學術上的認同，及美術館級別的展覽資歷，唯有藝術家作品的高度被藝術殿堂認同，才有辦法有長期穩定的價格曲線發展。

（1）作品價值是建立在品牌價值上

　　藝術家的創作無價，但市場交易卻是有價，藝術創作並非工業品般可大量製造，且創作能量需要累積，也並非以創作材料及創作時間來定價，「大師級」的藝術家作品天價，「非市場主流」的藝術家作品卻乏人問津，其關鍵在於品牌；藝術的世界裡是競爭激烈的，在不同的領域與時期，藝術家只有第一沒有第二，

無論是創作能力而言，或以市場定位而言，只有拔尖的藝術家，才有機會進入藝術史的殿堂。

藝術品之價格既然與品牌有絕大關係，則藝術經紀人除了作品銷售與推廣外，還需要為藝術家進行品牌形塑，因此如今的畫廊營運難度提高許多，如同一道無形的牆，將進入障礙拉高，過去少有畫廊舉辦美術館級的展覽，或跟時尚品牌、頂級建商、大型企業、金融單位相結合，但如今的畫廊產業卻時常進行跨領域的整合，其目的是要借重不同單位的資源背景以發揮影響力，也同時造成媒體效應，並整合不同平台的資源，其實不僅是畫廊需要跨界合作，連全球最頂級的巴塞爾藝術博覽會（Art Basel）也同樣與瑞銀集團（UBS Group AG）合作並取得投資，與其他產業的跨界合作，除了有資源與客戶上的共生效應，也同樣宣示彼此在各自業界中，都是同級量的佼佼者，因此唯有一流的品牌，會與一流的品牌合作。

國際知名時尚品牌路易威登（Louis Vuitton, LV）算是最率先開啟了與藝術家的品牌合作，透過與藝術家的共同開發，設計出多樣包款及時尚衣著，也透過藝術家的創作內容來設計 LV 本身的櫥窗；2001 年 LV 與紐約知名塗鴉藝術家 Stephen Sprouse 合作，共同推出了有街頭塗鴉風格字體的包款；2003 年開啟與日本當代藝術家村上隆（Takashi Murakami, 1962-）長達 12 年的合作，知名的櫻花、熊貓與迷彩等 monogram 系列的包款皆是成功的合作案例；2008 年 LV 與美國的拼貼畫藝術家理察・普林斯（Richard Prince, 1949-）共同合作，結合了其著名的護士系列作品，並推出了女裝發表；2012 年與日本當代藝術家草間彌生（Yayoi Kusama, 1929-）合作在服飾、皮件、配飾上放上具有其個人識別標誌的圓點；2017 年 LV 與當代藝術家傑夫・昆斯（Jeff Koons, 1955-）合作開發了一系列經典大師的名畫包款；2019 年與攝影師 Johnny Dufort 及藝術家 Cindy Sherman 合作充滿劇場感的攝影作品，LV 與眾多國際級的藝術家們合作，不僅達成了其頂尖品牌的全球行銷佈局，同時也奠定了人們對於其頂尖時尚

品牌的定位。

（2）藝術家經營市場的路線

　　前述我們瞭解到藝術家的藝術價值與市場價格，同時會建立在藝術家的品牌價值上，唯有經營良好的藝術家品牌，才能讓藝術地位與市場價格突破，避免面臨市價的「玻璃天花板效應」註⑩，在此所說的天花板就如同藝術家在發展過程中會面臨的成長上限，使其成長的階段遇到無法突破的瓶頸，就像一個玻璃的天花板一般，你可以看得到上層偉大藝術家的存在，但卻到達不了上層，因此大部分的藝術家是難以進入至高的美術史殿堂，且作品金額到達一定高度後就無法再被市場所接受。

　　其實藝術家有分為許多種，部分的藝術家只為創作而存在，他們就不會涉及到藝術市場，因此對於藝術活動較盛行的藝術家們，也並非全在畫廊、藝博會或拍賣會場上亮相作品，有些藝術家他們僅在美術館、替代空間或非營利展覽空間展出，這些藝術家就不在我接下來的探討範圍，因為他們較少涉入藝術市場的環境中；而存在於藝術市場的藝術家，經營路線也有非常多種，針對買賣市場上常出現的藝術家類別，可以分為：學者型藝術家、明星型藝術家、人脈型藝術家、師傅型藝術家、專業分工型藝術家、計畫型藝術家、名人型藝術家、江湖藝術家，當然有許多藝術家是同時具備以上幾種類型特徵，這些參與市場活動的藝術家們，各自追求自己的目標，但也由於其目的之優先順序，而在乎的長／短期需求也不相同。

　　「學者型」藝術家又稱為研究型藝術家，其追求最高的藝術殿堂並且作品表露無遺地追求學術性，這類型的藝術家，通常對於藝術的研究也非常通透，尤其是過去美術史與現今藝術發展的趨勢，都會具有一定的見解，也常見他們發表著作與研究，這些藝術家是透過學術性的高度，來驅動專業型的藏家來購藏，因此

註⑩：「玻璃天花板效應」（Glass Ceiling Effect）是指在團體、公司、機構或生態中，某些群體的晉升或成長有著潛在的限制或障礙，如同上方有個透明的玻璃天花板般，阻擋上升的路線。

與這類型藝術家合作的機構，通常也必須滿足其對於學術專業追求的各項堅持，因為這類型藝術家的主要買主，除了專業藏家外，更多時候是美術館的典藏，因此對於他們而言，學術的高度與創作堅持，才是他們歷久不衰的價值；「明星型」藝術家，就好似藝術圈的明星一般，有著個人獨特的魅力，許多這類型的藝術家擁有著高顏值、有型、亮麗的外表，不僅懂得包裝自我，他們口語表達能力也極好，面對媒體時十分能夠侃侃而談；「人脈型」藝術家，經營個人的人脈網絡，因此努力創作的同時也會有固定的支持者，這些藏家會喜愛與藝術家本人購買作品，所以這類型的藝術家不需要畫廊或經紀人的市場經營，本身就非常會行銷作品；「師傅型」藝術家通常在自家工作室、外部畫室或院校有招收學生，而這些學生在學習的過程中，由於崇拜老師的才氣，因此也會產生一種內需市場的交易需求，認為與老師學習創作的過程中，若是也能收藏老師的作品，也是一件非常有意義的事情，因此許多財力良好的徒弟們都會成為老師的大收藏家；「專業分工型」藝術家會選擇被畫廊或經紀人簽約，或長期的與市場端機構合作，這類型的藝術家大部分是認同分工合作，才能夠讓自己同時擁有市場與藝術的成果，因此也較易與市場端的機構溝通，並且會有許多的商業展覽及合作機會；「計畫型」藝術家指的是具備創作計畫的創作者，其在企劃一系列作品的創作時，是以專案管理的經理人身分在執行創作專案，其可能著重的焦點在於創作品的完整誕生並符合規劃期程，而不在意是否每件作品都有實際參與創作，許多裝置或觀念藝術家也都是屬於此種類型的創作者，這些藝術家有時可以透過創作規劃的提案來找尋收藏單位，先確定購買者才進行創作，並且依照實際的場地與預算限制來調整作品的材料、工法與呈現樣貌；「名人型」藝術家通常是指稱社會知名度極高，但不一定是藝術地位極高的創作者，某些是從事其他領域的成功人士，如：企業主、影視明星、政治家、慈善家等，部分的名人型藝術家是靠著本身的創作才氣，部分則是靠著廣大的社會人脈與知名度，而有著良好的銷售渠道；當然在廣義的藝術環境中，同樣也存在許多「江湖藝術家」或「民間大師」，這些創作者有些

具有非常多的頭銜與職稱，通常會組織藝術團體／畫會／協會／公司，並且集體發聲甚至舉辦獎項或學術活動，雖然不一定具有高度的藝術專業，但他們同樣可以開拓他們專屬的藝術市場，並且可以與宗教或心靈療癒做結合。

其實藝術市場的經營管道非常多元，但藝術家要追求的定位卻要非常明確，透過自己選擇的道路去經營藝術家自身品牌，要名氣、要利益、或單純只為藝術的追求，則是每位創作者的自由意志，確認自我的目標才不會糾結地陷入兩難的死胡同，藝術家應該瞭解自己市場在哪裡，進而做哪方面的耕耘。

（3）畫廊品牌 vs. 藝術家品牌

既然專業性的收藏會考量到品牌問題，那麼到底是什麼樣的品牌驅動了消費者的收藏興趣？以一級市場而言，收藏家看重的是兩種品牌：「畫廊品牌」與「藝術家品牌」，簡單來說畫廊品牌強烈，則推薦作品的說服力就強，特別是有過去實例，曾經將默默無名的藝術家經營成大師的背景故事，藏家更會因為畫廊獨到的眼光與經紀能力而產生信任感，而藝術家的品牌強烈，則收藏家的持續關注度就會高，景仰藝術家的觀眾，無論藝術家有什麼活動都會持續的追隨訊息，當這樣的藝術家與畫廊長期合作時，甚至能為畫廊帶來更多的機會。

以藝術作品的銷售層面反映在一級市場上來說，藝術家品牌程度高於畫廊品牌時，這位藝術大師無論到哪一間畫廊合作展覽，理論上都應該是市場熱門且叫好也叫座，因為收藏家是因為藝術家的獨到之處而收藏，此情況的收藏行為與畫廊的關係較小；反之，藝術家若是在某間畫廊合作展覽時，銷售成績亮眼、關注度高，但脫離了原本的合作畫廊後，卻產生了市場滯銷與收藏信心衰退，則表示當初的收藏行為與畫廊的關係較大，是因為畫廊的品牌與關係才進行的收藏，因此高品牌的畫廊能為藝術家帶來成功，反之，高品牌的藝術家也能為畫廊帶來成功；藝術家與畫廊的合作關係，除了講究相處上的融洽，也講究專業性的部分，因此階段性的發展目標相契合，則在合約期間的共識也會較多，畫廊與藝術家品牌效應旗鼓相當的，其合作上的相乘效應也會越大。

無論畫廊與藝術家目前的品牌態樣是如何，藝術家總是期望畫廊能與其並肩同行，看待市場現象時也是站在同一陣線，當市場出現異象或亂象時，能多為藝術家考量的畫廊，則是好的經紀型畫廊，畢竟市場現象是一時的，創作之路卻是一輩子的，若是畫廊與經紀人不是站在市場端來思考，而能夠以創作端的角度來思考，共同面對市場亂象，則更可以與藝術家建立革命情感。

（4）文化價值的提升

美術館擁有可以判斷藝術作品「價值的權利」，而藝術市場中的收藏家卻擁有能決定作品「價格的權利」，因此美術館與收藏家各自佔有藝術家未來發展的權利配重；美術館的展覽與典藏是藝術家進入美術史的奠基石，因此美術館作為第三方的高度認證機制，觀察藝術環境轉變的同時，也預言了成功藝術家的名單，而由於收藏的權利結構介入了藝術市場，因此收藏家透過購買作品、競標行為與藝術活動贊助，不僅成為了藝術家在資金上的後盾，也成為了市場上作品的持有大戶，猶如莊家般可以左右市場交易的價格水位。

藝術經紀人與作品持有者，都希望透過公立、超然、專業的美術館系統，來為藝術作品加值，並賦予藝術家話語權利，同時喚醒藝術大眾的注意力，使藝術家的認同度提升，這些美術館系統所能賦予的一切，都並非是商業力量能夠直接造成的；只要是與商業有關的一切行為，都是不夠神聖、不夠獨特、不夠高尚，因此藝術品的角色需要被轉換，藝術品的地位要超脫商業的綑綁，透過美術館的特質，將藝術品的「商業價值」轉化為「文化價值」，因此藝術經紀人不僅要經營藝術市場的區塊，也要在美術館系統的領域著力，透過資源整合與文化力量的推動，使藝術家在藝術史奠基。

（四）市場盤的掌控

前三項重點皆到位後，經紀人對於市場盤才有掌控的能力，除了平日打通藝術圈內各層級關係，還需要對藏家有影響力，此所謂的影響力泛指在一級或二級市場中，有傳播力與掌控市場熱絡的能力，當然這些能力都與前述章節中，衡量

畫廊規模的指標及畫廊功能性有關聯，衡量指標的各種面向層級越高，當然具備更多的資源可運用；畫廊參與市場的過程中為藝術家搭橋、開窗與守門，不僅搭了邁往美術史殿堂的橋，也開了藝術家的視野之窗，使藝術家瞭解了商業運作，甚至為藝術家的合作機構與行銷模式守門，目前海峽兩岸間的藝術行銷模式千奇百趣，如何思慮周延又考量到藝術家的永續性，牽涉的不僅是道德層面的問題，也反映出藝術經紀人的工作原則。

（1）看不見的手

　　猶如經濟學中一隻看不見的手，經紀人在與藝術家簽下經紀約的那一刻起，即有一個非常重大的使命，就是進行市場盤的佈局與掌控；市場盤的掌控是經紀藝術家中難度最高的部分，且並非是銷售完作品才開始進行，其與藝術家的定位及經紀策略有關，有時會因其經紀策略而涉入到部分的創作計畫，但無論經紀的策略如何，都以不影響藝術家的創作主軸與主導性為主，藝術家若是過多的配合行銷策略，或參加過多的經紀活動，有時候也會本末倒置的影響到創作的本身。

　　藝術品如同其他商品般有著互補品與替代品的性質，以建設業的公共需求為例，如果需要一件巨型尺幅的抽象畫，則這些被畫廊拿來提案的抽象畫家，彼此之間就是替代品的性質，會產生競爭的關係，建設業主只會選擇其一來購買，因為這些藝術家的大範圍風格較為相似，且創作同樣屬於抽象的系統，因此排除了價位、品牌、知名度等條件後，主要是看視覺上的空間配適性來做決定；而近年來有許多經紀人在發展旗下藝術家時，會鼓勵其發展多元類型與媒材的作品，例如：畫家也開始生產立體作品的創作，或是也開始發展版畫等複數型作品，這些新作品的發表可能會引發油畫的既有客戶回購，而新藏家也可能因為購買了這些新作品，而萌發想收藏油畫原作的想法，因此同藝術家的油畫作品、立體作品與版畫作品，就可能是互補型的作品，藝術經紀人透過產品的性質，替藝術家規劃市場的行銷，並知道如何掌握市場的需求，在適合的時機以適當的產品來行銷。

（2）市場飽和或供不應求

　　經濟學常說的供需原理，常會使人用同一種標準來看待所有藝術家的創作，特別是生產速度與市場供需，例如：若聽聞某某藝術家的年產量，比起其他細膩費工的藝術家創作產量大上許多，總容易先入為主的認為某藝術家有量產的嫌疑？但仔細思索後，開始思考何謂量產？何謂供給過多？其實是否量產，應該是以作品的精神與心力投入程度為主要判斷，或是以作品的創作面貌是否廣泛且具有差異化，並杜絕了複製自我作品的疑慮來衡量，為主要考量如果一個藝術家對待作品的創作是負責的，並且作品的精緻度與完整度也都極高，透過藝術家熟練的技法與每天高工時的投入創作，那麼又為何要求藝術家減慢創作速度，且產量慢的藝術家難道就真的每天高工時的投入創作嗎？還是以一種閒雲野鶴、三天捕魚兩天曬網的放鬆心態來面對創作？創作有時需要靈感，但卻可以透過創作計畫來補足，有些藝術家創作速度較快，其實是因為做好創作的規畫，透過有步驟的創作計畫發想、素材系統整理與專業的創作工序執行，才得以提高年產量，這種努力的藝術家我想是可以透過展覽去感受到的。

　　關於供給是否過多的問題，我想這與市場的「發表規畫」速度與「市場範圍」多大有關，努力創作的藝術家雖然每日投入高工時來創作，但作品卻是保密且尚未流入市場，可能藝術家正在準備的是兩年後的美術館雙年展，因此產量大與作品是否會立即的大量流入一級市場，基本上是兩回事；且每位藝術家的市場範圍是不相同的，地區型的藝術家活動力與市場接受度，通常只限於鄰近的幾個城市，但國際級的藝術家，他的活動與市場接受範圍卻是跨國際的，也許他的產量是地區型藝術家的兩倍以上，但由於國際市場的需求量大，因此市場還是供不應求；所以市場是飽和還是供不應求，關鍵點取決於藝術經紀人是否有協助藝術家打開全球性的市場，若有著全球市場規模的藝術家，作品肯定是供不應求的。

　　很多圈內人士喜歡以常玉（1895-1966）的市場狀態來舉例，認為其一生中油畫作品僅有百餘件，因此品質高又數量稀少的情況下，導致了拍賣市場中屢創高價，因此量少物稀才是市場王道；但僅以供需市場的量價關係來說明高價的原

因，畢竟還是不夠全面，因為常玉能夠高價的原因，是因為反映了藝術的價值，並不全然是因為數量稀少，立體派的畢卡索（Pablo Ruiz Picasso, 1881-1973）一輩子有上萬件的作品，但因為他有著頂尖的國際買盤，因此也未見市場因為作品量大而產生崩盤，反而因為美術史的地位，讓他的拍賣成交屢創佳績。

（3）經紀人如何避免被投機客操控

　　不同的產業市場中難免都會有「人為操作」或「投機份子」，經紀人或畫廊經營出一位成功的藝術家，可謂台上十分鐘台下十年功，如何不讓合作雙方的多年耕耘，成為被消費的對象，才能避免藝術家晚節不保的市場窘境；藝術家多年的人生奮鬥及對藝術的追求，到了晚年市場的交易歷史卻傷痕累累，作品也乏人問津，實在不是眾人所樂見的，因此唯有保護好藝術家的市場盤，才能讓藝術家未來的作品價值與價格同等發展；目前海峽兩岸藝術市場上常見的人為操作，主要有以下幾種：

a. 虛假或誤導性的消息散布：

　　藝術圈時常耳聞某某藝術家健康狀況不佳或年邁已高無法繼續創作，甚至某某熱門藝術家，即將閉關修煉或封筆封刀，系列作品要終止創作，因此近期市場上有大量藏家在收購其作品，這種消息的散播雖不一定虛假，但在市場上確實會有刺激買盤的影響；其他的市場消息散布，例如：檯面下的收藏新聞、某某財團力挺、藏家之累積數量、炒家鎖定目標等，這些消息時有所聞，但唯有深入的瞭解市場，才容易辨別這些消息的真偽。

b. 拍賣市場的買賣盤互相承接，或製造虛售／假交易，以提高交易量與價：

　　拍賣市場是屬於二級市場中公開交易的平台，有別於二級市場其他的私人交易，拍賣會通常現場會有大量的圈內人士見證，而事後的拍賣成績也會進入各大藝術資料庫，成為藝術家的交易行情，因此擁有大量作品籌碼的炒家，可能會透過拍賣會來互相交易作品，事先與拍賣公司談好抽佣費，透過拍賣場中互買作品並且拱高價格，甚至自己送拍再找人買回，因此拍賣會場的即時觀看，對於理解

拍賣中虛實成交的部分，是一門重要的功課，拍賣的現場舉牌、書面下標與電話台競標，都是可觀察的重點。

也許有些人會有一些疑問，買家在拍賣市場上買高單價的作品，儘管有些可能是自買自拍，但這又所為何事？豈不是替人抬轎？畢竟藏家又不是藝術家的代理畫廊；其實有些時候購買高金額的作品，有可能是公司收益過高，因此需要一些能提高營運費用的部分，如同添購傢俱般，購買藝術品也是一個可以少繳稅金的方法，且在拍賣會場上購買作品會留有檯面上的交易紀錄，這份資產在未來質押信貸的部分，也可以提高信貸金額。

c. 同場或同期拍賣活動中，推高第一件作品之價格，以帶動後續作品銷售價格：

通常拍賣公司徵件時，會擬定一個徵件計畫，因此在拍賣場上拍品的順序會有一個節奏與策略，為了塑造一些拍賣場上的亮點，也必須有一些重量級的作品來吸引藏家，通常重量級的作品拍出天價後，往往也會刺激了整場拍賣大家舉牌的次數，因此場面的熱度造就了單場拍賣總額的亮眼成績；有些人為操作者就會利用這種市場熱度的群眾心理，他們利用同一位藝術家的第一件拍品，堆高作品的價格，使同場拍賣的群眾產生新價格的衡量標準，因此讓後面的作品交易也順利地交出亮眼的成績單，當然這些作品的來源就有可能是由同一處藏家徵得。

d. 買家壟斷市場的作品流通，成為市場上作品籌碼最大者，藉以操控市場：

由於藝術的一、二級市場是彼此連動互有影響的，因此經紀人除了本身手上持有的作品數量及售出對象的考量外，也要考量到藝術家在過往的市場歷程中，曾經交易過的「作品數量」與「收藏流向」，一級市場是由代理畫廊親自銷售，這樣的交易模式較容易分配與追查作品的收藏流向，但二級市場的作品流向卻是難以追蹤，並且交易的資訊是具「隱蔽性」的，因此在初期銷售階段若是可以更審慎地推薦藏家，可以避免後期的市場調查困難。

基本上藝術經紀人會經手藝術家現在與未來的作品，假設未來藝術家的創作都會如期實現，則可運作的作品數量，則是合約存續期間乘以年產量，但藝術經

紀簽約時雖然會有創作產量的預估，但卻無法白紙黑字的定義創作品質，且若是藝術家的作品被買家藉由二級市場壟斷，則二級市場的價格也容易被主導，雖然乍看之下市場價格被哄抬，能夠帶動一級市場有更高的獲利空間，但卻容易影響藝術家的創作情緒，藝術家的創作情緒若是隨著上沖下洗的拍賣波動而起伏，則藝術家的創作容易變質且不穩定，更糟的狀況是當市場的壟斷者最後了結出清時，爬得越高的價格相對也會摔得越重，可能導致合約持續期間的藝術家創作出現重大問題，市場泡沫化後連帶的影響藝術家的市場生命週期提早結束。

e. 將藝術品作為洗錢標的，同時拉抬作品價格：

藝術品的交易管道眾多，而大部分的交易都是私下成交，就算是拍賣會一類的公開競標平台，其買賣家資訊也是保密不揭露，且由於藝術品的獨一性特質，讓作品的鑑定與鑑價較為困難，因為每件作品彼此都不相同，大部分的鑑價都會以價格區間來估計，且容易隨著時間的波動而改變市場行情，而市場的行情也會參考同藝術家其他作品的拍賣紀錄，因此拍賣的平台變的相形重要。

一般常見的洗錢方式有：甲地拍賣乙地付款（跨國資金）、炒高價格的假交易（價格虛設）、以黑錢支付交易（漂白黑錢）、貪汙式洗錢（雅賄或化公為私）及關聯式洗錢（收益轉與他方）等，這些洗錢的方式不外乎是規避外匯管制，或將不可見光的金錢漂白，甚至以公司或政府的錢投資藝術品，之後再轉至私人，或將收益轉給關係人，其中也因為洗錢成本過高又希望收益提高，因此在洗錢的同時透過拉抬作品價格，讓作品有高價成交紀錄，對於未來出售價格也有助益。

f. 競爭者惡意地癱瘓藝術交易市場：

一個地區的藝術作為整體文化資產的一份子，是可以共生且提高每個國家的文化厚度，但以產業層面來看，卻會有著商業上的競爭關係，以藝術機構而言，難免會存在代理藝術家之間的彼此競爭關係，且藝術機構間爭取客戶的競爭關係也是既存的現實，當不同的藝術家在市場上彼此競爭時，也會連動的影響到其代理機構的競爭。

　　當一名藝術家有不同的代理商時，也有可能會產生通路衝突，舉例來說：若是一名藝術家分別在不同地區有畫廊代理，但這些地區的畫廊又同時有重複的客群，則面對藏家的強力議價時，畫廊為了爭取與客戶的親密程度，就有可能產生削價競爭的行為，而削價競爭後藝術家發覺市場上價格混亂時，則開始傾向於單一的代理模式，因此從中選擇一間畫廊作為獨家代理，但由於過去的代理畫廊手上也握有買斷的數件作品，未取得代理權的畫廊得知未來將不再擁有貨源時，就會失去持續經營此藝術家的動力，這可能會導致釋出市場的作品價格偏低，或惡性的壓低藝術家的市場交易價格，以至於癱瘓其交易市場，這就是共同代理產生的惡性競爭。

　　其實藝術市場不像金融市場有《證券及期貨條例》等相關法規可以監督，且藝術市場的特性使然，許多的交易資訊不公開，因此藝術的經紀人除了經營藝術家品牌並行銷藝術作品，還要顧及藝術家未來能被永續經營的保障；藝術經紀的四大構面，看似彼此分隔實則環環相扣，收藏結構的拓展會影響到將來的價格曲線發展，而曲線發展衰退也同樣會讓收藏拓展遭遇瓶頸，經紀人經營藝術市場的同時，也應該要協助藝術家有美術館的展覽接洽，透過策展人與藝評家的專業角色，累積藝術家的文本厚度，使未來的學者可以加以研究，並成為指標性的類別代表，回過頭來才能夠對於市場有持續性的助益，而市場盤的掌控則是要預先的知曉未來的發展，遵守著寧願緩賣而不要錯賣的原則，避免遭遇投機客的洗捲狂潮，將作品價值淪為市場價格的附屬工具。

三、藝術產業價值鏈

　　美國著名管理大師—麥克・波特（Michael Eugene Porter, 1947-）於 1985年提出的重要理論「價值鏈」（Value chain）分析又稱為價值鏈模型，將企業組織的工作項目分為，主要活動（Primary Activities）與支援活動（Support Activities），無論是主要或支援活動，其所有的過程都是為了產生價值，且每

個階段的經營流程,都具有加值的功能。

　　以藝術產業而言,主要活動的項目有:創作能量累積、素材庫準備、媒材準備與基底層處理、創作流程執行、作品後加工、運輸保險及倉管、藝術行政、展覽與行銷專案執行、業務銷售、售後服務、藏家關係管理等,其位於圖示的下方區塊,並由左至右而產生了上下游的關係;至於支援活動的項目有:藝術產業生態經營、專案團隊的運作、藝術創作與營運模式發展、展覽政策規劃等,其位於圖示的上方區塊,並由上至下與主要活動相互對應著;唯獨藝術產業的獨特性,在此也把藝術經紀的四大策略,併入於圖形的核心位置,以收藏結構的拓展、價格曲線的發展、藝術家品牌形塑與市場盤的掌控,來與主要及支援活動對應。

　　藝術產業之發展部分相似於製造業、服務業或其他產業般,唯獨其「藝術市場」與「藝術品」有其不同於工業產品及服務之特性,因此還需考量經紀策略,並且所有的一切活動項目,都是為了創造價值,也就是藝術家、經紀人與產業價值。藝術產業價值鏈之圖形如下所示:

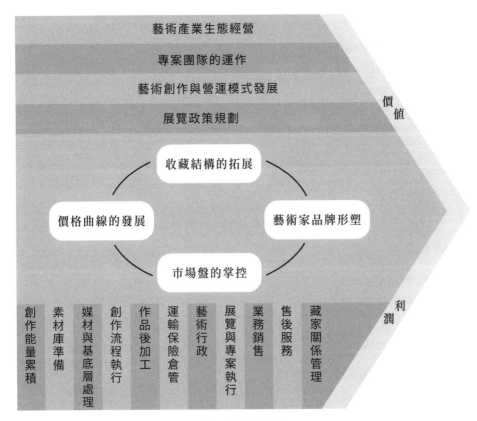

圖：藝術產業價值鏈

四、藝術市場之合作策略

藝術生態圈內角色眾多，其各單位／角色皆有不同資源與影響力，如今之全球化時代，藝術已不再是單打獨鬥，一位藝術大師的誕生，也並非僅靠藝術家本身之能力即可，而是眾多的角色各司其職，發揮資源整合之綜效，其不同角色所發揮之影響力及背後資源分述如下：

（一）藝術家

藝術家有別於其他工作者，能透過藝術製作活動或觀念輸出，來產出藝術

品，也因此藝術家成為了藝術品的主導者，藝術品是之於藝術家而存在著，因此藝術家也順理成章地被視為藝術產業的核心角色；由於藝術家之最終目標為進入藝術史，因此應更專注於藝術創作，且與經紀人有良好默契，能配合經紀人之階段性策略，與藝術經紀人的初期合作來看，藝術家應該先要「名」而不是先要「利」，先要利則會導致裹足不前的發展窒礙，先要名而不先要利，最後才能名利雙收，並且進入藝術史之殿堂，因此藝術家之品格與特質，與其創作才華是同等重要的。

（二）畫廊

　　畫廊或經紀人的使命會依照藝術家發展階段與需求性而有著不同的定義，以「新銳藝術家」而言，畫廊的使命即是使藝術家專心創作，並提供生活安定之保障，同時有能力的針對其初期發展之規畫，提供所需要的資源，畫廊與經紀人不僅具備市場性的行銷與業務開拓，也具備邁入藝術殿堂的前置規畫，及提高圈內能見度的執行能力；以「資深藝術家」而言，則是進階的全球市場佈局與美術史定位的奠基，不以短期躁進的經營模式，而是以深度與長遠的執行理念，來推動使命清單的達標與藝術理念之實踐。

　　無論畫廊經紀之藝術家目前狀態為何，其首要功能為發展藝術經紀之階段性策略，進行各單位／角色間之資源整合，並彙整最新產業趨勢與全球藝術發展動態，且持續的研發新型態的經紀模型，以與時俱進的提升藝術家與藝術機構本身的競爭力；畫廊與經紀人雖有區別，但同是經營藝術生命的角色，以機構或個體戶的形式來代為行紀藝術作品，其目的始終是一致的，而其處於產業的核心位置，有其中介與中心化的獨特性，在商業運營的獲利模式下，還要肩負推廣使命的責任。

（三）媒體

　　不同的媒體有其不同的傳播媒介與管道，以目前的時代環境下，優質的媒體不單是指電視、網路、平面或數位媒體形式，其還必須結合實體的活動與跨界的

交談，因此許多藝術媒體也不定期舉辦藝術講座、展會媒體區參與、媒體交換露出或其他產業關懷的活動，因此傳播角度與廣度皆不相同，而近年也有諸多以多角化的營運模式而產生的集團，如：媒體結合咖啡館或餐廳、媒體結合活動公司、媒體結合文創或建設公司。

（四）策展人

　　其正式學名為「獨立策展人」，因此其權力與關係應該獨立超群，其與美術館、學術單位、藝評家關係良好，除博覽會主導外，也幫美術館舉辦雙年展與各種大型展覽，其功能如同一統籌之領導，故其需要多位的工作人員與行政助理，協助其完成整個專案，並確保展覽之學術品質，與時代下的呈現觀點；每個展覽皆必須與藝術發展之「脈絡走向」及「文化政策」相關，固其也扮演著藝術潮流的「預言者」與「引導者」。

（五）拍賣會

　　拍賣會的功能主要有四種，即為商品流通、中介服務、價格發現與價格紀錄；首先，作為「商品流通」的功能，使買賣雙方能夠取得所需，使資金與收藏品產生一種迴圈週轉；其次，作為「中介服務」的功能，拍賣中介不涉入競標，但能藉由拍賣會的平台上，保障買賣雙方的資金與藏品交易，同時服務與溝通雙方的價格期待；第三，「價格發現」的功能，拍賣市場上是透過買家的競標，而來認定市場的價格水位，而最高出價者決定成交價格的這種機制，有別於一級市場的公開統一定價，因此不同的時間與環境下，拍賣公司可以發現當下的價格行情；最後，是成交之「價格紀錄」的功能，因為拍賣會是公開的二級市場交易平台，有別於一對一的一級市場交易，拍賣公司的交易是公開透明的，不僅可以完整反映當下的行情，且可以作為行情趨勢的價格波動之紀錄，對於數據研究與模型的建立上價值極高。

　　拍賣行情能反映出一位藝術家之作品，在市場上的受歡迎程度，其每年舉辦的數場拍賣會之拍賣價格，皆有不同國際的藝術資料庫作記錄，因此拍賣走勢有

跡可尋，其有龐大的收藏家名單，也會幫藏家規劃收藏建議，其發行的刊物與
VIP 藏家服務，皆為良好的藝術作品推薦管道。

（六）收藏家

頂級收藏家不僅是藝術的重度成癮者，也是藝術的研究專家，其對於市場上
的收藏策略，就猶如一隻領頭羊帶領著周圍藏家前進，這些頂級藏家透過其早期
之收藏，在美術史上的地位驗證，及收藏品的價格暴漲，驅使更多藏家認同其收
藏的眼力與預判性。

因此許多新興收藏家皆會研究其收藏清單，且對於這些頂級藏家出席的展覽
也會加以關注，雖然偶爾會有捕風捉影之現象，但只要這些頂級藏家不約而同或
相約而至的，開始購買某些藝術家之作品，聞訊趕到的周圍藏家，即會在第一時
間的跟進收藏，造成作品的搶購一空，這就是頂尖收藏家的影響力，特別的是這
些被認同的收藏家，不僅是在進行收藏行為，更透過收藏的動作參與了市場的趨
勢，如果說頂尖的藝術家是具備改變一代人審美品味的「能力者」，那麼頂尖的
收藏家，則是具備改變一代人的關注焦點，並提升市場關注力的「權利者」。

在藝術產業中展覽的呈現與藝術價值的傳遞，有時並不是直接地傳達給收藏
大眾，而是分成三階段的；首先，是由藝術機構產生藝術價值的內容與展覽活
動的推廣；第二階段，則是說服這些所謂關鍵意見領袖（Key Opinion Leader,
KOL）的頂級收藏家，並驅使這些收藏家產生實質的購藏行為；最後，影響藝
術大眾的同時也產生市場熱度，造成有志一同的收藏趨向，因此掌握了關鍵意見
領袖的資源，也就掌握了傳播力。

至於二級市場而言，這些頂級老藏家由於收藏的歷史較深，早期透過購買行
為而結交的產業人士，如今都是藝術界的大佬級人物，他們共同見證了產業規模
的發展，也共同經歷了市場景氣的循環，因此頂級藏家與產業大佬們彼此的情
面、合作經驗、認同度、資金實力與影響力，都是加速彼此合作契機的催化劑；
藝術角色之合作策略圖如下所示：

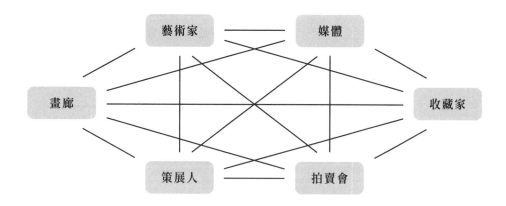

圖：藝術角色之合作策略圖

五、藝術平台與資訊傳播

　　收藏階段之培養需要相當的時間與付出，其藝術品的購買過程也難免藉由繳學費的方式，來加深自己的鑑賞眼光，若想降低繳出之學費而直接培養鑑賞眼光，則需要有收藏之前輩帶領；即使有收藏之前輩帶領，同樣也難取得最核心的市場情報，因此有許多收藏家還是會跟畫廊或拍賣會購買作品，以取得進入內圍藏家之入場券，因此藝術市場的關係培養實屬困難，俗話說：「內圍帶中圍，中圍帶外圍」，頂級收藏家雖然處於藝術市場的核心地位，但也會有無法全職投入的時間成本問題，因此與專職經營藝術之畫廊經營者或經紀人相較，藝術經營者較容易取得圈內資訊並即時反應。

　　藝術家經紀人，同樣扮演著特殊及重要之角色—「資訊操盤者」，如何利用不同平台直接或間接地，去散播並掌握市場情報，實屬成敗之關鍵；因此建構了完善的「資訊情報網」，與掌握正確的「資訊流」即可保持經紀策略的正確性，針對資訊流的擴散，其藝術平台與資訊傳播示意如下：

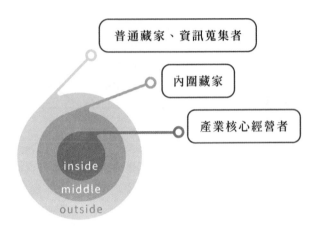

圖：藝術資訊環

圖：藝術平台與資訊傳播示意圖

文化大戰略淺談

文化或者文明就是由作為社會成員的人所獲得的，包括知識、信念、藝術、道德法則、法律、風俗以及其他能力和習慣的複雜整體。

——泰勒（Edward Burnett Tylor），人類學者

文化本身是有戰鬥性的，是有進步性的，它是對於自然界的各種粗暴力量的戰鬥，對於人類本身的先天獸性的戰鬥，這些戰鬥永不間斷。在時間的進行中，人類便遂成其文化的高度發展，文化亦隨時代而更易其內涵。

——郭沫若，《文化與抗戰》作者

　　研究景氣的專家學者，通常會講述一個道理，即是研究產業經濟的同時，也必須研究總體經濟，因為每一個產業它都是處於總體經濟體之中，因此總體的大環境勢必會影響各個不同的產業面，總體的影響因素，如：人口、政治、法規、社會、科技、風俗、自然環境等，都會是影響一個經濟體的因素，因此當我們在探討藝術的產業時，我們也可以站在一個較宏觀的視野，先思考整體文化上的影響因素，才能理解台灣的藝術產業要如何能夠更上一層樓。

　　當一個大時代要降臨時，勢必與當時的人類發展環境有著重大的關係，由於重大的環境轉變造成了許多事件的發展，並且影響了當下的全球也影響著後世，第一次世紀大戰（World War I, 1914-1918）前後，歐洲的現代主義運動開始影響美國，並在第二次世界大戰（World War II, 1939-1945）後徹底轉變世界藝術的潮流，美國先後發展的抽象表現主義（1940 年代末）、色域繪畫（Color-field painting, 1948）、硬邊藝術（Hard Edge, 1950 年代中）、低限／極簡主義（Minimalism, 1960 年代）、普普藝術（Pop Art, 1960 年代）、照相寫實（Photorealism, 1960 年代末），將現代主義藝術推波助瀾，且由於美國藝術崛起，也將歐洲從文藝復興時期開始的話語權給搶奪下來，世界各國人才的移入後豐富了美國的文化，自此美國（紐約）成為現代藝術的重鎮，羅斯科（Mark Rothko, 1903-1970）、克萊佛・史提（Clyfford Still, 1904-1980）、傑克遜・波洛克（Jackson Pollock, 1912-1956）、德・庫寧（Willem de Kooning, 1904-1997）等國際大師也在美國的土地上挑戰創作的極致。

　　人類兩次的世界大戰，造成了整個世界區域性、民族性與文化發展的疆界消失，且都朝向了普遍的國際化趨勢發展，至 1960 年代後，石油輸出國組織成立（1960 年）、非洲 32 個國家獨立（1960 ～ 1968 年）、越戰（1959 ～ 1975 年）、柏林圍牆建立（1961 年）、古巴導彈危機（1962 年）、中國兩彈一星成功（1964 ～ 1970 年）、中國文化大革命（1966 年）、台灣中華文化復興運動（1967 年）、美國阿波羅 11 號登陸月球（1969 年），在這歷史上特殊的 1960 年代，也逐漸

地開啟了後現代主義與折衷主義，藝術的發展全球互相影響，且全球的文化，與世界各國的政治、經濟、社會、軍事與科技，都產生了高度的關聯性。

一、各國的文化策略

西方國家自 18 世紀開始，由於受到科學與技術的進步、知識的累積、工業革命、生活水準提高、醫療進步，因此西方社會開始認為人類文明象徵的是歷史的進步，也由於這股西方的進步論思潮，帶動了現代主義之後的藝術發展，西方美術的發展就在這股不斷創新的變革中，擁有了多樣面貌的實驗性創作；如今的美術館中不僅展示過去的傳統藝術，也時常展示多種新媒材與新樣式的藝術作品，在當代藝術的競爭中，實驗性也成為了評量藝術創作能量的重大因素之一。

後商業化時代下，世界各國除了政治、軍事、經濟、科技外，也逐步開啟了文化上的侵略，以近年的經濟區塊來說，過去在經濟上中國大陸有所謂的 2025 計畫，而韓國總統文在寅也籌劃 1,000 億資金，要讓三星（Samsung）能超越台灣的台積電，以文化層面來說，目前東西方各國也正在積極地發展各自的文化策略；文化的傳播必須具備歷史的維度，也就是要重視歷史，並透過線性時間的發展，來理解歷史生成的環境與價值，而在各國的文化角逐上每個國家的策略發展皆不相同，以下分別就各國的主要文化策略，簡要重點摘述：

（一）韓國的文化策略

過去韓國政府曾經透過法規制度、技術、資金、人才來提振文化，並提出「文化世界化」、「文化藍海政策」、「純藝術振興綜合計畫」與「文化產業五年計畫」，並於朴槿惠政府時期提出具體的「擴大文化參與」、「振興文化藝術」、「融合文化產業」三大策略及十大執行方案，而韓國「文化體育觀光部」附屬的「文化藝術政策室」主要職責則是制定文化休閒的綜合政策，並支援藝術活動及振興文化設施與人文精神文化的相關政策；文化藝術政策室下設有「文化政策官」、「藝術政策官」與「文化基礎政策官」，各有專業範疇的職掌，並強化國際交流；

韓國政府以政策及辦法來進行文化競爭力的提升，並且特別設立了文化及藝術的相關政策官，從政府組織架構上就顯示出韓國特別重視藝術及文化，從政府部門的單位開始改變，並將文化視為國家競爭力的主要項目之一，近年來韓國也屬於亞洲國家中相當重視文化發展的國家之一。

　　韓國其實是一個國族主義非常強大的國家，而經濟上也由三星集團主導，自幼成長的韓國人民不僅努力地想在社會地位往上爬，也尋求一種認同感，而能夠在國際上嶄露頭角的機會，都會被視為為國爭光或文化輸出的作為，而本土企業三星集團與韓國政府，也在背後極力的支持韓裔的藝術家。

（二）日本的文化策略

　　日本的文化自古而來強調精緻與質量並重，且擁有完整連續的本國歷史，自古而來也屬世界強權之一，其政府於 1996 年公布「21 世紀文化立國方略」，希望日本從經濟大國的優勢上，將日本的文化面也成為世界強國，因此規劃了長期目標，希望將日本文化輸出到其他國家，成為重要的文化輸出國，2001 年所提出「知識產權立國戰略」，顯示日本國家針對知識產權及內容產業，也有越來越重視的趨勢，2010 年推出「Cool Japan 文化戰略」，並設立「酷日本海外推展室」，結合文創、設計、音樂、動漫、飲食和旅遊等生活風格元素，透過文化軟實力建構國家文化品牌。

　　日本文化廳之下有三大部分，分別是長官官房、文化部與文化財部，而旗下還有諸多組織，如：日本藝術院、審議會、獨立行政法人等，這些附屬在文化廳之下的部門與組織，主要負責文化的相關活動與行政工作，其不僅對於藝術日語、出版與宗教文化相當重視，對於歷史文化的資產，也是不遺餘力的維護與推廣；由於日本對於歷史建築、聚落、古蹟及人文是相當重視的，每三年一次的「瀨戶內國際藝術祭」與「越後妻有大地藝術祭」，皆是結合了藝術與在地風貌的成功行銷典範，因此每年也吸引大量的藝術愛好者前往朝聖。

（三）澳洲的文化策略

澳洲由於二次大戰後許多移民人口的遷入，因此擁有著多元的文化與民族，而政府也採納「多元文化政策主義」，讓各種文化平等又自由的發展，也因此藝術與文化的發展也非常多元，除了有各種前衛的藝術創作，也有原住民以自身文化為養分的創作。

澳洲首相 Paul Keating 於 1994 年發布的政策白皮書—創意國度，以提振文化創意產業為目的，並且普遍落實全面性的藝術教育，且澳洲聯邦政府之通訊與藝術部（Department of Communications and the Arts）更於 1980 年成立「藝術銀行」（Art Bank），以實質購買藝術家的作品來支持藝術事業，並且將其出租予公司、政府部門與機構組織，除了廣泛的推廣藝術家的作品與提升曝光度，出租作品所得的收益又再度的投入藝術事業的發展中，成為一良善的循環，而這些付租金去租賃藝術作品的單位，事後又可將租金之金額於財政年度內申請退稅，因此申請租賃的單位也相當踴躍，其成功的執行成果也成為了台灣藝術銀行效仿的對象。

而澳洲對於藝術的公眾活動方面，也頗有成效，最著名的有：墨爾本國際藝術節（Melbourne International Arts Festival）、珀斯國際藝術節（Perth International Arts Festival）、阿德萊德藝穗節（Adelaide Fringe Festival）、雪梨電影節（Sydney Film Festival）、MONA FOMA 藝術節與白夜節（White Night），這些藝術活動無論是電影、音樂、舞蹈、戲劇、新媒體、古典藝術……，皆具有國際的指標性，因此也帶動許多海外的藝術愛好者前往朝聖。

（四）中國的文化策略

作為一個泱泱大國，並且擁有全球五分之一的人口數，中國大陸除了在經濟、科技及軍事上，與美、俄等諸強大國較勁，對於淵遠流長的大中華文化國，歷經文革後的恢復期，也希望在文化上與世界強國並駕齊驅，過去由於經濟極需提升所造成的混亂及弊端，及社會主義的全球觀感，總讓世界感受到中國的負面國際形象，特別是文革後，許多文物的保存還沒有台灣完整，因此目前大陸各省

份也正在積極地成立公、私立美術館，並以各區域的美術史代表藝術家為收藏對象，進行爬梳與脈絡性的收藏，希望透過後期的補足，來挽回文革時期的損傷。

2009 年中國國務院頒布了「文化產業振興規畫」，將中國的文化視為策略性的產業之一，並針對文化創意、影視製作、出版發行、印刷複製、廣告、演藝娛樂、文化會展、數字內容與動漫等，皆涵括在文化產業內；除了希望擴大文化消費外，也期待能夠自主地研發出屬於本土的主題樂園，而其中的場景、角色、故事內容，也都期待能夠透過本土的人才來進行研發、設計與創作，而各個省份政府也積極地發展特色城鎮，推廣觀光與特色產業發展，且社會主義的文化強國，也期望能夠讓社會主義的核心價值觀，成為國際上的潮流文化，強調其優於資本主義的特點，宣揚中國式與現代化的社會主義，中國的文化策略不僅想向外輸出大中華文化，同時也輸出其獨特的社會主義文化。

今年來中國較為著名的文化輸出案例，則為「孔子學院」最著名，基於提升國家文化軟實力的策略性發想下，並且搭上漢語熱及中國熱的流行風潮下，順勢的在美國、加拿大、法國、韓國、瑞典與澳洲等 162 個國家（截至 2020 年）設立「孔子學院」及「中小學孔子學堂」，其拓展的幅度非常廣大，亞洲 39 國、非洲 46 國、歐洲 43 國、美洲 27 國、大洋洲 7 國，課程分為：語言類、文化類、文史哲、特色課、漢語教師培訓課，其透過全球性的學院拓點，與孔子品牌的經營，也成功的讓中華文化席捲全球，雖然後期有共產主義的輸出疑慮，但起初的文化方針也頗具策略性。

（五）德國的文化策略

由於德國過去的第三國家歷史，與納粹時期的海外文化宣傳，造成了國際上對於德國的刻板印象，因此德國對外的文化外交策略，盡量不由國家政府直接的主導，而是透過較為軟性的文化機構來達成，才可避免被當成是意識形態的輸出；目前世界各國在推行自身文化品牌時，會透過成立協會或學院式的機構，來從事文化任務，較著名的有：法國文化協會（法國）、英國文化協會（英國）、塞萬

提斯學院（西班牙）、但丁學院（義大利）、卡蒙斯學院（葡萄牙）及孔子學院（中國），而德國則是以著名的思想家—歌德之名，於 1951 年成立歌德學院（Goethe-Institut），此機構的總部設於慕尼黑，並在全球各重要城市設有分院（德國 13 所、外國 128 所），其依據 1976 年與德國外交部簽訂的協定框架，來執行對外的文化政策，開設德語課程並舉辦文化活動，其透過德語教師獎助金，及推動音樂家、作家與藝術家的相關活動，來達到德國文化與世界各國的交流。

（六）盧森堡的文化策略

　　盧森堡大公國位於歐洲內陸，周圍被法國、德國與比利時圍繞，雖居於內陸且土地面積不大，但其鋼鐵、金融與銀行業世界知名，且人口只有 50 萬的小國家，人均國內生產毛額註㊶（人均 GDP）竟然排名世界第一長達 40 多年，由於其國內存有大量歐洲中世紀建築，及眾多的防禦堡壘及城堡，因此觀光旅遊業也非常興盛；除了觀光以外，歐洲法庭也設立在其境內，且其稅率比起其他歐洲國家相對低很多，因此吸引了各國的資金湧入，且盧森堡「自由港」註㊷（Freeport），在近年來也成為了國際富豪與頂級藏家，存放重要藝術與收藏品的地方，藉由保稅倉庫來存放高價值文物及昂貴藝術品，也成功的吸引了國際大藏家前往。

（七）新加坡的文化策略

　　與台灣一樣是屬於島國，面積等於 2.64 個台北市大小，地理位置上緊鄰馬來西亞與印尼，與台灣同樣歷經多國的殖民，並於 1965 年由馬來西亞脫離後獨立建國，如此歷史不悠久、文化不強勢的小型國家，於近 20 年來卻有重大的文化推動。

註㊶：「人均國內生產毛額」又稱人均 GDP，是經濟學中衡量發展的重要指標，也可作為衡量一個國家人民生活水平的依據，人均國內生產毛額＝ GDP 總額／總人口。

註㊷：「自由港」（Free Economic Zone）又稱自由貿易區，係經營貿易為主的經濟特區，可自由貨物起卸、搬運、轉口、加工、長期儲存的港口區域，在港內的外國貨物可免徵關稅及免除海關檢查，最早的自由港為 13 世紀法蘭西王國開闢的馬賽港，自由港與保稅港區類似，僅在優惠措施空間範圍有所差異。

　　新加坡政府於 2000 年時發表《文藝復興城市報告》，其內容規劃了透過文化的推廣來帶動城市的繁榮，並從工業經濟的角度轉變為發展知識經濟，其規畫從 2000 至 2015 年分三階段執行：藝術的全球城市（2000 ～ 2005 年）、文化產業塑造（2005 ～ 2007 年）、文藝復興 3.0（2007 ～ 2015 年）的文化推動，企圖讓新加坡成為全球文化中心，並且將文化列為國家發展的核心；隨後 2002 年時又發布《創意產業發展策略》，將商業、科技與藝術結合，新加坡從經濟建設發展到文化建設，從經濟關注轉變為文化關注，於文化政策上，瞭解一個產業的健全是基於整體結構的提升，不僅是培養藝術家，還要培養：藝術經紀人、藝文從業人員、畫廊經營者、藝術評論家、策展人、藝術媒體等來完整產業結構，不僅是以補助的型態，而是透過一個「藝術產業生態系統」的刺激，來使產業專精化並多元發展。

　　除了培養產業系統健全外，新加坡也成立了亞洲第一個文化自由港，將樟宜機場的西南角設為新加坡自由港（Singapore Freeport），並於 2010 年成立後吸引了國際重要的藝術機構進駐，如：佳士得拍賣公司（Christie's）、佳士得藝術品倉儲服務公司（Christie's Fine Art Storage Services）、瑞士 Natural Le Coultre 公司等，新加坡文化自由港成立辦法是參考瑞士文化自由港，除了新加坡居民外也開放非居民存放藝術及奢侈品，不僅提供存放也可供作美術館展覽，而在港內的所有藝術交易皆不需課稅，並對客戶資料及存放物品資訊極度保密。

二、文化帝國主義

　　第二次世界大戰後，由於已開發國家擁有領先的優勢條件，因此對於第三世界的國家有著新型態的控制權力，並產生了一種「文化帝國主義」（Cultural Imperialism）或稱文化殖民主義的概念；這種概念類似於以軍事武力入侵他人國家，只是取而代之的是使用「文化」或「價值」加諸於其他國家的人民，即是進行一種文化與價值上的輸出，支配者透過媒體輸出關於：文化、所有權、價值

觀、意識形態等思想觀念的洗腦，使得弱勢文化的國家對於強勢文化的國家，產生依賴、羨慕與崇拜的觀點，這種觀點透過食、衣、住、行、育、樂等各種生活的面向去傳播，而這種改變弱勢文化國家中大眾意識的做法，就是企圖建立文化霸權。

文化帝國主義的主要目的有兩種：經濟及政治目的，「經濟面」來說，即是透過文化價值的擴張，來行銷含有文化價值的產品，並且帶動全球性的文化支配與長期的商品銷售，「政治面」來說，即是文化強國透過強勢的文化，強加於弱勢文化上，強國透過電影、廣播、書刊、電玩與網路等媒介，傳播強國的政治觀點與社會價值，不僅讓強勢文化入侵到弱勢文化，也讓兩種文化融合，而產生類似殖民的後文化；自古以來無論是軍事、經濟、科技、社會或文化，強勢的一方始終佔有絕對的主導權，操控著弱勢的一方，而弱勢的一方總是想抗爭卻又無力反擊，因此一個國家的藝術想要成為國際主流，不僅是以作品說話，還要能夠理解當下文化環境的情況，才能夠有正確的文化政策走向。

今日國際間的國力角逐，已經不僅是經濟考量及政治目的，國際間的競爭已經是全方位，於文化上似乎也與經濟及政治有關，在文化經濟與文化政治上，如何的打出台灣的文化品牌，需要依靠文化的外交思維模式，並且透過資源論的角度，進行文化賽局上的角力，如何免於文化的殖民，甚至有天台灣的文化也能席捲全球，成為全世界的強勢文化，這點則是台灣藝術圈與政府部門可以思考的重點。

三、東西文化上的非對稱性

對於美術史近百年來西強東弱的情況，我們稱它們為西方霸權，而全球化的時代下，大部分國家的人所學習的皆為西洋美術史，面對藝術創作時也常聽人說要國際化，但往往也只是美國化或歐洲化，也就是「美國本位主義」或是「歐洲本位主義」，西方人對於中國或亞洲區域的文化或地方藝術史，卻是鮮為人知的，

在東方有許多人對於西方的美術大師與藝術流派如數家珍，但西方人對於東方人的美術史與藝術流派有深入瞭解的，卻是寥寥可數，這種西方霸權的現況，導致了東西文化認知上極度的不對稱。

其實若說西方人對於東方藝術全盤不瞭解也不認同，也並非全然屬實，過去西方美術史上有眾多大師，實際上是被東方藝術所影響，如：日本江戶時代描繪市井風情的浮世繪，就深深地影響著法國的印象派，馬內（Edouard Manet, 1832-1883）、莫內（Oscar-Claude Monet, 1840-1926）、梵谷（Vincent Willem Van Gogh, 1853-1890）等印象派大師，皆對於浮世繪這種有著神祕東方氣息的藝術著迷不已，且這種創作與古典寫實藝術的種種差異性，也讓這些想要掙脫西方傳統寫實繪畫包袱的藝術家更為欣賞，而浮世繪中的平民化題材、散點透視法、平塗上色、修長形體、豔麗用色、除去陰影保留線條等特點，都敢發了印象派的藝術家面對創作有更大的自由度。

若要說到西方對於東方的藝術認識之缺乏，應該稱為缺乏「系統性的認識」，過去許多西方的藝術大師，都曾經著迷於部分的東方藝術，以抽象繪畫為例，就有許多的西方藝術大師，曾經借鏡過中國的書法藝術，將源於中國的藝術精神融入到他們自身的創作中，但即使這些藝術家透過書法來提升自己的創作，他們還是沒有全盤與系統性的瞭解中國藝術，會造成這樣的結果主要有幾點原因：首先，是對於「文化認知上的缺乏」，由於中國藝術涉略層面涵蓋較廣，必須要對於整體的文化、歷史、語言與哲學有瞭解，才能夠更為深入地理解中國藝術；其次，是「對於東方思想的簡單化」，以較為粗淺的觀點來理解東方哲思；最後，是「以自我的優越感」，將西方文化視為中心，視其他文化為較次等或邊陲的文化，這現象也說明了，即使西方的藝術大師著迷於東方藝術，或自東方的藝術中汲取養分，也並非就代表東方藝術是好理解或被西方大師所推崇。

在未來我們應該要思考的是如何向西方，來展現我們的文化與藝術內涵，並且避免前述所說的無法全盤性，與無法系統性理解東方藝術的問題，在未來的藝

術發展上，要如何擺脫以西方為中心，並且建立東方的「藝術審美系統」與「論述機制系統」，這些都將有助於解決目前藝術圈內結構性的問題。

四、文化輸出與行銷的實例

所謂文化的輸出，是指有目的及意識的方式，來傳播國家的文化思想與形象，且輸出的文化內容，不僅影響了其他文化對於自身文化的觀感印象，也會因著輸出的文化內容，而影響了文化輸出是否能成功，其實文化輸出就是將國家文化視為一個品牌，並且讓這個品牌國際化的過程；而只有國家的文化品牌成功國際化後，國內的各種品牌才有機會國際化，一個國家的整體藝術文化尚未國際化之前，要讓國內藝術家成功的國際化，也並非易事，而一個國家的文化成功席捲全球後，國內許多拔尖藝術家要出頭就並非難事。

（一）鈔票上的藝術家—透過貨幣來行銷藝術

錢幣與藝術品結合的案例，早期的中國即有許多範例，以近代為例：奧地利20先令上的畫家莫里茲（Moritz von Schwind, 1804-1871）頭像、英國20磅紙鈔上有著浪漫主義畫家—透納（William Turner, 1775-1851）的《自畫像》、白俄羅斯100萬盧布上的伊萬·赫魯茨基（Ivan Khrutsky, 1810-1885）作品《夫人與水果》、比利時100法郎上恩索爾（James Ensor, 1860-1949）的蝕刻版畫作品《歐斯通德海水浴場》與500法郎上的超現實主義畫家—馬格利特（Rene Magritte, 1898-1967）的肖像及其畫作中常出現的經典元素、新加坡50元鈔票上有著南洋四大天王—陳文希（1906-1991）的作品《猿猴》，這些國家透過鈔票及錢幣的印製，同時行銷了自身的藝術文化，貨幣不僅可以作為商業交易的媒介，同時也可以成為一個國家的文化行銷工具。

（二）義大利的文化資產—世界各國的文化朝聖

聯合國教育科學文化組織（UNESCO）估計，文藝復興的起源地—義大利，擁有全世界大約60%的考古、歷史及藝術資產；義大利擁有900個尚未毀

損嚴重的古城區、1,500 座古修道院、2,500 多處考古遺址、4,000 多個國立博物館、30,000 座古老建築、40,000 個古庭園、約 40,000 多個古堡、100,000 座古教堂，且擁有數千個歷史圖書檔案保存館，其於 2008 年被國家品牌指標（Country Brand Index）列為全球吸引力第四名的國家，光是羅馬競技場（Colosseum）每年平均就吸引超過 600 萬名觀光客；義大利擁有了得天獨厚的文化歷史，因此透過其本身的文化資產，吸引了世界各國前來文化朝聖。

（三）威尼斯雙年展的包裹式行銷—交通、旅遊、展覽、生活

義大利威尼斯雙年展（Venice Biennale），自 1893 年開始至今擁有上百年歷史，被視為歐洲的藝術嘉年華會，同時也是三大重要展會之一，其奇數年為藝術展，偶數年為建築展；威尼斯本島居民雖然僅有 6 萬人，但由於其水都的美名與雙年展的朝聖魔力，每年吸引來自世界各地 3,000 多萬的觀光客，雙年展時除了主展館與國家館外，附近也會有諸多的平行展，因此在大街小巷的穿梭中，不僅可以欣賞建築與人文風貌，還可以看到不同國家的藝術面貌。

威尼斯的水上巴士與貢多拉（Gondola），不僅是交通工具，同時也是富有歷史文化的代表，而人文之歷史、觀光及美食文化，也同樣成為了整個套裝行程的重點之一，威尼斯雙年展透過包裹式的行銷模式，成功地將交通、旅遊、展覽、生活結合在一起，也成為了國際知名的文化行銷案例。

（四）列支敦斯登

列支敦斯登（Liechtenstein）是位於瑞士與奧地利之間的內陸國家，國土面積僅有 160 平方公里（台北市 2/3 面積），人口僅有 3.89 萬人，人民勤奮因此人均 GDP 世界排名第一高，而這個地狹人少、無港口、無機場且無軍隊的國家，靠著風光明媚的風景、避稅天堂與文化歷史的保存，也使得國家的觀光收入極高；而其郵票收入及藝術作品也是舉世聞名，特別是列支敦斯登王室，收藏了歐洲 500 多年來的稀世珍寶與藝術作品，每年光靠郵票及藝術品的展覽出借，就有不少收益，其不僅透過文化產品的出借來行銷全世界，也透過借展收入來帶動

國家財富增長。

（五）日本多面向的文化輸出

　　海島型的獨特地理條件與悠久的歷史文化，讓日本也發展出許多獨具特色的傳統文化，舉凡：茶／花／香道、相撲、和服、劍道、合氣道、邦樂、日本文學、日式建築、工藝、藝術、宗教文化、日式飲食等，日本在過去的精緻文化上有著卓越的成就；而以近代而言，又發展出許多席捲全球的文化，舉凡：流行音樂、日劇、家電、機械人、動漫、電玩、時尚潮流、情色文化等；日本不僅在傳統文化上深深吸引著其他國家，對於年輕人的流行文化（J-pop）註㊸也擁有全球廣大的愛好者，近年來日本更積極地針對哲學家、美學家、日語等方面，進行文化輸出並設立學習中心，透過多元的文化輸出，讓世界各國有越來越多的人愛上了日本文化。

（六）韓國影視的文化輸出

　　近年來韓國流行文化（K-pop）註㊹，大舉入侵世界各國，台灣也是韓國流行文化的主要攻佔目標，由於他們對於電影、影集及節目的製作精美，在行銷上的多元與全面，也加速了韓流的市場開拓，許多台灣人開始學習韓文，除了可以聽懂韓國歌曲也看懂韓劇，甚至有許多學生族嚮往至韓國留學或交換學生，韓國政府為了強化國家文化的潮流推動，甚至在政策上也有保護措施，在電視台的黃金時段禁止撥出境外劇，而相關的電視影集自製比例至少要超過80%，國產的電視劇必須要佔大多數（設下限），而國外進口的電視劇必須佔少數（設上限）。

　　韓國政府對於文化的推動同時，也順帶強化城市行銷，這些年由於影視的輸出，也帶動韓國當地觀光收益大幅成長，從1978年觀光外匯收入4億美金，到2008年觀光外匯收入達到58億美元，而2014年觀光外匯收入更高達176億美元，

註㊸：「J-pop」係由1980年代末期誕生的概念，代表的是日本的流行文化、時尚、音樂、影視、和製英語等，也是僅次於美國的第二大流行文化產業。

註㊹：「K-pop」概念類似「J-pop」，自2000年起韓流文化席捲亞洲與全球市場，截至2020年，韓國為全球第六大、亞洲第二大音樂市場。

2019 年外國訪韓人次高達 1,750 萬人次，據「韓國觀光公社」（Korea Tourism Organization）公布，2019 年韓國旅遊收入達 218.73 億美金，世界經濟論壇（WEF）發布的「2019 年旅遊業競爭力報告」，韓國也成為全球第 16 名，其爆炸性的成長幅度要歸功於影視輸出所帶來的效益。

　　韓國流行文化帶動的影響，不僅是在飲食、觀光、時尚等層面，這種「影視效應」深深影響著其他國家，包含流行用語、走路方式、生活態度、妝髮打扮等，這些文化的介入層面是相當廣泛的；當一個國家的文化被認同後，它也逐漸變成強勢文化，韓國就在多方的文化輸出下，成為了亞洲的強勢文化。

（七）生活美學與藝術的連結：以香港 H Queen's 為例

　　近年來，世界各地區有很多新興藝術聚落的形成，如：香港的伙炭藝術工作室與材灣尾藝術區、中國的北京 798 藝術區與上海 M50 創意園、台北的大內藝術區（TAD）、新加坡吉爾曼軍營藝術區（Gillman Barracks）、德國萊比錫斯賓納佩藝術園區（Spinnerei Leipzig）、紐約曼哈頓的雀兒喜（Chelsea）和蘇活區（SoHo）……；而國際貿易城市—香港的中環區，最為繁榮的皇后大道中及士丹利街上，佇立著一座結合藝術、美食、精品、零售、休閒與活動的 H Queen's 大樓，其中駐紮著數間國際級的畫廊與拍賣公司，如：卓納畫廊（David Zwirner）、豪瑟沃斯畫廊（Hauser & Wirth）、佩斯畫廊（Pace Gallery）、藝術門（Pearl Lam Gallery）、首爾拍賣（Seoul Auction）、當代唐人藝術中心（TANG Contemporary Art）、白石畫廊（Whitestone Gallery）等，這棟文化涵養極高的建築物，同時以綠建築設計加上玻璃帷幕，並兼顧外觀與內部功能性，參觀的民眾可以搭乘電梯至頂樓，然後以輕快愉悅的徒步方式下樓，並參觀每一個藝術空間精心設計的巧思。

　　過往 H Queen's 大樓也曾經舉辦過許多文化活動，如：2018 年舉辦的「Taste of Art」，即是結合了美食與藝術的活動，將味覺與視覺做結合，在大樓內部的餐廳推出新的菜單，並與同棟畫廊展覽的藝術家作品，做概念上的結合，透過一

種策展與美食的結合，讓品味家們能同時欣賞到藝術作品，也能同時品嚐美食，並在午後透過 4 位嘉賓的分享，進行藝術品欣賞與投資講座，而於傍晚時，由現代書法家與設計師進行英文書法之教學，並在工作坊的授課時間，同時品味精緻的紅白酒與藝術產生的交融饗宴。

五、台灣藝術家文本的建立—民族自覺性

近年來國內各文化單位，舉凡：文化部（MOC）、中華民國畫廊協會（TAGA）、視覺藝術聯盟（AVAT）、南藝大臺灣藝術檔案中心（AACT）、台灣文化政策研究學會（TACPS）等，積極建立台灣藝術文獻庫（Art archive），尤其是針對台灣本土美術史的歷史檔案、藝術家理論文本與產業發展史之建立。

有鑒於全球化的藝術話語權對抗，與台灣藝術家在國際拍賣會上表現的影響，並受到 2000 年成立的香港亞洲藝術文獻庫（Asia Art Archive）啟發，台灣各單位也仔細思考，是否應該要有更周全、更有系統的方式來累積台灣的藝術檔案，以香港的亞洲藝術文獻庫為例，其位於香港上環的檔案庫，存有眾多亞洲藝術家的作品集、展覽目錄、珍貴期刊、影音紀錄、個人檔案與相關文獻，並透過藝術家、專家學者與研究人員以專題研究的方式共同合作，並以數位化的方式將原始材料、歷史圖片、錄像、燈片膠卷、印刷品等珍貴資料保存，並上傳至網際網路供全球使用者查閱，香港亞洲藝術文獻庫定期舉辦訪談、研討會、藝術專題研究，並記錄藝術產業內相關活動，透過駐場計畫及獎助金來持續擴充論文與簡報，平日也有諸多特約作者，持續觀察並撰寫亞洲藝術各議題之文章，並以量化分析的方式，將館藏的統計資料公開給各方。

早期台灣的藝術評論較缺乏藝術史觀與學術理論的建構，因此早期所留存的老藝術家文獻大多為年表式的，著重在生命歷程的整理或視覺上美學的分析，缺乏與全球美術史脈動上的連結，也欠缺為藝術家建立理論性與學術觀點，雖然早期台灣的美術史承襲至日本，但在自足的台灣文化變異後的藝術特點，卻較少被

提出，台灣目前較急迫的，並非是重新梳理年表式的藝術家生命經歷，而是鞭辟入裡的藝術家創作研究，甚至是能夠以台灣藝術家的創作，而衍生出全新的藝術理論；為達成此目標不僅是要備足資料庫之內容，更要開放文本空間，使得藝術的理論家、哲學家、觀賞者、研究人員充分討論，才有近一步被論述的可能，這種文本的厚度累積，也如同之前章節所稱的「堆磚塊理論」，透過開放且集思廣益的文本累積與交流，思想上激盪出的火花，也就能夠將一個地區 / 國家的文化特點給分析出來；一個國家的文本累積，除了透過民族的自覺，也需要民族的自信，相信自我國家的藝術家是優秀的，同時也相信自我國家的理論學者是優秀的，逐步積累本國藝術家與理論家的文化厚度，再進一步的發揚國際。

六、文化的包裝

　　談論到文化的行銷包裝，許多人常以中餐與西餐的比較來舉例說明，中西餐間的差異除了餐具與飲食程序上不同，在其他部分也有著區別，以「食材」而言，中餐明顯的多元豐富，但凡陸海空只要能動的無一不成為盤中飧，且不僅皮肉可食、內臟亦可食；以「烹飪」方式而言，西餐較為單純但更重視醬料的調製，也更為科學準確，中餐則講授手感、火侯掌握與經驗度；而食材的「加工」處理，中餐講究刀工與口感的營造，雖有雕花等擺盤，但與西方講究俐落造型的擺盤也不盡相同；雖然我們明白中西餐之間的區別不盡相同，但時常發現中餐所創造出的價值感卻比不上西餐，儘管中餐的成本不低於西餐，但普遍來說西餐的價位通常高於中餐；原因就在於西餐較講究「整體價值」的傳遞，舉例來說：西餐的氛圍營造，可能會透過桌邊料理、餐酒搭配、擺盤裝飾、上菜樣式、服務方式、室內裝潢、音樂演奏、五感體驗與歷史文化等氛圍之營造，去創造出西餐高級、高質感、精緻的感受，因此西餐注重的文化體驗層面發展的較為全面，不僅注重食物本身，也重視其附加的東西，例如：美味、浪漫、質感、新穎、可拍照、高級感、踩點打卡等，都會是年輕人考慮的價值感，因此年輕情侶間的約會場地，選擇西

餐的比例也遠勝過中餐，總讓人感到西餐的精緻度與浪漫感高於中餐，行銷學其實也是始於西方，因此在藝術的行銷面與文化傳遞面上，我們也要學習西方，特別是文化包裝的部分。

創作上我們務求精準展現與傳達，就如同精準的掌握每一個料理關鍵，並讓品嚐者可以感受到料理者的用心一般，而除了精準度之外還需要文化包裝，即是讓文化所蘊含的內容，透過品牌創造及價值感昇華，來形塑一個文化被識別與接受的過程，好比一個產品需要有好的包裝與商業設計，才能夠彰顯產品的美感、價值、精神與品質，此部分只要長時間的持續耕耘，就能夠將品牌的價值感深植於消費者心中，消費者在消費的同時也是在體驗商品所帶來的價值，因此不僅關注產品本身，也在意產品所創造的價值，同樣的一個文化藝術也是需要包裝的，就如同前段所說的中西餐差異性，如何能夠將文化被他人所接受，才是一個順暢的文化傳遞，並且藉由價值的提升與品牌創造，而成為優質的文化。

七、台灣的產、官、學、研、藏通力合作

全球化的時代下，除了國家的經濟與軍事能力之提升，各國政府也努力提升國家文化競爭力，以香港藝術發展局為例，其培育中小型藝團發展，並設立「新苗資助」專案，對於藝術家團體的創作與展演進行協助與補助，並且對於藝術的組別分成以下 10 組：藝術行政、藝術評論、藝術教育、舞蹈、戲劇、電影及媒體藝術、文學、音樂、視覺藝術、戲曲，對於這些組別進行資助、政策及策劃、倡議、推廣及發展、策劃活動等；一個國家文化的宏觀發展，必須藉助國家的視野高度，與政府部門的相應法規及行政支持，而光有政府力量還是不夠，尚須民間力量共同努力，也即是在產、官、學、研、藏，多方面的努力與提升。

2017 年起文化部即推出「重建台灣藝術史」的前瞻基礎建設計畫，台灣必須先借助自身力量，將本土的藝術歷史整理詳細，未來才有可能得到各國的重視，而於 2018 年立法通過的《文化內容策進院設置條例》，藉由推動「文化內

容開發及產製」、「完善文化金融體系」與「拓展國內外通路」為三大方向，並且提出了五年工作計畫，在一年內整備內容產業的支持系統，並建構有效策進文化的機制；三年內文化內容產製量提升；五年形塑內容品牌國際化並建置國際市場佈局，及中介組織專業角色完善化；透過這些目標的設定，擬出策略研究、文化金融、內容策進、全球市場與行政管理計畫，這些計畫下各有不同的子計畫，透過更專業與完善的產業規畫，台灣政府企圖為文化產業升級。

　　文化上的自主性與主體性必須靠自我來建立，因此不僅是政府的重視，我們更要發起民間單位的凝聚力量，以台灣畫廊產業而言，中華民國畫廊協會集結各藝術單位，戮力推動各種文化政策的提案，並且以產經研究室的專業人員，針對市場機制及藝術經濟研究出版，不僅有藝術產業相關歷史資料之整理，還有產業近況之分析報告，其目的即是以產業鏈的環境改善來開始著手，進而改善台灣藝術家在國際上的能見度，且使台灣文化的自主性與主體性操之在己，特別是在每年舉辦的台北國際藝術博覽會（Art Taipei）上，每年推出一個策展主題，並且作為一個發表與發聲平台，向著國際去推展台灣的藝術，近年來許多國際頂尖的大型畫廊，也參與了這個歷史悠久的藝術盛事；畫廊協會並於 2019 年成立了「鑑定鑑價委員會」與「台灣藏家聯誼會」，企圖提振台灣藝術品收藏的品質與鑑定鑑價的公正性，且強調畫廊協會經營的正派性，而台灣藏家聯誼會的成立，也是企圖讓畫廊與藏家保持密切與合作的關係，透過畫廊與藏家的良好互動與合作關係，未來對於台灣的產業將會有正面的加值。

八、台灣視覺藝術產業再進化

　　在經濟領域中，所謂的「職業」、「行業」與「產業」皆是社會分工之下的產物，並且都具備同屬性的經濟活動，但這三者之概念涵蓋範圍與著眼之層次還是有不同，簡而論之，「職業」是以技術及工作內容來進行分類；「行業」是根據經濟活動的特點來加以劃分的分類方式，且以公司或組織來組成；而「產業」

則是著重在生產力的宏觀佈局，舉例來說：某人是屬於一間策展公司專門負責藝術運輸的人員，以「職業」上的分類他稱為司機，以「行業」別的分類他屬於策展行業，而以「產業」別的分類，他屬於視覺藝術產業，因此產業、行業與職業，在概念的涵蓋範圍為大至小，而著眼層次為上至下；隨著「科技技術」與「社會環境」的發展，會產生新的行業，而相關行業群之間的商業互動，則會整合出一個新的產業，而基於新行業的誕生會影響到產業的競爭力，因此我們為了保障競爭力，會選擇提倡產業升級。

（一）國際間產業的分類

　　國際間不同國家對於產業的劃分，依其發展程度可能有所不同，但大部分的劃分方式雷同，第一產業：又稱初級產業，係以生產鏈中擔任原料開採的工作，例如：農業；第二產業：又稱中級產業，擔任生產與供應市場的中間階段，例如：加工製造業；第三產業：又稱高級產業，即是生產鏈中與終端客戶接洽的，並擔任分銷、物流、中介等服務性工作，包含金融保險、教育文化、法律、觀光餐飲、房地產等，屬於行業種類最多的產業；第四產業：係以科技型服務為特徵的產業，上述的前三種產業是大部分國家的產業別分類方式，而後兩種產業則是近年來崛起的新分類，我國於產業類別中劃分至第五產業—文化創意產業，其中又細分 16 種子產業，視覺藝術產業即是其中的第一項產業。

　　針對視覺藝術產業的升級，我們首先要理解產業的脈動，除了調研產業的規模與業內機制，還需針對產業規模進行適當的協助措施，以目前台灣的畫廊產業皆屬於中小企業型態，政府與民間團體則應該根據此階段的畫廊規模，而提出培植與輔導的措施，同時也避免好高騖遠的培力計畫。

（二）提升藝術經濟力

　　一個國家的藝術實力要能夠體現，其最重要的關鍵則在於「藝術經濟力」夠強大，並且帶動可觀且持續的經濟效益，在過去我們總認為藝術應該是要脫離商業考量，因此很多時候把藝術當成了公益，甚至認為要追求藝術性就應該要排斥

商業，或期待商業畫廊將展覽變成公益項目，而當藝術無法當飯吃時，則開始抱怨政府對於文化的不重視，或是總認為藝術總是需要靠政府補助，我想這是因為對於藝術經濟力有些誤解，因此衍生出的謬誤；一個國家的藝術要能夠提振，就必須要提升藝術的經濟力。

透過台北藝術產經研究室（TAERC）之出版《藝術經濟力─藝術經濟學論述之基礎研究》指出，經濟力的結構要素包含三個部分：資源稟賦面、資源整合面與效益動力面，並以這三個結構面向，針對產業、城市及企業進行分析；「資源稟賦面」是以鉅觀層面來進行的總體環境分析；「資源整合面」則探討的是藝術機構營運的各項資本，如：產業結構、財務、人力、關係資本等，並思考如何與企業有著公益及資產上的結合；「效益動力面」係以直接及間接的經濟效益，來分析其與運營上的比重關係；而透過研究學者凱利A與凱利M（Kelly A & Kelly M, 2000）歸納的評估調查表，也指出藝術經濟力的指標有以下12項：「組織結構」、「營運收入」、「營運支出」、「資本結構」、「營運績效」、「員工」、「社會資本」、「營運方針」、「文化效益與影響」、「社區經營」、「社會轉型與公眾觀點」及「人力資本」；其實文化經濟的指標與國家文化政策及產業發展是息息相關的，產業人士要深入的研究文化經濟力，將生意人的經商角度擴大到產業角度，將文化產業的事業高度提升，並具備國際競爭思維，則是提升文化經濟力的根本辦法。

（三）藝術圈角色扮演與整體結構

有鑑於全球的藝術產業高度化發展，台灣政府也發展出相應的部門與組織，針對文化進行策略性的政策規劃，而台灣文化部視覺藝術政策推動的實施內容第三項：「輔導補助立案之藝術團體辦理視覺藝術教育推廣、藝術展覽、人才培訓、出版及各類藝術活動」，特別針對立案團體之藝術展覽、人才培訓、藝術活動等，提供輔導與補助，其實也正因應了藝術產業的結構性問題。

目前世界各國重要的藝術機構與國際型的商業畫廊中，大部分為西方人擔當

要角,而亞洲區人種則較少,至於台灣更是少之又少;藝術屬於整體文化下之一環,各國民族於藝術機構上擔任要角時,往往會對於自身文化有著青睞、反饋與使命感,國際上的重要策展人、藝評家、藝術經紀人、美術館館長與重要的典藏委員等,對於自身文化具有組織整體結構的功能,若是一個民族能夠在國際上的各種文化要角上彼此合作,則一個國家的文化傳播就能如虎添翼的展開。

（四）亞洲藝術鏈

美國哈佛教授—約瑟夫‧奈伊（Joseph Samuel Nye, Jr., 1937-）曾提出軟實力（Soft Power）的概念,認為一個國家除了在經濟與軍事外還需要有第三方面的實力,這第三方面的實力即是文化、價值觀、意識形態與民意的影響力,而中國學者黃意武於《文化軟實力構成要素與路徑找尋》中提出,構成國家文化軟實力的六項要素為:文化凝聚力、文化吸引力、文化創新力、文化輻射力、文化整合力與文化生產力,也就是透過文化來達到民族的凝聚力,並且要發展出具有吸引力的文化,而藉由不斷的文化創新,則可以發展出獨特又有新意的文化內容,至於文化的輻射力談的則是傳播力的幅廣,國際化下世界各文化彼此交流,整合本身與外來文化,並產出全新面貌的文化,則是培養軟實力的重點。

台灣的文化在亞洲文化中扮演的位置是如何,而其中台灣的文化特色又是如何,是我們應該深思的,而藝術承載著文化,在亞洲的整體文化鏈中,我們的藝術產業要如何地呈現出台灣的藝術,並透過亞洲藝術鏈的資源連結,來行銷台灣藝術,則是讓台灣藝術產業升級的其中一道課題。

九、「物流」、「金流」、「人流」、「資訊流」及「心流」體驗

前述章節曾經提及,藝術家、展覽舞台與收藏家的分類,依照不同的分類而有其相對應的市場策略與話語權,就如同一個公司的新產品要上市前,它必須先針對,產品、廠商品牌與市場來進行定位,因此以藝術產業對於藝術家的分類來說,要考慮到藝術創作的類型與市場偏好的問題,畢竟不同地區會有不同的市場

區隔，而每位藝術家的市場在哪裡，就要找到其相對應的市場，藏家對於藝術品的期待，與藝術家對於收藏預算的期待才能夠同步調，使藝術市場的「物流」與「金流」接軌；而因為不同的文化底蘊、民族性、歷史背景、收藏習慣不同，也會影響到一個區域市場的接受度，藝術家選擇自己適合的藝術環境發展也是很重要的，如果是適合在歐美發展的藝術家，則建議在國外創作，以方便融入歐美整體的藝術環境，並接軌歐美市場，瞭解自身的市場與客群在哪裡，才能夠有適合的作品供給，並且知道該做的功課是哪些。

除了產業鏈中的生產者（藝術家）之外，在一個全球的文化競爭中，我們期待達成文化輸出的貿易順差，而為了要達成這一點，首先要從培養國內的優秀藝術從業人員開始，即是對於台灣本土人才的「人流」培養，並且師法歐美較為先進的「市場制度」與「行銷專業」，讓台灣與全球的藝術資訊溝通，而將人才留下，並且讓台灣的「品牌力」能夠滲透到國際的藝術界，在這裡我所指稱的品牌，不單是指藝術家品牌，也可能是畫廊之類的藝術機構品牌，甚至是美術館的品牌、政府部門的品牌，唯有品牌力的價值能夠到達國際級，才能夠讓台灣的藝術價值被看見；只要台灣的藝術品牌力能夠走出國際，則相對應的金流、物流、人流也都會進行回歸，這種回歸也讓台灣的藝術機構有更多的條件，可以按照理想中的樣貌來進行營運，不僅不用擔心人才外移，也不用擔心客戶流失及合作藝術家跳槽至國外畫廊，只要讓台灣的本土品牌拓展國際，就能夠帶動台灣整體的產業被世界看見。

全球的國與國競備中，不僅在經濟與軍事上有著高度的競爭，在文化上的競爭也是能夠直接地體現在民族自決性上，雖說每個國家的國情不同、民族性不同，但在現代社會中能夠掌握「資訊流」的主導性，就有機會掌握話語權，以現今而言，話語權與資訊流是如同一體的，而資訊流的經營必須要有內容的產生，因此藝術機構的工作內容也從傳統的藝術行政，漸漸地轉變為大型專案式的工作模式，透過大型專案與活動的執行，許多的藝術盛會與經紀項目，也成為了可作

為藝術傳播的內容，這些大型專案的規劃與執行過程，成為了藝術行銷的重要工具，不僅能讓觀賞者瞭解到一個藝術家品牌成形的過程，更讓人對於藝術家的經營方法產生了興趣，而藝術的收藏者也從只關注作品本身，轉變成關注藝術家的活動與發展性。

瞭解了產業面的幾項運作要素後，我認為隨著文化產業的高度發展，更需要研究的，則是觀賞大眾的「心流體驗」，過去的傳統通路重視的是實體的門市效應，但隨著網路購物的普及，有越來越多的消費者習慣透過網路來進行購物，門市也變成了一種體驗店的型態，且網路的行銷模式不斷創新，使得虛擬的消費體驗也佔據了部分的市場份額，在未來的藝術品銷售可以區分為兩種，其中一種，是可以透過網路體驗的作品，這類型的藝術品也許是數位內容型的作品，也可能是傳統類型的作品；另外一種，是無法透過網路體驗的作品，這種作品即是需要高度的心流體驗，且透過網路的傳播是難以達到準確的體驗效果，這類型的作品在未來會因為高度重視心流體驗，使得藝術機構在進行傳播上，更費心力地去突破體驗的可能性。

過去我們倡導的是「五感體驗」註㊺，但未來的世界，也許是藉由更高度的策展規劃，或是產生某種社會氛圍，透過一些富有創意又具前瞻思維的專家，去突破作品體驗的新可能，例如：目前較新穎的「沉浸式體驗」註㊻（Immersive Experience），則有可能是之後大眾喜愛的體驗方式，不僅能夠有感官上的跨界體驗，也能夠有品牌上的跨界合作，如果這種相乘效益能夠叫好又叫座，將對於我們的藝術體驗又有更深一層的開拓，而這些新穎的體驗方式，隨著科技與行銷的進步不斷推陳出新，而下一個新穎的體驗模式也許就會在市場的需求中誕生。

註㊺：「五感體驗」是一種由心理學延伸出的行銷方式，也就是透過人的五種感官來體驗產品，且過程由訊息傳遞、記憶連結與強化選擇熟悉感，來強化品牌的深刻度。

註㊻：「沉浸式體驗」（Immersive Experience）是透過感官與環境的互動，使人感受到深層體驗的模式，並訴求連結與共鳴的體驗，例如：透過劇情設計、音樂、燈光、氣味、餐酒與產品意象的結合；近年也有許多透過科技裝置來進行沉浸體驗，例如：頭戴式 VR 裝置、機械座椅、水氣裝置與數位內容的結合。

十、文化智商的提升

　　人類進步到商業化的競爭時代後，發現在商業競爭中要獲得成功，往往需要在某些部分有過人之處，因此也發展出許多測量競爭力的商數，如：「智能商數」（Intelligence Quotient, IQ）、「情緒商數」（Emotional Intelligence Quotient, EQ）、「時間商數」（Time Quotient, TQ）、「逆境商數」（Adversity Quotient, AQ）與「適應性商數」（Adaptability Quotient, AQ）等，這些商數談論的是智力程度的高低、情緒管控的能力、時間管理的能力、面對逆境的抗壓能力與適應環境變化的能力，也就是近年來被各國極為重視的多元商數。

　　而文化產業需要的不僅是上述的諸種能力，還需要的是「文化智商」（Cultural Quotient, CQ），指的是高度文化的行為模式能力，並在跨文化的認知、交流、溝通與管理上，具備多元且高度的文化素養，因此不僅對於藝術的理解有著專業而廣博的文化內功，在藝術的國際推廣上，也能以他國文化的角度來詮釋異國作者，並且對於國際佈局的分公司拓展上，也擁有統合協調各國專業人士的能力，究竟文化智商對於藝術產業，到底重要性有哪些層面？在此分述如下：

（一）藝術內涵的理解素養

　　高度的文化智商，不僅是指擁有國際觀與包容性強的多元文化，同時也是代表對文化的內涵與理解是足夠的，如此才能深度理解文化的產物─藝術品；而對於藝術產業而言，專業性的美學素養、美術史與藝術理論，則是藝術從業人員的「本職學能」註㊼，因為唯有專業的藝術素養，才能夠成為專業的藝術推動者，且藝術的推動者還需隨時更新，以獲得最新的專業素養與圈內資訊，持續性地提升文化智商，成為自身國家的「文化代理人」。

（二）國際的藝術推廣

　　要使藝術邁向國際化的最重要關鍵點，即是「全球化的推廣策略」發展，並善用「意識形態」以利轉弱為強的文化輸出，全球化的推廣也如同媒體傳

註㊼：「本職學能」指的是與本身職業有關的必備學識與技能，本職學能越強，則從事的職業工作就能發揮得越好。

播一般需要在地化，使得推廣能夠與在地文化接軌並深度的「文化適應」（Acculturation），不僅需要對於異文化具備洞察力與表達力，還需要重視「語言能力」、「文化價值觀」、「信任感」、「談判與溝通的文化風格」、「跨文化的行銷能力」與「跨文化社交能力」；在藝術的推廣與買賣過程中，要順應每個地區文化的習性，除了要有跨文化行銷能力，還要懂得如何以他國文化的方式，來洽談合作與交易，因為主要的目的是推廣，並且促成在地市場的開發，因此迎合當地文化的洽商方式，是比較適宜的做法。

（三）跨國畫廊的在地營運

　　一個國際級的跨國畫廊，除了參與不同國家的國際藝博會，勢必還會有不同城市／文化的在地據點，透過常駐式的在地推廣，以取得當地收藏群與藝術資源，依據不同的據點作為不同地區的市場分配，同時也需要跨國際與跨文化的人才；而領導著這麼一群跨國際文化的人才，需要的更是高度的「跨文化統御能力」，且必須要把跨國畫廊的組織文化，轉型成為高度文化智商的組織，才能夠留住各個文化背景的人才。

參考書目

· 格奧爾格 · 威廉 · 弗里德里希 · 黑格爾（1835）。《美學講演錄》。德國
G. W. F. Hegel.（1835）. *Vortesungenueber die Aesthetik.*

· 伊曼努爾 · 康德（1790）。《判斷力批判》
Immanuel Kant.（1790）. *Critique of Judgment.*

· 華特 · 班雅明（1936）。《機械複製時代的藝術作品》
Walter Benjamin.（1936）. *Das Kunstwerk im Zeitalter seiner technischen Reproduzierbarkeit.*

· 米基 · 杜夫海納（1953）。《審美經驗現象學》
Mikel Dufrenne.（1953）. *Phénoménologie de l'expérience de l'esthètique.*

· 葉朗（2009）。《美學原理》。中國：北京大學出版社

· 湯瑪斯 · 華騰伯格（2003）。《論藝術的本質性：名家精選集》。 張淑君、劉藍玉、吳霈恩譯。台灣：五觀藝術
Thomas E. Wartenberg.（2003）. *The Nature of Art : An Anthology.*

· 瓦西里 · 康丁斯基（1995）。《藝術的精神性》。吳瑪俐譯。台灣：藝術家
Wassily Kandinsky.（1995）. *Concerning the Spiritual in Art.*

· 瓦西里 · 康丁斯基（1923）。《關於抽象的舞台綜合》

· 赫伯特 · 里德（2015）。《現代繪畫簡史》。洪瀟亭譯。中國：廣西美術出版社
Herbert Read.（2015）. *A Concise History of Modern Painting.*

· 丹納（2019）。《藝術哲學》。傅雷譯。台灣：五南
Hippolyte Adolphe Taine.（2019）. *Philosophie de l'art.*

· 歐文 · 亞隆（2003）。《存在心理治療》。易之新譯。台灣：張老師文化
Irvin D. Yalom.（2003）. *Existential Psychotherapy.*

· Helene Pinet（1995）。《羅丹激情的形體思想家》。周克希譯。台灣：時裝文化出版企業股份有限公司

· 威廉‧塔克（2017）。《雕塑的語言》。徐升譯。中國：中國民族攝影藝術出版社

· 新加坡政府（2000）。《文藝復興城市報告》
（*Renaissance City Report: Culture and the Arts in Renaissance Singapore*）

· 文化部（2018 年 12 月 25 日）。《文化內容策進院設置條例》

· 柯人鳳計畫主持；石隆盛協同主持（2013）。《藝術經濟力─藝術經濟學論述之基礎研究》。台北藝術產經研究室之研究。台灣：文化部

· 非池中藝術網。檢自 https://artemperor.tw/

· 典藏 ARTouch。檢自 https://artouch.com/

畫廊主帶您進入藝術圈(上)
Gallery owner take you into the art world.

鑑賞・從業・創作・收藏
Appreciation · Practice · Creation · Collection

出版者：青雲畫廊
地址：台北市中山區明水路469、471號
電話：02-25332839
網址：http://www.cloud-gallery.org/
信箱：cloudgallery1@gmail.com

作者：李宜洲
主編：李宜洲
視覺設計：高逸恩
文字校對：邱筠庭
翻譯：邱筠庭
印製：綺益彩印
版次：初版，2021年，10月
定價：NT.280

Publisher : Cloud Gallery
Address : No.469, 471, Mingshui Rd., Zhongshan Dist.,
　　　　　Taipei City 104, Taiwan(R.O.C)
Tel : +886-2-25332839
Web : http://www.cloud-gallery.org/
Email : cloudgallery1@gmail.com

Author : Gary LEE
Chief Editor : Gary LEE
Visual Designer : Hazel KAO
Proof reading : Joyce CHIU
Translation : Joyce CHIU
Print : GETech Color Printing
Publishing Date : First Edition, Oct. 2021
Price : NT.280

畫廊主帶您進入藝術圈：鑑賞・從業・創作・收藏 =
Gallery owner take you into the art world :
appreciation. practice. creation.
collection / 李宜洲 (Gary Lee) 著. -- 初版. -
- 臺北市：青雲畫廊, 2021.10
　　冊；　公分
中英對照
ISBN 978-986-88808-3-2 (上冊：平裝) . --
ISBN 978-986-88808-4-9 (下冊：平裝) . --
ISBN 978-986-88808-5-6 (全套：平裝)

1.藝術欣賞 2.藝術經紀 3.文化產業 4.藝術市場

901.2　　　　　　　　　　　110015577